M. Pirner

Religionspädagogik in pluraler Gesellschaft (RPG)
Band 9

Herausgegeben von Hans-Georg Ziebertz, Friedrich Schweitzer,
Rudolf Englert und Ulrich Schwab

Chr. Kaiser
Gütersloher Verlagshaus

HERDER

FREIBURG · BASEL · WIEN

Hans-Georg Ziebertz / Günter R. Schmidt (Hg.)

Religion in der Allgemeinen Pädagogik

Von der Religion als Grundlegung
bis zu ihrer Bestreitung

Chr. Kaiser
Gütersloher Verlagshaus

HERDER

FREIBURG · BASEL · WIEN

Bibliografische Information der Deutschen Nationalbibliothek

Die Deutsche Nationalbibliothek verzeichnet diese Publikation in der Deutschen Nationalbibliografie; detaillierte bibliografische Daten sind im Internet über http://dnb.d-nb.de abrufbar.

1. Auflage
Copyright © 2006 by Gütersloher Verlagshaus, Gütersloh,
in der Verlagsgruppe Random House GmbH, München
und Verlag Herder, Freiburg im Breisgau

Umschlaggestaltung: Init GmbH, Bielefeld
Satz: SatzWeise, Föhren
Druck und Einband: Hubert &Co., Göttingen
Printed in Germany
ISBN-13: 978-3-579-05299-1 / ISBN-10: 3-579-05299-3 (Gütersloher Verlagshaus)
ISBN-13: 978-3-451-29157-9/ ISBN-10: 3-451-29157-6 (Verlag Herder)

www.gtvh.de
www.herder.de

Inhalt

Teil III: Religion als alternative Konfessionalität

Nachwort

Vorwort

Die westlichen Gesellschaften erleben gegenwärtig vielfältige Veränderungen, das gilt auch für das Feld der Religion. Während das Christentum in Deutschland statistisch immer noch die Mehrheitsreligion bildet, tritt zunehmend der religiöse Pluralismus ins Bewusstsein und es ist offensichtlich, dass viele Religionen oder Glaubensrichtungen als »weltanschauliche Horizonte« nebeneinander existieren und dem Menschen zur Auswahl zur Verfügung stehen. Die beiden großen christlichen Kirchen sind in der bundesdeutschen Gesellschaft institutionell fest verankert. Um ihr Ansehen steht es aber nicht zum Besten. Die Teilnahme an kirchlichen Glaubensvollzügen pendelt sich auf einem vergleichsweise niedrigen Niveau ein. Dem Einzelnen stehen vielfältige religiöse Angebote offen, aus denen individuelle Orientierungen entwickelt werden können. Durch diese Situation wird sowohl eine relativistisch-indifferente Haltung gefördert, als auch eine neue religiöse Entschiedenheit. Daneben ist ein gewisses Maß an Orientierungslosigkeit nicht zu übersehen sowie die Möglichkeit der Bindung an fundamentalistische Gruppen. Sind solche Phänomene irrelevant für eine Theorie von Erziehung und Bildung? Wenn solche Theorien den ganzen Menschen betreffen (sollen), können sie dann den Bereich der Religion und Religiosität ausblenden? Diese Frage wird in diesem Band an die Allgemeine Pädagogik gerichtet.

Schaut man auf die jüngere Geschichte der Pädagogik bzw. Erziehungswissenschaft, wird man feststellen müssen, dass seit den 1960er Jahren die Bezugnahme auf Religion (vor allem als anthropologische Gegebenheit im Allgemeinen und auf das Christentum als wichtigem Ingredienz der kulturellen Vergangenheit und Gegenwart im Speziellen) kontinuierlich zurückgegangen ist. Die pädagogische Reflexion auf Religion war bei Pädagogen wie Theodor Litt, Eduard Spranger, Wilhelm Flitner oder Heinrich Roth noch selbstverständlich. Auch gegenwärtig ist zu beobachten, dass einzelne Fachvertreter in der Pädagogik Religion thematisieren, jedoch geschieht dies nicht mehr in der konzeptuellen »Übersichtlichkeit« wie zuvor. Es scheint, dass der Bezug nicht mehr *allgemein* ist in der Allgemeinen Pädagogik, sondern eher im jeweiligen individuellen Ansatz der Wissenschaftlerin bzw. des Wissenschaftlers begründet liegt.

Die Herausgeber dieses Bandes, ein katholischer und ein evangelischer Religionspädagoge, wollten diese Beobachtung zum Gegenstand der Reflexion machen. Unser Ziel war es nicht, unter der Hand eine Art Revitalisierung der o. g. pädagogischen Strömungen zu erreichen, die nur in ihrer Zeit richtig verstanden werden können. Die Fragen sind vielmehr, welche Veränderungen sich diesbezüglich in der pädagogischen Theoriebildung vollzogen haben, welche Gründe dafür ausgemacht werden können, und welchen Ort Religion in der pädagogischen Theoriebildung haben kann und soll.

Wir haben namhafte Vertreter der Allgemeinen Pädagogik/Erziehungswissenschaft eingeladen, ihre Sicht des Verhältnisses von Religion/Christentum und Pädagogik in theoretischer und biographischer Perspektive darzustellen. Dabei war uns daran gelegen, das Spektrum auszuleuchten und nicht nur solche Kolleginnen und Kollegen anzusprechen, die etwas wie immer auch Gewünschtes liefern würden. Die Mehrheit der eingeladenen Kolleginnen und Kollegen ist der Einladung gefolgt.

Um ein gewisses Maß an Kohärenz unter den Beiträgen zu erreichen, sollten die Abhandlungen erstens auf kulturelle und gesellschaftliche Faktoren eingehen und aus der je eigenen Sichtweise klären, inwieweit die faktische Existenz von Religion als gesellschaftlich-kulturelle Realität für die pädagogische Theoriebildung und Praxis von Bedeutung ist. Zweitens sollte theoretisch verdeutlicht werden, welche philosophischen und wissenschaftlichen Ansätze dem eigenen Erziehungsverständnis zugrunde liegen und wie darin Religion im Allgemeinen und Christentum im Speziellen thematisiert werden. Unsere dritte Bitte war, die biographische Dimension einzubeziehen und zu fragen, ob und wie zwischen der eigenen (auch religiösen) Biographie und dem präferierten wissenschaftlichen Ansatz Korrelationen bestehen. Es zeigte sich, dass der dritte Aspekt nicht der unproblematischste war. Über die Allgemeine Pädagogik hinaus haben wir zwei Fachkollegen eingeladen, mit uns über Perspektiven nachzudenken.

Mit diesem Band ist die Fragestellung, ob und wie Religion in der (Allgemeinen) Pädagogik formal oder material vorkommt, nicht beantwortet. Der Diskurs steht am Anfang. Wir danken allen Kolleginnen und Kollegen für ihre Bereitschaft, für diesen Anfang einen Beitrag zu leisten.

Die Herausgeber

Religion und Religionsunterricht in postsäkularer Gesellschaft

Hans-Georg Ziebertz

Wenn Religionspädagogen die Disziplingrenze überschreiten und das Gespräch mit anderen suchen, vergewissern sie sich in der Regel über die Einstellungen, die sie von anderen über ihren Gegenstand erwarten. Wie steht es um die Religion? Es scheint, dass sich die öffentliche Aufmerksamkeit gegenüber Religion verändert. Vielleicht führt ein gewisser Grad an Säkularisierung dazu, dass sich der emanzipatorische Kampf gegen religiöse Institutionen abschwächt und den Blick frei gibt auf den Reichtum, den Religionen verbürgen. Vielleicht wird Religion relevant aufgrund der Aporien der modernen Gesellschaft, die ihr Versprechen eines Fortschritts für alle nicht einlösen kann. Vielleicht ist es die Präsenz des Islam im Westen, der nach den eigenen Wurzeln fragen lässt. Wie aber befasst sich die Allgemeine Pädagogik mit Religion? Will sie *allgemein* sein, kann sie gesellschaftliche Phänomene von Weltbild-gestaltender Kraft nicht ignorieren. Wie sich zeigen lässt, gibt es konzeptuelle Ansätze, die anschlussfähig sind für die Theologie rspt. Religionspädagogik. Dass über Bildungszusammenhänge hinaus eine öffentliche Belangstellung für Religion existiert, hat ein für die Theologie unverdächtiger Gewährsmann in jüngerer Zeit ausgeführt. Gemeint ist das Konzept der Postsäkularität, das Jürgen Habermas entwickelt hat. Dies könnte schon genug sein, um sich der Relevanz des eigenen Tuns zu vergewissern. Allerdings soll ein dritter Test unternommen werden, in dem schließlich empirisch untersucht wird, wie Jugendliche das Verhältnis von Religion und Moderne beurteilen und welche Vorstellungen sie von religiöser Bildung haben. Die abschließende Diskussion fragt nach Folgerungen aus diesen Überlegungen zu Form und Inhalt religiöser Bildung an der öffentlichen Schule.

1. Religion als Dimension menschlicher Praxis?

Die Beiträge in diesem Band machen verschiedene Vorschläge, ob und wie Religion als Voraussetzung oder Gegenstand von Bildung zur Sprache kommen kann. Christoph Lüth zitiert Jürgen Ruhloff, für den die Einheitlichkeit der Allgemeinen Pädagogik nicht nur, aber in besonderem Masse damit verknüpft ist, ob sie Religion als überkommenen Inhalt oder fundamentale Richtung betrachtet. Lüth tritt der Religion prinzipiell aufgeschlossen gegenüber, jedenfalls stimmt er jenen Fachkollegen nicht zu, die sich für die Richtung »Religion als überkommener Inhalt« aussprechen würden. Konzeptuell fühlt er sich einem Ansatz nahe, wie ihn Benner vertritt: Religion als Praxisdimension des Menschen. Jedenfalls sei kein Modell Allgemeiner Pädagogik akzeptabel, in dem eine kirchlich-christliche Dogmatik erziehungswissenschaftliche Fragestellungen dominiere. In seiner kurzen historischen Reminiszenz findet er solche Ansätze, allerdings reichen diese nicht über die 1960er Jahre hinaus. Auch Norbert Hilgenheger formuliert seine Überlegungen vor dem Hintergrund der Emanzipation der Pädagogik von der Theologie. Ich verstehe seine Ausführungen nicht als eine einfache Affirmation dieses Prozesses, sondern entdecke darin die kritische Stellungnahme, dass auf die Frage nach dem Wichtigsten im Leben eine Leerstelle klafft, die früher durch Religion gefüllt werden konnte. Wenn aber die Frage nach dem Wichtigsten nicht unwichtig geworden ist, kann eine Leerstelle nicht befriedigen. Daher gibt es für Hilgenheger ein Fenster, das für theologische Reflexionen offen steht bzw. geöffnet werden kann. Annette Scheunpflug begründet die Bedeutung der Religion unter anderem empirisch. Der Weg in eine Weltgesellschaft sei nur über eine Auseinandersetzung mit den Religionen möglich, die in vielfältiger Weise Gesellschaften strukturieren und inhaltlich prägen, so dass die erziehungswissenschaftliche Reflexion nicht an ihnen vorbei sehen dürfe – weder an den destruktiven, noch an den konstruktiven Effekten von Religion. Alle drei Ansätze bieten Ansatzpunkte für ein Weiterfragen. Lüth und Hilgenheger öffnen ein Fenster für Religion, bleiben aber vorsichtig in der Beschreibung dessen, was man durch dieses Fenster sehen kann. Scheunpflug versteht Religion als einen Gegenstandsbereich, den eine (evolutionäre) Bildungstheorie vor allem in seiner Funktionalität in den Blick nimmt. Gegenüber diesen Annäherungen sind die Implikationen weit reichender und dürften wohl vor allem in der Allgemeinen Pädagogik selbst auf Widerspruch stoßen, die Jürgen Rekus und Volker Ladenthin entfalten. Für Rekus sind Lernprozesse an Voraussetzungen gebunden, die durch diese selbst nicht erzeugt werden. Die Voraussetzungen nennt er »nicht-empirisch« bzw. positiv formuliert »transzendental«. Sie lassen sich nicht beweisen, sondern nur »denknotwendig annehmen«. Darin liegt für ihn die religiöse Gebundenheit pädagogischer Praxis. Folgerichtig kann er Religion nicht als eine von anderen Dimensionen abgetrennte Einzelpraxis verstehen, sondern als Teil einer Gesamtpraxis. Volker Ladenthin führt aus, dass der Mensch über seine Religiosität nicht entscheiden kann, da ihm diese anthropologisch mitgegeben ist. Religion versteht er als das Verhältnis des Menschen zu seiner eigenen Endlichkeit. Bildsamkeit muss die religiöse Dimension einschließen, damit eine selbst bestimmte Gestaltung des Religiösen gelernt wird. Menschliches Denken und Handeln ist für Ladenthin von einem Bekenntnis imprägniert, dieses kann expliziert werden oder auch nicht. Damit verknüpft er der den Begriff der Konfessionalität, den er als Rahmen für den vernünftigen Umgang mit einem Bekenntnis (Glauben) deutet. Religiöse Bildung müsse den vernünftigen Umgang lehren, sie ist für ihn daher idealiter konfessionell gebunden. Lässt sich zwischen den zitierten Autorinnen und Autoren bereits ein großes Spektrum von Positionen feststellen, wird der Rahmen noch einmal erweitert, wenn man die Überlegungen von Kersten Reich, Lutz Koch und Wolfgang Nieke einbezieht. Reich entfaltet eine konstruktivistische Perspektive auf Religion, in der die historischen Religionen, teilweise durch ihr eigenes Handeln diskreditiert, als entzaubert gelten. Wesentliche Inhalte der Religionen erscheinen darin in ihrer Mächtigkeit dekonstruiert, wobei freilich genauer zu fragen wäre, welche Realität die zitierten Beispiele beschreiben (bzw. konstruieren). Jedenfalls muss man nüchtern sehen, dass Religion in diesem Konzept Allgemeiner Pädagogik allenfalls als kritische Folie vorkommt. Koch knüpft an der Verhältnisbestimmung von Religion und Moral bzw. Theologie und Ethik bei Kant an und versteht Religion als eine Konsequenz der Moral bzw. Theologie als eine Folge der Ethik. Dementsprechend müsse die Pädagogik von der allgemeinen Moral ihren Ausgang nehmen und sich vor dort aus auf die allgemeine Religion zu bewegen. Allgemeine Religion ist natürliche Religion bzw. Vernunftreligion, sie wird als die *einzige* (einzig vernünftige) Religion verstanden. Offenbarungsreligionen sind hingegen Glaubensreligionen, also spezielle Illustrationen, die mit der Vernunftreligion korrespondieren können, aber nicht müssen. Daher muss nach Koch das Allgemeine die Basis des Unterrichts bilden und nicht das Besondere. Nieke schließlich sieht die Religionen am Ende eines Entmythologisierungsprozesses angelangt. Eine besondere Beschäftigung mit Religion lehnt er ab, vielmehr soll »Weltbildorientierung« als ein neues Feld der Allgemeinbildung ausgewiesen werden. Dieser Unterricht soll auf naturwissenschaftlich begründeter Kosmologie und der darwinistischen Theorie beruhen. Für Nieke sind diese beiden die einzigen Standardweltbilder, die von (den meisten) Gebildeten akzeptiert würden. Ob die Annahme zutreffend ist und ob dabei nicht nur ein Weltbild (Religion) durch ein anderes mit Bekenntnisgehalt (z. B. Naturalismus) ersetzt wird, soll und kann hier nicht vertieft werden. Deutlich ist jedenfalls, dass in den allgemeinpädagogischen Ansätzen von Nieke, Koch und Reich Religion keine formale oder materiale Bedeutung hat, zumindest nicht als Religion, die mit historischen Phänomenen und sozialen Gruppen, also auch Religionsgemeinschaften, in Beziehung steht.

Das in diesem Band enthaltene Spektrum, wie Religion in der Allgemeinen Pädagogik verarbeitet wird, zeigt eine Vielfalt, deren Elemente wohl nur schwer auf einen Nenner zu bringen sind. Dies ist auch nicht anders zu erwarten. Die Positionenvielfalt liefert Diskussionsstoff innerhalb der Allgemeinen Pädagogik, aber natürlich auch für das interdisziplinäre Gespräch. Nun wäre es (zu) einfach, die Konzepte von Rekus und Ladenthin aus religionspädagogischer Perspektive zu begrüßen, weil sie als besonders anschlussfähig für die gegenwärtige Praxis religiöser Bildung erscheinen könnten. Es wäre ebenso einfach, den kritischen Positionen von Reich, Koch und Nieke mit Apologetik entgegenzutreten oder die Offerten von Lüth, Hilgenheger und Scheunpflug affirmativ in eigene Überlegungen zu integrieren. Ein erstes Ziel dieses Bandes ist es, die Vielfalt deutlich zu machen, um die eigenen Überlegungen schärfen zu können.

Worin könnte eine »mittlere Position« bestehen, die frei von jedem Verdacht ist, sich zu sehr in das Fahrwasser von Theologie oder Religionspädagogik zu begeben, die aber andererseits begrifflich und konzeptuell einen Weg findet, Religion zu verorten? Käme der Ansatz von Dietrich Benner dafür in Frage, der in diesem Band mehrfach zur Sprache kommt? Auffallend ausführlich hat sich Benner mit der Frage beschäftigt, ob Religion ein für Bildungszusammenhänge originärer Bereich ist bzw. sein soll. Seine Antwort fällt doppelt positiv aus und sie soll im Folgenden skizzenhaft nachgezeichnet werden. Ich kann dabei aus Gründen des Umfangs auf eine kritische Auseinandersetzung mit einigen Begrifflichkeiten und Zuständigkeitszuschreibungen verzichten (z. B. der Rolle der Religionswissenschaft wie überhaupt die Begriffsparallelität zwischen Pädagogik und Religion).

Benner gründet sein Bildungskonzept in Anlehnung an Eugen Fink auf der anthropologischen Vorstellung, dass die menschliche Praxis eine Tätigkeit sei, durch die der Mensch sein Mensch-Sein realisiere. Dabei bilden die vier Existenzialien Leiblichkeit, Freiheit, Geschichtlichkeit und Sprachlichkeit eine Grunddynamik, die in sechs Praxisfeldern wirksam ist: Politik, Pädagogik, Ethik, Arbeit, Kunst und Religion. Gegenüber teleologischen Modellen menschlicher Praxis, in denen die jeweiligen Bereiche in einer hierarchischen Ordnung zueinander stehen, interpretiert Benner sie als unabhängig voneinander. Die genannten Praxisfelder folgen jeweils einer Eigenlogik, deren Funktion darin besteht, dass sie »die bereichsspezifischen Handlungen und Urteile so regulieren, dass diese ihre eigenen Handlungskriterien reflektieren, problematisieren, sowie wechselseitig thematisieren und kritisieren können« (Benner 2004, 18). Zu den jeweils eigenen Grundbegriffen der sechs Praxisfelder fügt Benner solche hinzu, die aus individueller (Selbsttätigkeit, Bildsamkeit) und gesellschaftlicher Perspektive (Transformation, Nicht-Hierarchie) angeben, worin die Anforderungen an diese Bereiche bestehen. Er unterzieht in einem weiteren Schritt den Praxisbereich Religion der Prüfung, ob und inwieweit darin diese vier Anforderungen umgesetzt werden können. Benner kann zeigen, dass die Anforderungen mit der Eigenlogik des Bereichs Religion vielfach korrespondieren.

Wenn Benner formuliert, dass das Verhältnis von Bildung und Religion als ein nicht-hierarchisches gedacht werden müsse, kann ihm weitgehende Zustimmung der zeitgenössischen Religionspädagogik sicher sein. Die Forderung hat jedoch im Blick auf die Tradition der Katechetik bis ins 17. Jahrhundert (und teilweise darüber hinaus) durchaus einen ernsten Kern, denn die Eigenlogik der (neu-)scholastisch konzipierten Katechese erhob einen Exklusivanspruch, in dem auch die Katechetik (später: Religionspädagogik) nur angewandte Theologie sein durfte, während sie sich heute von der Theologie *und* der Erziehungswissenschaft her entwirft. Neben dem Hierarchieproblem der disziplinären Zuständigkeit steht die Frage nach den inhaltlichen Bezugsquellen und institutionellen Zuständigkeiten. Benner formuliert: »Auf der einen Seite ist Religion ein unverzichtbarer durch die anderen Praxisfelder und Bildungshorizonte nicht ersetzbarer Bereich menschlichen Fühlens, Denkens, Wollens und Handelns. Auf der anderen Seite ist gerade dieser Bereich heute von einer Tradierung abhängig, die nicht allein in den Innenräumen von Kirchen und Konfessionen, Moscheen und Tempeln stattfinden kann, sondern durch eine freiwillige öffentliche Erziehung und Unterweisung abgesichert werden muss. Der religiösen Sorge um die Welt (…) steht (…) zugleich eine bildende Sorge um Religion gegenüber. Ihr Anliegen ist es vorzubeugen, dass Religion nicht aus dem Bereich der zur *conditio humana* gehörenden Praxis- und Reflexionsformen verabschiedet wird, sondern den Rang einer Weltdeutung und Lebensform bewahrt, die, ohne fundamentalistisch zu pervertieren, unter einem eigenen Proprium steht. Dieses aber kann weder in einem präordinierten noch in einem subordinierten Verhältnis zu den Propria der anderen Praxisbereiche gesehen werden, sondern ist der Endlichkeit des Menschen, seiner Geschöpflichkeit und einem Sinn des Lebens verpflichtet, den Menschen ihrem Leben weder als Einzelne noch gegenseitig aus eigener Kraft zu verleihen mögen« (Benner 2004, 32 f.). Wenn, wie Benner formuliert, Religion ein originäres Praxisfeld darstellt, das nicht durch andere kompensiert werden kann, gibt es dementsprechend einen öffentlichen Anspruch auf die Formulierung der Ziele und Inhalte hinsichtlich der Ausgestaltung und Tradierung dieses Feldes. Dieser Anspruch könne nicht zugunsten der jeweiligen institutionellen Träger von Religion aufgegeben bzw. an diese exklusiv abgetreten werden. Dass diese Träger ein Programm für die Lebens- und Weltgestaltung offerieren, liegt in der Natur der Sache. Daneben begründet Benner eine öffentliche Sorge gegenüber der Religion. Sie komme darin zum Ausdruck, die konstruktive Kraft der Religion zur Weltdeutung als praxisfähig zu erhalten und sie vor einer fragwürdigen Nischenexistenz zu bewahren.

Die Relativierung der religiösen Institutionen ist dabei gesondert zu bedenken. Sollte sie so weit gehen, wie es mit unterschiedlicher Zielrichtung Reich, Koch und Nieke in diesem Band vorschlagen, kann gefragt werden, worin dann noch das Proprium von Religion besteht. Dieses kann weder zur Seite der Ethik aufgehoben werden, noch zur Seite der Philosophie. Sollte Religion in Ethik oder Philosophie auflösbar sein, erübrigen sich die Fragen nach dem Proprium oder der Eigenlogik dieser Praxis. Ebenso wenig ist Religion umfassend als anthropologische oder dogmatische Konzeption beschreibbar, sondern sie oszilliert zwischen beiden. Es gehört zum Konzept von Religion, dass sie Sozialformen ausbildet, in denen sich Praxis ereignet. Diese Sozialformen sind nicht auf den Bereich der Kirchen beschränkt, aber sie werden – in Deutschland und in der westlichen Welt – ohne die Kirchen nicht hinreichend erfasst. Die Relativierung des institutionellen Anspruchs auf die pädagogische Gestaltung des Praxisfeldes Religion ist durchaus begründbar. Sollte aber ihr Ausschluss verlangt werden, kann eine solche Forderung selbst noch einmal auf ihre implizite Ideologie kritisch befragt werden. Die Frage muss konkret beantwortet werden, wie und durch wen die Definition des Tradierungsgutes erfolgen soll, in dem sich letztendlich die Eigenlogik des Feldes Religion zeigt – eine Problematik, die sich derzeit bei der curricularen Ausgestaltung des Islamunterrichts deutlich zeigt. Die Theorie der Unabhängigkeit und Nicht-Rückführbarkeit der Praxisbereiche, wie sie Benner vorträgt, hat zahlreiche Implikationen für die pädagogische und religionspädagogische Theoriebildung, die in beiden Diskursen noch nicht aufbereitet sind.

Benner formuliert schließlich drei Aufgaben, gegenüber denen sich die Religionspädagogik offen und kooperativ verhalten kann. Erstens müsse festgestellt werden, was Elementaria des Religionsbereichs sind. Dazu könne nicht einfach auf den Glaubenskanon einer Religionsgemeinschaft verwiesen werden. Vielmehr müsse dieser in nicht dogmatischer Weise aufgenommen werden, so dass »differente und kontroverse Auslegungen, unterdrückte Deutungen und machtförmige Dogmatisierungen erkennbar und reflektiert werden« (Benner 2004, 44). In den Konzepten des evangelischen und katholischen Religionsunterrichts in Deutschland ist die kontroverstheologische Behandlung von Themen durchaus vorgesehen. Dass die Religionspädagogik eines konfessionell getragenen Unterrichts aber gerade in diesem Punkt sensibel und kritisch sein und bleiben muss, liegt auf der Hand. Die Religionspädagogik stellt sich dieser Herausforderung an mehreren Stellen, etwa im Anspruch einer pluralitätsfähigen Religionspädagogik, die Kontroversität in gesellschaftlich-öffentlicher, ökumenischer und kulturell-interreligiöser sowie internationaler Perspektive aufzuarbeiten (vgl. dazu Schweitzer/Englert/Schwab/Ziebertz 2002). Zweitens müssten religiöse Sachverhalte Transformationen unterzogen werden, um der Gefahr der Bevormundung zu entgehen. Dazu sei zwischen religiöser Bildung als Unterricht und als Einführung in eine religiöse Praxis zu unterscheiden. Während für den Unterricht die weiter oben erwähnten bildungstheoretischen Begriffe angewendet werden können, ist der Bereich der einführenden Praxis unklarer bestimmt. Benner versteht einführende Praxis nicht als eine Missionsaufgabe, sondern als Leistung, Konzepte (wie die neutestamentliche Rede von Glaube, Hoffnung und Liebe) auf ihre Anwendbarkeit in der Praxis zu prüfen, so etwa im ethischen, sozialen oder politischen Bereich. In der Praxis des Unterrichts wird dieses Verständnis überwiegend geteilt (vgl. die Untersuchung unter Lehrkräften bei Tzscheetzsch/Feige 2005). Während sich in der Vergangenheit religiös homogene Klassen durch ein Einverständnis in Fragen der Glaubensinhalte und der Glaubenspraxis auszeichneten, sind die Lerngruppen heute ähnlich heterogen wie die Gesellschaft insgesamt. Die Vorstellung, der konfessionelle Religionsunterricht werde nur von Schülerinnen und Schülern mit einem hohen Bekenntnisgrad besucht, ist ein Vorurteil. Faktisch arbeiten Lehrkräfte im Kontext einer religiösen Pluralität, in der kein durch ein Sozialmilieu abgesichertes Einverständnis in Glaubensfragen vorausgesetzt werden kann. Damit entfallen die Voraussetzungen für eine direkte religiöse Praxis im Sinne einer Praktizierung von Religion. Versteht man Praxis als einen Anspruch, dass Gelerntes in alltäglicher Praxis benutzt werden kann, muss der Religionsunterricht vor allem zeigen können, wie religiöse Konzepte an eine Gesamtpraxis menschlichen Handelns anschlussfähig sind. Schließlich fordert Benner, dass sich der religiöse Bereich, wie andere Bereiche auch, einer Evaluation unterziehen lassen muss, um über dessen Leistungen informiert zu sein, aber auch um Versäumnisse und Fehlentwicklungen festzustellen und Korrekturen anbringen zu können. Vermutlich steht die Religionspädagogik hier nicht hinter anderen Bereichspädagogiken zurück. Die Anzahl der gerade auch empirisch arbeitenden Religionspädagogen ist in den vergangenen Jahren nachweislich gestiegen und wissenschaftliche Gesellschaften wie die International Society of Empirical Research in Theology (ISERT) bemühen sich um Standards in der Evaluationsforschung.

Es scheint, dass die am Beginn zitierte Einschätzung von Ruhloff, in der Allgemeinen Pädagogik werde Religion entweder als überkommener Inhalt oder aber als fundamentale Orientierung betrachtet, seine Berechtigung hat. Die Religionspädagogik muss sich nicht an Standortfragen in der Allgemeinen Pädagogik beteiligen. Sie kann aber erwarten, dass sich die Allgemeine Pädagogik darüber Rechenschaft gibt, wie sie mit dem Bereich Religion umgeht und wie dieser in der jeweiligen Theoriebildung vorkommt. Die Basisannahme, Religion als eine menschliche Grundpraxis zu verstehen, wird von der Religionspädagogik Zustimmung erwarten können. Das gilt ebenso für die damit verbundene Forderung, dass die Gesellschaft eine Grundpraxis mit einem Bildungsanspruch verknüpfen soll, diese also als Teil des Bildungskanons ausweisen muss. Aus der Sicht der Religionspädagogik wäre es wünschenswert, wenn die Allgemeine Pädagogik an einem konzeptuell entfalteten Grundverständnis gegenüber Religion arbeiten würde. Der Benner'sche Ansatz ist zunächst nur ein Beispiel, in welche Richtung das Bemühen gehen kann.

Aber verdient Religion so viel positive Aufmerksamkeit? Hat die Einschätzung von Religion als überkommener Inhalt nicht doch mehr Plausibilität? Kann man ernsthaft und gebildet sein, und sich zugleich mit Religion beschäftigen? Dass man dies kann, zeigen Überlegungen von Jürgen Habermas, der sicher nicht als klassischer Gewährsmann der Religion gelten kann.

2. Religion in der Postsäkularität

Gesellschaftlich waren Begriffe wie »religionslos«, »nachchristlich« oder gar »entchristlicht« lange Zeit en vogue. Verbreitet war die Auffassung, dass der Vormarsch des Säkularen unaufhaltsam sei, auf dessen Siegeszug das Religiöse als marginale Erscheinung am Wegesrand zurückbleibe. Erleben wir das allmähliche Finale einer historischen Erfahrung, dass sich die moderne Gesellschaft in der Folge der Aufklärung ausdifferenziert und sich die verschiedenen Teilbereiche (Ökonomie, Recht, Politik, Wissenschaft, Kultur, usw.) autonom, also unabhängig von der Religion etabliert haben und einer eigenen Rationalität folgen? Das gilt auch für den Bildungsbereich und lässt sich am Beispiel der Pädagogik als wissenschaftlicher Disziplin sehr gut nachvollziehen. Das Erziehungssystem war bis ins hohe Mittelalter eine Angelegenheit der Kirchen und selbst die ersten Vertreter der neuzeitlichen Erziehungswissenschaft waren Theologen. Muss man es heute als einen seit der Aufklärung vorgezeichneten Weg verstehen, dass Religion, im Wesentlichen in der Gestalt des Christentums, sich allenfalls noch auf die private Frömmigkeit beziehen kann, seitdem es das Weltdeutungsmonopol verloren hat? Ohne Zweifel waren viele Emanzipationsbewegungen zunächst gegen die Religion gerichtet und vielleicht war dies sogar nötig, um Unabhängigkeit zu erlangen. Eine damit verbundene weltanschauliche Position lautete, dass sich der Rückgriff auf Religion überlebt habe. Mit dem Theorem der Säkularisierung sollte ideengeschichtlich und empirisch untermauert werden, dass mit Religion immer weniger, vielleicht in Zukunft gar nicht mehr zu rechnen sei (vgl. Ziebertz 1999; 2002a; 2004). Entsprechend konnte man, wie auch in weiten Teilen der Pädagogik, auf Religion als normative Grundlage aber auch als Inhalt verzichten.

Das lineare Verständnis von Säkularisierung hat sich tief in die westliche Wahrnehmung eingeschrieben, denn zu deutlich ist die Sprache der offensichtlichen empirischen Belege. Insbesondere die Zeit seit den 1960er Jahren, die geprägt war vom Fortschrittsoptimismus und dem Glauben an die Machbarkeit der besseren Welt und des besseren Menschen, schien Religion ein Relikt aus einer vergangenen Zeit zu sein – eher Hemmschuh denn Hilfe. Es scheint, dass sich das Blatt wendet. Yves Lambert (2004) spricht in seiner Analyse empirischer Befunde aus einer internationalen Studie vom »turning point« in der Aufmerksamkeit und Belangstellung für Religion in Europa. Und es sind interessanterweise nicht nur einzelne Theologen, sondern Wissenschaftler anderer Disziplinbereiche, die gegenwärtig hinter den scheinbar erwiesenen Prozess der linearen Säkularisierung ein Fragezeichen setzen. 1999 veröffentlicht Peter L. Berger einen Aufsatz, in dem er begründet, dass die gegenwärtige Welt so religiös sei, wie sie es zuvor vielleicht nie war – jedoch, und das muss in diesem Zusammenhang erwähnt werden, macht er einige Einschränkungen im Blick auf Europa. Andere sehen Religion sogar als einen Megatrend, der sich unter anderem in der vielfältigen Suche nach Spiritualität zeige. Nicht zuletzt ist Religion ein Thema, wenn es um die Präsenz des Islam im vormals christlichen Westen geht. Zweifel werden laut, ob Religion im öffentlichen Diskurs tatsächlich so marginalisiert sei, wie es bisweilen behauptet werde (Rémond 1999, Davie 2000; 2002, Hervieu-Leger 2000, Hunt 2002).

Eine interessante Variante in dieser Diskussion hat Jürgen Habermas vorgetragen. In seiner Rede anlässlich der Verleihung des Friedenspreises des Deutschen Buchhandels im Jahre 2001 hat er das Konzept der postsäkularen Gesellschaft skizziert. In vielen früheren Schriften hatte Habermas von der »enttraditionalisierten« Moderne gesprochen. Ein »Opfer« der Enttraditionalisierung würde auch die jüdisch-christliche Tradition sein. Damit stand Habermas in der Tradition des Säkularisierungsdenkens, deren zentrales Merkmal, die autonome Vernunft, als universales Prinzip den Mythos und die Religion ablösen sollte. Gegenüber dieser Vorstellung meldet er in seiner Rede von 2001 Zweifel an. Er vertritt die Auffassung, das Konzept der Säkularisierung könne von dem der Postsäkularisierung abgelöst werden (Habermas 2001, 12). Damit ist gemeint, dass die Vorstellung einer Linearität von Säkularisierung, basierend auf dem vernunftorientierten Fortschrittsoptimismus, in ihrer exklusiven Gültigkeit in Zweifel gezogen werden müsse. Im Konzept der Postsäkularisierung wird der gesellschaftliche Verweltlichungsprozess nicht aufgehoben, sondern das Erbe der Aufklärung wird nach wie vor als paradigmatisch betrachtet. Mit Postsäkularität ist auch nicht die naive Vorstellung verbunden, dass es eine Wiederkehr der Religionen bzw. des Christentums gebe (Zulehner/Hager/Polak 2001) und zwar so, wie es sie in der Vergangenheit gegeben habe. »Post« bedeutet demnach zunächst, dass die Vorstellung von der Exklusivität der autonomen Vernunft als (einzigem) Kommunikationsprinzip der Moderne nicht aufrecht zu erhalten ist. Auch wenn die Plattform weiterhin Säkularität ist, ist Religion darin existent und unter Umständen sogar nötig. Für Habermas ist es nicht nur nicht zwingend, Religion aus dem öffentlichen Diskurs auszuschließen und sie durch den säkularen Staat etwa nur zu dulden, sondern er misst der Religion eine wichtige Funktion im öffentlichen Diskurs zu, wenn es um die Suche nach Sinnressourcen angesichts einer fragilen offenen Zukunft geht.

Genauer betrachtet beruht das Konzept Postsäkularität auf empirischen Beobachtungen, theoretischen Reflexionen und normativen Positionen. In den *empirischen* Beobachtungen wird konstatiert, dass nach über 200 Jahren Aufklärung Religion »nicht besiegt«, sondern auf der gesellschaftlichen, kulturellen und politischen Agenda zu finden ist. Dabei kann es sich durchaus um konstruktive und destruktive Ausprägungen von Religion handeln, durch die öffentliche Aufmerksamkeit entsteht. *Theoretisch* wird durch diesen Befund eine Gesellschaftstheorie bzw. eine Theorie der Moderne hinterfragt, die sich sicher war, in der autonomen Vernunft *das* universale Prinzip gefunden zu haben, wodurch Sinngebung, Integration und Verständigung herstellbar sind. Wenn alternative Zugänge empirisch angetroffen werden, kann man sie in einer entsprechenden Theorie der Moderne nicht einfach ignorieren. Daher markiert das Konzept der Postsäkularität ein theoretisches Einholen eines empirischen Faktums. *Normativ* entsteht der Bedarf, Regeln zu erstellen, wie man sich das Verhältnis alternativer Prinzipien zueinander vorstellt, welche Prinzipien und wie diese unter welchen Bedingungen wünschbar und haltbar sind. Diese Regeln legen dar, wie die wechselseitige Bezugnahme von säkularen und religiösen Diskurselementen geschehen soll. Damit eröffnet das Konzept der Postsäkularität eine neue Perspektive auf Religion und zwar dergestalt, dass die postsäkulare Gesellschaft aus ihrer Säkularität heraus ein Verhältnis zur Religion sucht und Verfahren festlegt, wie der Beitrag der Religion bzw. religiöser Zeitgenossen und Gruppen für die Entwicklung der modernen Gesellschaft fruchtbar gemacht werden kann, und wie zugleich destruktive Formen des Religiösen abgewehrt werden können. Das verlangt eine Neujustierung der säkularen Gesellschaft auf Religion hin, aber auch eine Neujustierung der Religion(en) zur säkularen Gesellschaft.

Dass es sich bei der empirischen Basis nicht um ein Konstrukt handelt, verdeutlicht Habermas in der folgenden Aussage: »Sobald eine existenziell relevante Frage auf die politische Agenda gelangt, prallen die Bürger, gläubige wie ungläubige, mit ihren weltanschaulich imprägnierten Überzeugungen aufeinander und erfahren, während sie sich an den schrillen Dissonanzen öffentlichen Meinungsstreites abarbeiten, das anstößige Faktum des weltanschaulichen Pluralismus« (Habermas 2001, 14). Materialiter zeigt sich dies in zahlreichen Kontroversfragen in der Ethik, im Recht, in der Ökonomie und in der Politik. Zentrale Fragen der Zukunftssicherung können nicht allein technokratisch gelöst werden, sondern rufen weltanschauliche »Imprägnierungen« auf den Plan. In der autonomen Vernunft allein den Brunnen für sinnstiftende Richtungsgebungen zu sehen, bezeichnet Habermas als Idee der »überanstrengten Vernunft«, die sich selber überfordere (Habermas 2001, 27). Vielmehr müsse die profane Vernunft Respekt vor dem »Glutkern« (ebd. 28) aufbringen, der etwa in der Theodizee-Frage immer wieder aufbreche. Gerade diese Frage könne zum Kerngebiet theologisch-religiöser Reflexion gezählt werden und nötige der profanen Vernunft Respekt ab. Die theoretische Aufarbeitung dieser Einsicht führt zu der Schlussfolgerung, dass religiöse und profane Sprachen Übersetzungen brauchen, wenn sie wechselseitig verstehbar sein sollen. Als profaner Philosoph fragt Habermas nach der Übersetzbarkeit religiösen Sinns: »Die postsäkulare Gesellschaft setzt die Arbeit, die die Religion am Mythos vollbracht hat, an der Religion selbst fort. Nun freilich nicht mehr in der hybriden

Absicht einer feindlichen Übernahme, sondern aus dem Interesse, im eigenen Haus der schleichenden Entropie der knappen Ressource Sinn entgegenzuwirken. (…) Eine Säkularisierung, die nicht vernichtet, vollzieht sich im Modus der Übersetzung« (Habermas 2001, 29). Die Tür, die damit für Religion geöffnet wird, ist nicht bedingungslos und das Paradigma der postsäkularen Gesellschaft hat durchaus normative Implikationen im Verhältnis zur Religion. Es ist nur solche Religion tauglich, die mit den Prinzipien der Vernunft kompatibel ist. Religion und Vernunft müssen in dreifacher Hinsicht füreinander »übersetzbar« sein: Die Religion muss sich darauf einlassen, dass sie mit anderen Konfessionen und Religionen in einer Gesellschaft zusammenlebt, sie muss die Autorität der Wissenschaft anerkennen und sie muss sich den Prämissen des Verfassungsstaates beugen (Habermas 2004, 14). Diese drei Voraussetzungen sollen verhindern, dass innerhalb der Gesellschaft eine religiöse Gruppe versucht, die Gesellschaft zu zerstören, sei es mit dem Ziel eines Gottesstaates, sei es mit dem Ziel einer Übernahme der ›Welt‹ in die ›Kirche‹. Akzeptiert eine Religion diese Grenzen, ist sie mit den Rahmenbedingungen der Säkularwelt kompatibel und kann am öffentlichen Diskurs partizipieren. Anderen Formen von Religion, die die Grundbedingungen der säkularen Moderne nicht akzeptieren, muss die Gesellschaft in der Habermas'schen Konzeption von Postsäkularität kritisch gegenüberstehen. Die postsäkulare Gesellschaft fußt auf den Bedingungen des demokratischen Rechtsstaats, mit dem ein bestimmtes Verständnis von Säkularität verknüpft ist, ohne – und das ist entscheidend – dass Säkularität das ideologische Programm dieses Rechtsstaates ist. Auf den einzelnen Bürger bezogen, der weltanschaulich motiviert agiert, heißt dies: »Wenn sie mit diesem Faktum im Bewusstsein der eigenen Fehlbarkeit gewaltlos, also ohne das soziale Band eines politischen Gemeinwesens zu zerreißen, umgehen lernen, erkennen sie, was die in der Verfassung festgeschriebenen *säkularen* Entscheidungsgrundlagen in einer postsäkularen Gesellschaft bedeuten. Im Streit zwischen Wissens- und Glaubensansprüchen präjudiziert nämlich der weltanschaulich neutrale Staat politische Entscheidungen keineswegs zugunsten einer Seite. Die pluralisierte Vernunft des Staatsbürgerpublikums folgt einer Dynamik der Säkularisierung nur insofern, als sie *im Ergebnis* zur gleichmäßigen Distanz von starken Traditionen und weltanschaulichen Inhalten nötigt. Lernbereit bleibt sie aber, ohne ihre Eigenständigkeit preiszugeben, osmotisch nach *beiden* Seiten hin geöffnet« (Habermas 2001, 13 f.).

Wie ist das Konzept des Postsäkularität aus der Sicht der Religion zu beurteilen? Gibt es aus der Perspektive einer »starken Tradition«, die das Christentum sicher ist, ein Einverständnis mit der darin aufgezeigten Rolle der Religion? Habermas hat sein Konzept in einer Debatte mit Joseph Ratzinger (dem heutigen Papst Benedikt XVI) an der Katholischen Akademie Bayern am 19. 1. 2004 zur Diskussion gestellt. Sicher steht (in ökumenischer Rücksichtnahme) Ratzinger nicht für das ganze Christentum, aber seine Stellungnahme kann beispielhaft herangezogen werden. In dieser Diskussion formuliert Ratzinger Anerkennung gegenüber dem Konzept der Postsäkularität. In inhaltlicher Hinsicht sieht Ratzinger zahlreiche Themen, in denen formale Entsprechungen gegeben und wechselseitige Bezugnahmen möglich seien (z. B. beim Thema Menschenwürde ↔ Gottebenbildlichkeit). Neben der Inhaltlichkeit müsse das jeweilige Grundverständnis zu erkennen geben, worin das Interesse an einem Dialog liege. Damit ist die Einsicht verbunden, dass mit Widerspruch und Ablehnung gerechnet werden müsse und dass kein Grundverständnis Exklusivitätsansprüche erheben dürfe. Jede Seite müsse einräumen, dass die eigene Position auf Zukunft hin offen und veränderbar sei, so Ratzinger. Diese Aussagen sind für den Vertreter einer großen Religionsgemeinschaft nicht selbstverständlich, die bis in die jüngere Vergangenheit durchaus mit Exklusivitätsvorstellungen operiert hat und dies in Teilgebieten noch tut. In diesem Zusammenhang formuliert Ratzinger das Prinzip der Interkulturalität als eine Bedingung für die Qualität und Reichweite religiöser Aussagen:»Interkulturalität erscheint mir heute eine unerlässliche Dimension für die Diskussion um die Grundfragen des Menschseins zu bilden, die weder rein binnenchristlich noch rein innerhalb der abendländischen Vernunfttradition geführt werden kann. Beide sehen sich zwar ihrem Selbstverständnis nach für universal an und mögen es de jure auch sein. De facto müssen sie anerkennen, dass sie nur in Teilen der Menschheit angenommen und auch nur in Teilen der Menschheit verständlich sind« (Ratzinger 2005, 36). Daraus folgert Ratzinger, dass sich keine der beiden großen Kulturen des Westens als universal erheben kann, weder die Kultur des Christlichen, noch die der säkularen Rationalität. Ratzinger sieht auch die Gefahr der Pathologie in der Religion und spricht sich für eine Korrelationalität von Vernunft und Religion aus, denn beide seien zu gegenseitiger Reinigung und Heilung berufen; sie würden sich gegenseitig brauchen und müssten sich gegenseitig anerkennen. »Es ist wichtig, sie (Religion und Vernunft; Vfs.) in den Versuch einer polyphonen Korrelation hinein zu nehmen, in der sie sich selbst der wesentlichen Komplementarität von Vernunft und Glaube öffnen, so dass ein universaler Prozess der Reinigungen wachsen kann, in dem letztlich die von allen Menschen irgendwie gekannten oder geahnten wesentlichen Werte und Normen neue Leuchtkraft gewinnen können, so dass wieder zu wirksamer Kraft in der Menschheit kommen kann, was die Welt zusammenhält« (Ratzinger 2005, 40). Damit stellt Ratzinger Religion und Vernunft nicht nur nebeneinander, sondern er versteht beide als nicht universale sondern ergänzungsbedürftige Größen, die über den Prozess der Interkulturalität über sich hinausgreifen und etwas Neues schaffen können.

Für den Theologen und Religionspädagogen ist dieser Diskurs aufschlussreich. Zum einen relativiert das Konzept der Postsäkularität die Idee einer aus sich selbst heraus hinreichend begründbaren modernen Welt. Es rüstet ideologisch und dogmatisch ab, indem es die Säkularität der Moderne nicht mehr gegen die Religion meint behaupten zu müssen. Nicht nur die eigene Begrenzung wird anerkannt, sondern es wird zudem eine Tür für Sinnressourcen geöffnet, die mit der autonomen Vernunft allein nicht erreichbar sind. Dies ist möglich, ohne den Boden der Säkularität zu verlassen und sich einer religiösen Idee zu unterwerfen. Dass die damit verbunden Erwartungen an die Religion auch im Religionssystem des Christentums kommunizierbar sind, zeigt die Position Ratzingers. Er skizziert ein Religionsverständnis, dass die Begrenzung einer Religion »als Religion« sieht. Diese Religion brauche den grenzüberschreitenden Kontakt zur säkularen Vernunft, um sich verständlich zu machen, aber auch um Fehlentwicklungen im eigenen System abzuwehren. Religion und säkulare Vernunft müssten sich des Weiteren einer globalen Interkulturalität öffnen, um nicht der Illusion aufzusitzen, universale Übereinkünfte formuliert zu haben, ohne diese interkultureller Korrektur auszusetzen. Erst im Kontext der Interkulturalität könnten Werte gefunden werden, von denen die Integrität der Welt abhängig ist. Der Horizont, der in diesen Überlegungen aufgespannt wird, erlaubt nicht nur eine Duldung von Religion, sondern versteht Religion als eine modernitätsfähige Praxis. Somit lässt sich festhalten, dass es gesellschaftstheoretisch und makrosoziologisch gute Gründe gibt, Religion unter empirischen, theoretischen und normativen Gesichtspunkten wahrzunehmen.

Habermas weist meines Erachtens zu Recht auf die Unhintergehbarkeit weltanschaulicher Imprägnierungen in der alltäglichen Interaktion hin. Konstruktiv scheint mir auch der Hinweis auf die Bedeutung starker Traditionen zu sein, womit er eine gesellschaftspolitische Problemanzeige formuliert, ein neues Verhältnis zu den Religionen zu finden, nachdem sich die Annahmen des linearen Säkularisierungsdenkens allmählich erschöpft haben. Die Religionspädagogik beobachtet die neuen Interessenslagen in der Gesellschaftstheorie und der Erziehungswissenschaft (als Systembetreuungsdisziplin des Bildungsbereichs) mit Aufmerksamkeit und sie ist sich bewusst, dass zugleich noch eine Vielzahl unausgesprochener Vorbehalte und unerledigter Probleme existieren. Ohne Frage eröffnet diese Art der Belangstellung produktive Räume, in denen sich ein interdisziplinäres Gespräch etablieren kann.

Neben der gesellschaftlichen bzw. öffentlichen Rolle von Religion geht es in diesem Beitrag auch um Religion als Bildungsgegenstand. Dabei ist es nicht unerheblich, wie Adressaten und Subjekte religiöser Bildung, also Schülerinnen und Schüler, über das Verhältnis von Religion und Moderne denken, welches Weltbild sie haben und was für sie der ideale Religionsunterricht ist.

3. Religion und Religionsunterricht in der Wahrnehmung von Schülerinnen und Schülern – Empirische Befunde

Die empirische Studie, auf die im Folgenden verwiesen wird, ist Teil eines international vergleichenden Forschungsprojekts »Europe as a postsecular Society?«, das vom Autor koordiniert wird (vgl. www.uni-wuerzburg.de/epos). Die Datenbasis stammt aus einer Erhebung in den Jahren 2002/2003 mit knapp 2000 Schülerinnen und Schülern der 11. Klasse an Gymnasien in sieben deutschen Städten (Rostock, Dresden, Hildesheim, Dortmund, Aachen, Würzburg, Augsburg). In diesem Beitrag wird auf einige ausgewählte Befunde zurückgegriffen, um die Schülereinstellung zu illustrieren. Für eine umfassendere Einsicht in die empirischen Befunde muss auf andere Publikationen verwiesen werden (z. B. Ziebertz/Kay 2005; 2006).

Sample

Das Durchschnittsalter der Befragten liegt zwischen 17-18 Jahren. Es gibt einen leichten Überhang von Mädchen (55 %) gegenüber Jungen (45 %). Gut 70 % gehören einer religiösen Gemeinschaft an, diese Zahl liegt etwas über dem deutschen Durchschnitt. Diese Jugendlichen verteilen sich vor allem auf die beiden großen christlichen Kirchen, nur 6 % gehören anderen religiösen Gemeinschaften an; sie werden für diese Untersuchung nicht berücksichtigt. Die Befragten stammen aus Elternhäusern, die teilweise religiös sind. Knapp die Hälfte der Jugendlichen bezeichnet beide Elternteile als religiös. Weniger als 20 % geben an, wenigstens einmal im Monat einen Gottesdienst zu besuchen, etwa eine gleich große Zahl antwortet mit »ab und zu«, 37 % gehen ein- oder zweimal im Jahr und 24 % gehen nie in die Kirche. 46 % der Befragten bezeichnen sich selbst als »gläubig«, 26 % geben keine eindeutige bejahende oder verneinende Antwort und 28 % bezeichnen sich als nicht-gläubig (vgl. Abb. 1). Aber immerhin 60 % möchten ihre zukünftigen Kinder taufen lassen, 61 % wollen kirchlich heiraten und 74 % wünschen für sich oder nahe Freunde und Verwandte ein kirchliches Begräbnis. Knapp 30 % der Jugendlichen war für eine bestimmte Zeit Mitglied in einer Jugendgruppe im Bereich der Kirchen.

Aus den Variablen »Selbstbezeichnung als religiös« und »Religiosität der Eltern« ist eine neue Variable entwickelt worden, die den Grad der Religiosität bzw. Säkularität misst (vgl. Abb. 2). Gilt für Eltern und Kinder das Attribut religiös, haben wir es mit einer funktionierenden religiösen Sozialisation zu tun. Sind die Eltern religiös, nicht aber die Kinder, sprechen wir von »säkularisiert in der ersten Generation«. Sind weder die Eltern noch die Kinder religiös,

Abb. 1: »Würden Sie sich selbst als religiös bezeichnen?« (in %)

sicher nicht	10,8
nicht	16,7
unsicher	26,7
ja	35,0
ja, sehr	11,3

handelt es sich im eine Gruppe Jugendlicher, die (mindestens) »in der zweiten Generation säkularisiert« ist. Sind die Eltern nicht-religiös aber die Kinder religiös, bezeichnen wir diese Gruppe als neu-religiös.

Abb. 2: Religiositätstypen

		Eigene Religiosität	
		Hoch	*Niedrig*
Religiosität der Eltern	*Hoch*	Religiös	Säkularisiert in der 1. Generation
	Niedrig	Neu-religiös	Säkularisiert in der 2. Generation

Legende: Legende: »Hoch« umfasst die beiden positiven, »niedrig« die mittlere und die beiden negativen Antwortmöglichkeiten.

Eine klare Einordnung in diese Typologie war für 1680 Befragte möglich. Demnach können 2,7 % der Befragten als neu-religiös bezeichnet werden und 22,6 als religiös. Knapp 39 % sind in der ersten und knapp 36 % in der zweiten Generation säkularisiert (vgl. Abb. 3). Die Prozentwerte sind insofern relativ, weil sie auf einer Konzeptualisierung beruhen, bei der die mittlere Antwortkategorie (einer 5-stufigen Antwortskala) dem Bereich »niedrig« zugeordnet wurde. Eine andere Entscheidung in diesem Fall würde zu anderen Größenordnungen führen. »Religiös« sind hier also die Entschiedenen, während »nicht-religiös« diejenigen umfasst, die sich »entschieden« als nicht religiös bezeichnen, einschließlich der Unentschiedenen. Der Begriff »säkularisiert« hat in diesem Zu-

Abb. 3: Grad der Religiosität bzw. Säkularisierung (N = 1680)

	N	%
Neu-religiös	46	2,7
Religiös	379	22,6
Säkularisiert 1. Generation	654	38,9
Säkularisiert 2. Generation	601	35,8
Gesamt	1680	100,0

sammenhang im Übrigen die Funktion eines terminus technicus. Wir kommen auf diese Variable später noch einmal zurück.

Wie passen Religion und Moderne zusammen?

In der Studie wurde den Befragten eine Skala mit 24 Aussagen zum Verhältnis von Religion und Moderne vorgelegt. Darin wurde zum einen allgemein von Religion gesprochen, zum anderen speziell von Kirche und christlichem Glauben. Vor dem Hintergrund der religiösen Pluralität, in der Religion, Christentum und Kirche nicht mehr als identisch erfahren werden, kann es zu unterschiedlichen Bewertungen kommen. In der Darstellung (Abb. 4) werden jeweils die vier am positivsten und am negativsten bewerteten Items herausgegriffen.

Interessanterweise wird die Aussage am positivsten bewertet, in der von der Bedeutung der Religion im öffentlichen Leben gesprochen wird. Religion wird, so die Schülerinnen und Schüler, dem gesellschaftlichen Fortschrittsglauben zum Trotz, auch in Zukunft eine wichtige Funktion haben. An zweiter Stelle folgt eine Aussage über die schwindende Relevanz des kirchlich vermittelten Glaubens für den Einzelnen. Auch dieser Aussage wird zugestimmt. Ein möglicher Grund für die geringer werdende Bedeutung liefert das dritte Item, in dem von der Kluft gesprochen wird zwischen dem, was die moderne Gesellschaft bewegt und dem, womit sich die Kirchen beschäftigen. Während also auf der einen Seite Religion ein bleibender Faktor in der Gesellschaft sein wird, befinden sich die Kirchen in der Krise, weil sie den Bezug zu Problemen in der Moderne vermissen lassen und dem einzelnen Menschen nur wenig zu geben haben. Für das Funktionieren der modernen Gesellschaft sind die christlichen Kirchen nicht notwendig, wie es im vierten Item formuliert wird. Zu den vier Aussagen, die am negativsten bewertet werden, gehört das Statement, dass die Kirchen zunehmend attraktiv sind. Diese Aussage teilen die Jugendlichen nicht. Ein weiteres Item, das die Kirchen thematisiert, spricht davon, dass der Einfluss der Kirchen in der Gesellschaft eher abnimmt als zunimmt. Auch diese Aussage wird abgelehnt, d.h., die Befragten konstatieren durchaus einen bleibenden Einfluss der Kirchen auf das öffentliche Leben. Wird allerdings nicht von den Kirchen sondern von Religion gesprochen, ändert sich das Bild. Dass Religion aus einer vergangenen Zeit, also altmodisch und überholt sei, weisen die Befragten zurück. Auch das Statement, für eine moderne aufgeklärte Person stellten sich keine religiösen Fragen mehr, wird abgelehnt.

Der Befund ist durchaus ambivalent. Es zeigt sich, dass die Unterscheidung zwischen Religion und kirchlich vertretenem Christentum auch empirisch bedeutsam ist. Religion ist ein Faktor im modernen gesellschaftlichen Leben und wird (nach Einschätzung der Jugendlichen) auch in Zukunft relevant sein. Re-

Abb. 4: Religion und Moderne (N = 1920)

	Mw	S.D.
Am positivsten bewertete Statements		
Trotz aller Fortschrittsorientierung: Religion wird im öffentlichen Leben immer eine Rolle spielen.	3,84	,96
Für den einzelnen modernen Menschen sind kirchliche Glaubensvorstellungen immer unwichtiger.	3,61	1,08
Für die moderne Gesellschaft hat die Kirche nicht die richtigen Themen.	3,38	1,22
Es scheint, dass die moderne Gesellschaft auch ohne Kirche gut auskommt.	3,37	1,13
Am negativsten bewertete Statements		
Religion ist etwas aus einer vergangenen Zeit.	2,66	1,26
Gerade für den modernen Menschen ist der kirchliche Glaube wieder attraktiv.	2,52	1,06
Die Bedeutung der Kirche als orientierende Kraft in der Gesellschaft wird eher kleiner als größer.	2,47	,93
Der moderne Mensch mit einem ›aufgeklärten‹ Bewusstsein hat keine religiöse Fragen mehr.	2,31	1,15

Legende: Mittelwert: 1 = negativ, 3 = Mitte, 5 = positiv
(Die gesamte Skala umfasst 24 Items)

ligion bleibt zudem für den modernen Menschen eine offene Frage. Jedenfalls teilen die Befragten nicht die Auffassung, dass mit der Modernisierung der Gesellschaft Religion zwangsläufig in der Bedeutungslosigkeit verschwindet. Spricht man aber konkret vom christlichen Glauben und von den Kirchen, werden die Bewertungen kritischer und negativer. Für die Jugendlichen haben die Kirchen vielfach den Bezug zur Gegenwart verloren und sie haben dem einzelnen Menschen nicht viel zu bieten. Nehmen wird diesen kurzen Einblick mit in eine Auswertung der Skala zum »Idealen Religionsunterricht«.

Wie soll der ideale Religionsunterricht sein?

In der Studie wurde eine Skala mit 12 Statements zum Religionsunterricht verwendet. Darin kommen unterschiedliche Ziele zum Ausdruck. Soll der Unterricht näher an den Glauben oder die Kirche heranführen? Soll er vor allem über die Religionen und über Fragen, die mit den Religionen zusammenhängen, informieren? Soll er mehr soziale und gesellschaftliche Themen behandeln? Soll er Allgemeinbildung leisten? Oder soll er persönliche Orientierung geben und Lebenshilfe ermöglichen? Das Themenspektrum ist weit gefasst und man kann sicher sagen, dass diese Elemente in den Lehrplänen zum Religionsunterricht einen Platz haben. Ein religionskundliches Modell wird nicht eine »Heranführung an Glaube und Kirche« leisten wollen, dafür aber die Informationsseite betonen. Ein lebenskundlicher Unterricht wird sich vor allem um gesellschaftliche Fragen und Lebensorientierung kümmern. Ein Religionsunterricht nach dem bundesdeutschen Grundgesetz, der ein konfessionell ausgerichteter Unterricht in Übereinstimmung mit den Grundsätzen der Kirchen sein soll, wird das bekenntnisorientierte Element betonen und andere fakultativ behandeln. Je nach konzeptueller Ausprägung kann der Religionsunterricht Religion oder einen kirchlich vermittelten Glauben akzentuieren, und er kann mit und ohne die Intention vertreten werden, Schüler zur religiösen Musikalität anzuregen. In der folgenden Tabelle (Abb. 5) werden die Ergebnisse dargestellt. Neben der Spalte mit den Durchschnittswerten werden die Befunde nach Geschlechtszugehörigkeit unterschieden.

Sieben Aussagen werden befürwortet, fünf werden abgelehnt. In den positiv bewerteten Statements wird dem Religionsunterricht die Aufgabe zugeschrieben, objektiv über die Weltreligionen zu informieren und darzustellen, was sie (wirklich) wollen, gesellschaftliche und soziale Themen zu behandeln, wichtige Fragen aufzugreifen, Allgemeinbildung und persönliche Lebensorientierung zu leisten, und die Schülerinnen und Schüler zu religiöser Kommunikation zu befähigen. In allen Fällen gibt es einen signifikanten Unterschied zwischen Schülerinnen und Schülern. Der Unterschied liegt darin, dass Schülerinnen diese Aussagen noch deutlicher befürworten als ihre männlichen Altersgenossen. Bis auf zwei Fälle ist die Standardabweichung insgesamt moderat. Vergleicht man die Standardabweichung innerhalb der Geschlechtsgruppen, fällt sie bei den Jungen erkennbar höher aus, d. h., die maskuline Teilgruppe der Schüler ist weniger einheitlich als die feminine.

Die fünf Aussagen, die abgelehnt werden, weisen eine recht hohe Standardabweichung auf. Eine Aussage behauptet, der beste Unterricht sei der, der nicht stattfinde. Würden die Respondenten die Befragung nicht ernst nehmen, hätten sie dies hier zeigen können. Das ist aber nicht der Fall. Die Befragten lehnen dieses Statement ab, d. h., sie gewinnen dem Religionsunterricht durchaus etwas Positives ab. Was sie aber nicht möchten, ist ein Unterricht, der an die Kirche und an den christlichen Glauben heranführt oder ein Unterricht, der sich mit Gottes- und Wahrheitsfragen beschäftigt. In der negativen Skalenhälfte ist zudem ein Item zu finden, das den Religionsunterricht als ein Instrument versteht, das Lernklima in der Klasse zu verbessern.

Abb. 5: Idealer Religionsunterricht (N = 1923)

	Mittelwert		Geschlecht			
	gesamt (N = 1923)		weiblich (N = 1056)		männlich (N = 860)	
	Mean	S.D.	Mean	S.D.	Mean	S.D.
Positive Bewertung						
Der ideale Religionsunterricht ...						
gibt Schülern ein objektives Bild über die Weltreligionen.	4,34	,88	4,39	,81	4,29	,95
fördert die Auseinandersetzung mit gesellschaftlichen Fragen und Problemen.	4,27	,89	4,34	,80	4,20	,98
leistet etwas zur Allgemeinbildung.	4,07	,95	4,13	,87	3,99	1,04
hilft Schülern zu verstehen, was die Religionen wirklich wollen.	4,05	,96	4,10	,88	3,98	1,04
befähigt Schüler zum Gespräch über religiöse Fragen.	4,05	,94	4,14	,82	3,93	1,06
hilft Schülern bei ihrer Sinnsuche und Lebensorientierung.	3,99	1,13	4,07	1,06	3,89	1,20
gibt Antworten auf wichtige Fragen.	3,46	1,20	3,52	1,13	3,40	1,27
Negative Bewertung						
Der ideale Religionsunterricht ...						
führt zu einem besseren Klima in der Klasse.	2,97	1,23	n.s.		n.s.	
lässt Schüler durch die Religionen die Wahrheit Gottes entdecken.	2,80	1,20	2,84	1,15	2,73	1,25
bringt die Schüler näher zur Kirche.	2,43	1,13	2,49	1,13	2,37	1,13
ist der Unterricht, der nicht stattfindet.	2,43	1,39	2,30	1,32	2,58	1,45
führt Schüler zum christlichen Glauben.	2,15	1,22	n.s.		n.s.	

Legende: Mittelwerte: 1 = sehr positiv; 2 = positiv; 3 = Mitte; 4 = negativ; 5 = sehr negativ
Geschlechtsunterschied nach T-Test; Signifikanzgrad < .05; n.s. = nicht sign.

Setzt man die positiven und negativen Urteile in eine Beziehung, beweist sich der ideale Religionsunterricht in den Augen der Schülerinnen und Schüler durch einen objektiv orientierten Wissensbezug im Hinblick auf alle Religionen und durch ein Eliminieren kerygmatischer Interessen. Beides entspricht eher einem religionskundlichen als einem konfessionellen Religionsunterricht. Man würde dem traditionellen Religionsunterricht jedoch Unrecht tun, wenn man ihm das Interesse an einer objektiv begründeten Wissensvermittlung abspräche. Aber ebenso offenkundig ist, dass sich der konfessionelle Unterricht darauf nicht beschränken will und soll.

Empirisch gesehen geht es den Schülerinnen und Schülern also nicht um ein

Ja oder Nein zum Religionsunterricht (vgl. auch andere Studien, z. B. Bucher 2000), sondern hinterfragt wird dessen konfessioneller Charakter verbunden mit der Einladung, den Glauben in kirchlich-christlicher Gestalt auch für sich selbst zu entdecken und zu bejahen.

Gilt der soeben geäußerte Befund vielleicht nur für Schülerinnen und Schüler, die in der Religiositätstypologie als »säkularisiert« beschrieben wurden? Betrifft er nur einen Teil der Schülerpopulation, während andere das Glaubenselement befürworten? Wir können diese Frage beantworten, indem wir die Typologie auf die Aussagen zum idealen Religionsunterricht anwenden und die Verteilung analysieren. Dazu werden die zwei Items ausgewählt, in denen signifikante typologische Unterschiede auftreten bzw. in denen sie am stärksten ausfallen. Es handelt sich um die Aussagen, dass der Religionsunterricht Schüler näher zum christlichen Glauben bzw. zur Kirche führen soll.

In beiden Fällen sind die Mittelwerte der vier Gruppen analog aufgebaut (vgl. Abb. 6). Die stärkste Ablehnung dieser Ziele formulieren Schülerinnen und Schüler, die aus einem nicht-religiösen Elternhaus stammen und sich selbst nicht als religiös bezeichnen (säkularisiert in der zweiten Generation), gefolgt von Befragten, die wir »säkularisiert in der ersten Generation« genannt haben. Die Neu-Religiösen bewerten diese Ziele weniger negativ und am wenigsten die kontinuierlich Religiösen, also religiöse Schülerinnen und Schüler aus einem religiös geprägten Elternhaus. Zwischen diesen vier Gruppen weist der Unterschied beim Item »führt zum christlichen Glauben« einen Punktwert von 0,9 und beim Item »führt an die Kirche heran« einen Wert von 0,8 aus. Bis hierhin entspricht der Befund der Erwartung, dass säkularisierte Befragte diese Aussagen »zwangsläufig« negativer bewerten müssten als religiös beheimatete.

Abb. 6: Der gewünschte Religionsunterricht

Der ideale Religionsunterricht führt die Schüler zum christlichen Glauben.				
	N	Untergruppe für Alpha = .05		
Säkularisierungsgrad		1	2	3
säkularisiert in 2. Generation	588	1,8231		
säkularisiert in 1. Generation	651	2,1382	2,1382	
neu-religiös	45		2,4222	2,4222
religiös kontinuierlich	379			2,7441
Signifikanz		,165	,246	,150

Der ideale Religionsunterricht bringt die Schüler näher zur Kirche.

Säkularisierungsgrad	N	Untergruppe für Alpha = .05		
		1	2	3
säkularisiert in 2. Generation	587	2,1993		
säkularisiert in 1. Generation	649	2,3975	2,3975	
neu-religiös	45		2,7111	2,7111
religiös kontinuierlich	379			2,9288
Signifikanz		,510	,122	,425

Scheffé-Prozedur

Allerdings belegen die Daten nicht die Vermutung, die auch möglich und sogar plausibel gewesen wäre, dass säkularisierte Befragte solche Ziele ablehnen, die religiösen sie aber befürworten. Vielmehr lautet der Befund, dass alle Schülerinnen und Schüler kerygmatischen und kirchenbezogenen Intentionen gegenüber negativ eingestellt sind und dass sie sich nur im Grad der Ablehnung signifikant unterscheiden. Zu allen übrigen Items gibt es entweder nur schwache oder gar keine signifikanten Unterschiede, wenn man die Religiositätstypologie zugrunde legt.

Wir konnten weiter oben feststellen, dass die Relevanz, die der Religion zugemessen wird, nicht in gleichem Masse dem christlichen Glauben und den christlichen Kirchen zukommt. Dazu passt der Befund zum idealen Religionsunterricht. Dieser soll sich mit Religion beschäftigen, nicht aber die Beziehung zu Glaube und Kirche in den Mittelpunkt stellen. Die befragten Schülerinnen und Schüler signalisieren einen insgesamt positiven Bezug zu Religion, aber noch sind die Konturen nicht ganz klar, was sie eigentlich würdigen. Mit einer weiteren Skala soll versucht werden, hierzu Informationen zusammenzutragen.

Das religiöse Weltbild der Schülerinnen und Schüler

Theoretisch und empirisch ist evident, dass es nicht ausreicht, Religiosität allein im Kontext einer kirchlich geprägten christlichen Frömmigkeit zu suchen. Man muss hierzu einen Rahmen anlegen, in dem auch alternative Weltbilder einen Platz haben. Um dies zu leisten, wurde den Befragten eine Liste mit 45 Items vorgelegt, in denen ganz unterschiedliche weltanschauliche Positionen formuliert zu finden sind. Diese Items repräsentieren insgesamt 14 Konzepte, worunter sich auch ein Konzept mit explizit christlichen Items befindet – aber nur als eines neben anderen. Ein Konzept (Deismus) musste ausgeschieden werden, weil die Skala nicht hinreichend reliabel war.

In der Analyse beschränken wir uns auf eine Darstellung der Mittelwerte (vgl.

Abb. 7). Von den verbleibenden 13 Konzepten werden 5 positiv bewertet. An der Spitze stehen Aussagen des Konzepts Pragmatismus, in denen kein religiöser Bezug erkennbar ist. Eine transzendente Größe, etwa Gott, die in Beziehung zum Menschen bzw. die dem Menschen gegenüber steht, gibt es darin nicht. Es ist der Mensch selber, nur der Mensch, der dem Leben Sinn geben muss. Nach einem Abstand von 0,6 Punkten auf einer 5-Punkte-Skala folgt das Konzept Universalismus. Darin wird von der Existenz eines Gottes gesprochen, der sich jedoch nicht auf das Bild von Gott reduzieren lässt, dass jeweils eine Religion anbietet. Die verschiedenen Religionen sind relativ angesichts der Existenz Gottes. Sie benutzen jeweils unterschiedliche Beschreibungen für diesen Gott und bieten unterschiedliche Wege an, mit diesem Gott in Kontakt zu kommen – aber es ist jeweils derselbe Gott, der in den Religionen nur unterschiedlich verkündigt wird. An dritter Stelle folgen Aussagen des Konzepts Metatheismus. Gott ist eine Größe, die die Theismen (die theologischen Lehren von Gott) übersteigt. Gott oder das Heilige kann nicht mit menschlichen Worten erfasst werden. Wer oder was dieser Gott oder das Heilige tatsächlich ist, entzieht sich dem menschlichen Verstehen. Jeder Versuch, das Göttliche in Worte zu fassen, wäre fragmentarisch und unzureichend. Universalistische und metatheistische Aussagen lassen sich gut verbinden. Es geht um die Existenz eines höheren Wesens, das sich sowohl den historischen als auch individual-menschlichen Versuchen einer näheren Bestimmung entzieht. An vierter und fünfter Stelle folgen die Konzepte Naturalismus und Agnostizismus. Eine naturalistische Weltanschauung betont, dass die Vorstellung einer höheren Macht nichts anderes sein kann als die Summe der Naturgesetze. In diesen Aussagen wird Metaphysik durch Evolution ersetzt. In der Natur sind die elementaren Gesetze angelegt, nach denen das Leben funktioniert. Agnostische Aussagen betonen die Frage bzw. den Zweifel, ob es Gott oder eine höhere Macht gibt. Die Möglichkeit einer Existenz Gottes wird nicht abgelehnt, wie im Atheismus, aber sie gilt auch nicht als erwiesen. Es ist eben die große Frage, ob es Gott wirklich gibt oder geben kann.

Die übrigen 8 Konzepte werden von den Befragten abgelehnt. Mit einem Mittelwert von 2,99 liegen kosmologische Vorstellungen nur sehr knapp in der negativen Skalenhälfte. Diesen Aussagen wird also weder eindeutig zugestimmt, noch werden sie eindeutig abgelehnt. Inhaltlich geht es darin um die Identifizierung der höheren Realität mit den Energien des Kosmos. Mit geringen Abständen folgen Aussagen der Immanenz, des Pantheismus und des Humanismus. Gott oder das Göttliche ist immanent, weil es im Menschen selber angelegt ist. Carl G. Jung hat in seiner Tiefenpsychologie den Begriff des »imago dei« geprägt, womit er diesen Vorstellungen sehr nahe kommt. Die Reduktion des Göttlichen auf den Menschen und den menschlichen Körper findet eine gewisse Ausweitung im Pantheismus. So wie das Göttliche im Menschen ist,

Abb. 7: Das Weltbild der Schülerinnen und Schüler

	m	s.d.
Positive Bewertung		
Pragmatismus	4.24	.72
Was das Leben bedeutet, muss jeder mit sich selbst ausmachen		
Universalismus	3.63	.99
Der eine Gott wird in den verschiedenen Religionen unterschiedlich benannt		
Metatheismus	3.55	.92
Gott oder das Göttliche lässt sich nicht in Worte fassen		
Naturalismus	3.47	.92
Unser Leben wird letzten Endes bestimmt durch die Gesetze der Natur		
Agnostizismus	3.30	1.00
Es ist eine große Frage, ob es Gott gibt		
Negative Bewertung		
Kosmologie	2.99	.76
Unsere Erde ist entstanden aus dem Zusammenwirken kosmischer Kräfte		
Immanenz	2.93	1.07
Jeder Mensch hat in seinem tiefsten Inneren einen göttlichen Funken		
Pantheismus	2.83	1.11
Gott ist in allen Teilen der Natur und die Natur ist göttlich		
Humanismus	2.77	.94
Gott ist nicht irgendwo über uns, sondern in uns selber		
Christlich	2.49	.94
Es gibt einen Gott, der sich in Jesus Christus zu erkennen gegeben hat		
Kritizismus	2.44	1.14
Das Wort ›Gott‹ wird immer noch gebraucht, um den Menschen etwas vorzumachen		
Atheismus	2.33	1.09
Es gibt keinen Gott und keine göttliche Macht		
Nihilismus	1.73	.93
Für das Leben gibt es keinen Grund		

Legende: 5-Punkt-Skala: 1 = negative, 3 = Mitte, 5 = positiv. Jedes Konzept wurde durch 4–5 Items gebildet. In der Tabelle wird zur Dokumentation jeweils nur eine Aussage zitiert.

ist es in der ganzen Natur – daher ist nicht nur der Mensch, sondern auch die Natur wie Gott: Gott ist Natur und Natur ist Gott. Stärker inhaltlich verwandt mit der Immanenz sind humanistische Deutungen des Göttlichen. Attribute wie Liebe, Güte und das Gute, die überlicherweise Gott zugeschrieben werden, erscheinen im humanistischen Verständnis als Wesensmerkmale des Menschen. Diese drei Konzepte erreichen Mittelwerte zwischen 2,93 und 2,77, d. h., sie werden leicht abgelehnt. Stärkere Ablehnung erfahren sowohl christliche konnotierte Aussagen als auch religionskritische und atheistische. Sie erreichen nur Werte zwischen 2,49 und 2,33. Um kein Missverständnis aufkommen zu lassen: nicht nur die in dem Konzept Christlich formulierten Aussagen können einzig als christliche Vorstellungen gelten. Manche Aussagen der Skala Immanenz decken eine Vorstellung ab, die aus der mittelalterlichen christlichen Mystik durchaus bekannt sind, um nur ein Beispiel zu geben. Im Unterschied dazu bedienen sich die Aussagen des Konzepts Christlich eines explizit christlich-biblischen Vokabulars. Freilich, diese Aussagen werden ebenso abgelehnt wie solche, in denen religionskritische Ideen zum Ausdruck kommen. Das dritte Konzept in dieser Reihe ist Atheismus. Darin wird die Existenz Gottes oder eines höheren Wesens geleugnet und als Unsinn bezeichnet. Abgeschlagen mit einem Mittelwert von 1,73 werden die Aussagen des Konzepts Nihilismus bewertet. Darin wird die Einstellung vertreten, dass das Leben keinen Sinn hat und dass es keine vernünftige Begründung dafür gibt, warum es Leben gibt und welches Ziel es hat. Die Einstellungen, die sich in solchen Äußerungen widerspiegeln, werden stark zurückgewiesen.

Die positiv bewerteten Items sagen aus, dass der Mensch selbst für Sinn zuständig ist. Die Existenz Gottes oder einer höheren Realität wird nicht abgelehnt, aber sie scheint keinen direkten Einfluss auf das Leben zu haben. Vielleicht trifft am ehesten zu, dass diese Gottheit absolut transzendent ist, sie steht dem Menschen in der Ferne gegenüber. Aber weder die Religionen noch der einzelne Mensch kann diese Gottheit näher charakterisieren, sie entzieht sich seinen Definitionsversuchen. Einige dieser Ansichten entsprechen durchaus christlichen Vorstellungen: auch die christliche Theologie spricht beispielsweise von Gott als einem Geheimnis. Die pluralistische Religionstheologie, mit denen Namen wie Paul Knitter oder John Hick verbunden sind, relativiert die Religionen als bedingte und nicht absolute Wege zu Gott. Aber trotz dieser Interpretationen, die je nach theologischem Standort christlich vermittelbar sind, gibt es darin einen erkennbaren Unterschied zur christlichen Idee, dass Gott Mensch geworden ist und sich Menschen zuwendet und dass ihm eine personale Qualität eigen ist. Solche Konnotationen sind in den hier befürworteten Aussagen nicht enthalten. Ebenso wenig, dass Gott sich in der Geschichte mitgeteilt hat, dass er zwar transzendent, nicht aber absolut transzendent ist.

Es fällt auf, dass die drei abgelehnten Konzepte Christlich, Kritik an Religion und Atheismus inhaltlich einen Widerspruch bilden: das christliche Bekenntnis zu Gott und Jesus Christus, die Kritik an religiösen Weltbildern und die Ablehnung der Möglichkeit Gottes oder einer höheren Wirklichkeit. Interessant ist, dass die befragten Jugendlichen sich hier nicht nur kritisch gegenüber biblischchristlichen Positionen äußern, sondern dass sich ihre Kritik ebenso gegen antireligiöse Positionen richtet. Man kann die Gruppe der Befragten also nicht einfach in religiöse oder nicht-religiöse Jugendliche einteilen.

Warum biblisch-christlich formulierte Einstellungen keine Zustimmung finden, kann durch dieses Survey nicht hinreichend beantwortet werden. Ein Grund kann sein, dass diese Begriffe in den 11 Jahren, in denen die Befragten in der Regel den Religionsunterricht besucht haben, überstrapaziert worden sind. Es kann auch daran liegen, dass sie durch die kirchliche Verkündigung bekannt sind und dort vor allem als inhaltsleer erfahren werden. Ein dritter Grund könnte im Grad der Konkretheit liegen. Christliche Vorstellungen sprechen von Gott, Jesus Christus und vom Reich Gottes als einem zentralen Verkündigungselement im Neuen Testament. Sie sind zudem stark dogmatisch aufgeladen. Die Präferenz der Befragten geht aber eher in Richtung einer Religiosität, die allgemein bleibt und unkonkret ist. Im Gegensatz zum christlichen Sprechen von einem Gott, der in der Geschichte ein »Gesicht« bekommen hat, bevorzugen die Jugendlichen eine abstrakte absolut transzendente Gottesidee. Zudem sind sie überzeugt, dass das Christentum keinen exklusiven Zugang auf die Gottesthematik hat und dass weder Religionen noch einzelne Menschen etwas über Gott sagen können, wenn Gott wirklich der Allmächtige sei. So ist es möglich, dass für die Befragten vor dem Hintergrund einer allgemein-religiösen Vorstellung christliche Aussagen als zu eng, zu begrenzt und zu spezifisch erscheinen. Dies könnte eine Erklärung dafür sein, dass nicht-christlich formulierte religiöse Einstellungen Zustimmung erfahren, die spezifisch christlichen jedoch nicht.

An der Spitze der befürworteten Weltbilder steht der Lebenspragmatismus, dass letztlich nur der Mensch selbst sich und seinem Leben Sinn geben kann. Am Ende finden sich spiegelbildlich nihilistische Aussagen, dass es keinen Sinn gebe. Was bedeutet die sehr starke Zustimmung zu den pragmatischen Vorstellungen im Verhältnis zu den religiösen Weltbildern? Es scheint, dass die Befragten sehr klar sich selbst als Zentrum der Sinngebung verstehen, das religiöse Vorstellungen aufnehmen kann (z.B. Universalismus, Metatheismus), ohne aber von diesen abhängig zu sein.

Zusammenfassung der empirischen Analyse

Die ausgewählten Analysen haben deutlich gemacht, dass Religion, allen möglichen Unkenrufen zum Trotz, nicht als »erledigt« gelten kann. Gegenüber 46 % der Befragten, die sich als religiös bezeichnen, antworten nur 27 %, nicht religiös zu sein. Die übrigen 27 % sind unentschieden, ob sie diese Bezeichnung für sich wählen sollen. Es konnte gezeigt werden, dass Religion als eine öffentlich bedeutsame Größe wahrgenommen wird und dass auch für den modernen Menschen Religion persönlich bedeutsam werden kann. Dies gilt nicht im gleichen Umfang für die religiösen Institutionen, die Kirchen. Ihr gesellschaftliches Auftreten findet teilweise Anerkennung, aber ihre Botschaft für den einzelnen Menschen wird als wenig zeitgemäß erfahren. Der Religionsunterricht wird bejaht, aber er soll objektiv und informationsorientiert ausgerichtet sein und keine Verkündigungsinteressen hegen. Ein Unterricht, der an Glaube und Kirche heranführen will, wird von allen Jugendlichen abgelehnt, auch den religiösen. Das religiöse Weltbild der Befragten ist stark pragmatisch ausgerichtet und hat agnostische Züge. Zu diesem prinzipiellen Zweifel passt die Bejahung offener und allgemein-religiöser Vorstellungen über die Existenz Gottes oder eine höheren Macht. Negativ beurteilt werden spezifisch christliche Weltdeutungen, abgelehnt werden allerdings auch religionskritische und atheistische Weltbilder. Somit kann in aller Vorsicht formuliert werden, dass bestimmte Facetten von Religion im Weltbild Heranwachsender eine Rolle spielen. Zudem hat sich gegenüber den 1960er bis 1980er Jahren eine Kontextbedingung verändert, nämlich die, dass Religionskritik und Atheismus als ideologische Gegenfolie ausfallen. Ist damit eine Situation eingetreten, in der seriös über die Implikationen einer postsäkularen Gesellschaft nachgedacht werden kann?

4. Diskussion

Wenn man Religion als eine Dimension menschlicher Praxis versteht, kann damit Vielfaches gemeint sein: die Chiffrierung des Unbestimmbaren und die Spannung zwischen Transzendenz und Immanenz (Niklas Luhmann), die Begegnung des Menschen mit dem Heiligen (Rudolf Otto), die Bewältigung von Kontingenz (Peter L. Berger), die Symbolisierung letzter Sinnhorizonte in der alltagsweltlichen Lebensorientierung (Wilhelm Gräb), die Weise des Existierens aus der Beziehung zu einem letzten Sinngrund (Heinz R. Schlette), oder die Ergriffenheit des Menschen von dem, was ihn unbedingt angeht (Paul Tillich), um nur einige Beispiele zu nennen (vgl. Ziebertz 2002b). Zugleich hat Religion eine materiale Seite. Sie zeigt sich in Ritualen, Glaubensvorstellungen und Haltungen, die in freien oder standardisierten Praxen sichtbar ist. Die materiale Seite ist besonders konkret in den Dogmatiken der Religionsgemeinschaften und ihren Erwartungen an Mitglieder, ein Glaubensbekenntnis zu teilen und an bestimmten Vollzügen zu partizipieren. Religion hat immer diese beiden Seiten: eine freie und im Letzten nicht definierbare Offenheit des Menschen gegenüber der religiösen Dimension der Wirklichkeit, aber auch eine institutionell und sozial standardisierte Praxis der Religionsausübung in einem sozialen Verband. In religiös homogenen Gesellschaften mit einem geringen Grad an Säkularisierung wird die Spannung als gering erfahren. Die dominante Religion (im Sinne einer konkreten Religionsgemeinschaft) scheint die Fragen hinreichend aufzunehmen, die ein weites Verständnis von Religion hervorruft. In den modernen westlichen Gesellschaften wird die Spannung stärker erlebt. Hier zeigt sich, dass es Religion gibt, ohne dass diese mit spezifischen Bekenntnissen identisch sein muss. Die empirischen Analysen haben gezeigt, dass ein positiver Zugang Jugendlicher auf ein allgemeines Verständnis von Religion nachgewiesen werden kann, dass aber das Spezifische, insbesondere in der Gestalt des kirchlich vertretenen Christentums ein Problem darstellt.

Worauf soll sich nun ein Bildungsinteresse richten? Soll es die Differenz zwischen allgemein und konkret als gegeben hinnehmen, soll es sich nachfrageorientiert auf den Bereich konzentrieren, der positiv evaluiert wird, oder soll es zum Erhalt des kulturellen Erbes gerade die konkrete Religion in der Gestalt des christlichen Glaubens fördern? Was den ersten Aspekt der Differenz betrifft, kann ein zeitgemäßes Konzept von Bildung das Faktum der Pluriformität des Religiösen nicht ignorieren. Die Differenz ist eine Ausgangsbedingung religiöser Lernprozesse und der Versuch, sie zur einen oder anderen Seite hin zu neutralisieren, greift zu kurz. Im Gegenteil, die Differenz sollte selbst ein Gegenstand der Bildung sein, denn sie ist ein Charakteristikum für den modernen Menschen, der einen Zweifel gegenüber der Allgültigkeit nur einer Tradition erhebt. Zugleich sind diese Traditionen gegenwärtig, sie stellen Symbole, Rituale und Versprachlichungen bereit, mit religiösen Fragen umzugehen. Daher ist das Allgemeine immer wieder vom Besonderen her zu befragen. Traditionen sind nicht nur »alte Zöpfe«, sondern beherbergen Lebenswissen. Sie ermöglichen dem Menschen, sich in einer Geschichte zu begreifen, die ihn nicht in seiner Individualität beschränkt, sondern eine Verortung zwischen Vergangenheit und Zukunft erlaubt. Insofern vermitteln Traditionen Sicherheit. Vom Zugang eines allgemeinen Religionsverständnisses her sind alle besonderen Traditionen relativ und im Prinzip sogar auswechselbar. Menschen reklamieren die Freiheit der Wahl und der individuellen Einscheidung, auch dies ist eine Grundbedingung der Pluralität in der Moderne. Es gilt aber auch umgekehrt, dass sich das Besondere vom Allgemeinen her befragen lassen muss. Eine religiöse Tradition wie das Christentum nimmt für sich in Anspruch, dass es den Menschen nicht von sich entfremden will, sondern auf den Kern des Menschseins hinführt. Die christliche Religion spricht nicht von einer anderen Welt, sondern will zum Leben in der einen Welt befähigen. Es behauptet, in der konkreten Glaubenspraxis die allgemeinen Fragen aufgenommen zu haben, die sich dem Menschen stellen. Freilich kann diese Behauptung zur Ideologie verkommen, daher ist Offenheit gegenüber religiösen Fragen wichtig, auch wenn diese von außen gestellt werden und kritisch sind. Ohne die Auseinandersetzung mit allgemeiner Religion laufen konkrete Traditionen Gefahr, zu verkrusten. Diese Probleme sind denen bekannt, die Erfahrungen mit religiöser Bildung haben. Jugendliche kommen selbst auf diese Spannungen zu sprechen und sie fordern Lehrerinnen und Lehrer heraus, diese angemessen zu bearbeiten. Helmut Peukert hat Differenz als einen Zentralbegriff der Bildungstheorie bezeichnet: »Bildung *ist* Bewusstsein von Differenz« (Peukert 1984, 134). Bildung unterscheidet sich vom Anpassungslernen, dass in der Bearbeitung von Differenz sowohl inhaltlich als auch formal die Herausforderung liegt, weiter zu fragen und forschend zu lernen.

Das Konzept der postsäkularen Gesellschaft impliziert eine Reihe von Erwartungen an das Grundverständnis der Religionen, aber auch an Menschen, die mit religiösen Fragen umgehen. In der angloamerikanischen Literatur findet sich für die Zielbeschreibung religiöser Bildung der Begriff *literacy,* also die Vorstellung einer umfassenden und begründeten Fähigkeit zu religiöser Kommunikation. Wenn die postsäkulare Gesellschaft eine positive Haltung gegenüber der Ressource Religion für die Wert- und Sinnbestimmung einnimmt, braucht es auf der anderen Seite Menschen, die mit dieser Ressource umzugehen gelernt haben. Überlegungen zum Religionsunterricht der Zukunft müssen sich diesen Herausforderungen stellen, die durchaus anspruchsvoll sind. Sie müssen zeigen, wie ein Beitrag zur literacy geleistet werden soll.

Dabei ist es nicht entschieden, dass ein Religionsunterricht nach den Maßgaben des Grundgesetzes dazu nicht in der Lage ist, wenn er sich offen versteht und prinzipiell ein Unterricht für alle sein kann. Hier sind auch die Kirchen gefragt, nicht aus Angst um ihren Bestand gerade das Gegenteil von dem zu tun, was nötig wäre. Nötig ist ein offener und dialogischer Unterricht, der die Differenz als Grundelement aufgreift und bearbeitet, schädlich sind Lehrpläne, die wesentliche Fragen auf das Problem der Kirchlichkeit reduzieren. Alternative Modelle wie LER in Brandenburg oder Werteunterricht in Berlin lassen bislang eine Konzeption vermissen, wie man dem Anspruch der literacy gerecht werden will. In diesen Konzepten kommt gerade die Auseinandersetzung mit den »starken Traditionen« (Habermas) zu kurz, ohne die dem religiösen Sprechen Oberflächlichkeit und Naivität drohen. Damit ist in interkultureller Hinsicht nichts gewonnen, auch nicht für eine konstruktive Auseinandersetzung mit den verschiedenen Religionen in Deutschland und Europa. Es unterstreicht die Ernsthaftigkeit der Situation, dass sogar Religionspädagogen wie Gottfried Bitter die die Frage aufwerfen, ob nicht Staat und Kirchen gleichermaßen interessiert sein müssten, die Möglichkeit eines Religionsunterrichts »für alle« ernsthaft zu bedenken. Im Blick auf die nachwachsende Generation und die Kultur der zukünftigen Gesellschaft sei ein Unterrichtsgegenstand Religion nötig, und zwar für alle Schülerinnen und Schüler im Sinne eines ordentlichen Unterrichtsfaches ohne Abmeldemöglichkeit (Bitter 1995, 196).

In der Tat stellt sich oberhalb der Überlegungen zu Inhalt, Form und institutionellen Einflüssen auf den Religionsunterricht die gesellschaftlich-normative Grundsatzfrage, wie man sich ein Europa der Zukunft vorstellt: wird die religiöse Dimension als eine Dimension der Wirklichkeit akzeptiert und soll der Umgang mit ihr bildend gefördert werden? Will man Religion als empirisches Phänomen in den Blick nehmen, also Religion als eine historische Größe, die entsprechende Sozialformen ausgebildet hat? Oder will man sich auf regulative Ideen beispielsweise aus der Ethik oder Philosophie zurückziehen? Oder will man ganz auf die Reflexion menschlicher Existenzweisen verzichten und sich auf Qualifikationen beschränken, die eine direkte wirtschaftliche Verwertbarkeit erhoffen lassen? Letzteres könnte dazu führen, sich ganz den Mechanismen des Globalisierungsprozesses zu unterwerfen, nämlich der Logik der Ökonomie. Die Frage nach der Bildungsrelevanz von Religion ist ein gesellschaftliches Problem, bei dem es eben nicht nur um Religion geht. Es geht um Werteentscheidungen in einer Gesellschaft, wie sie selbst ihre Identität im Kontext von Vergangenheit und Zukunft bestimmt.

Teil I:
Religion im Wandel der Weltbilder und Wertgefüge

Allgemeine Pädagogik und Religion –
Zum Verhältnis von Bildung, Erziehung und Religion

Christoph Lüth

In memoriam Annalise Lüth, geb. Burmeister
(1911-2003)

Es geht um die Frage, ob Religion in einem notwendigen oder nur zufälligen Verhältnis zu Erziehung und Bildung steht. Daher wird der Stellenwert, den *Religion* im systematischen Zusammenhang mit der *Allgemeinen Pädagogik* hat, untersucht. Zu diesem Zweck erläutere ich zunächst die seit längerem kontrovers debattierten Aufgaben einer Allgemeinen Pädagogik und prüfe dann eine Reihe von Entwürfen zur allgemeinen bzw. systematischen Pädagogik. Ich gehe dabei von der Annahme aus, dass im Zuge der »realistischen Wendung« (Roth 1962) in der Erziehungswissenschaft, der Rezeption der Gesellschaftstheorie der Frankfurter Schule in den 1960er und 1970er Jahren sowie der allmählichen Aufnahme von Impulsen der postmodernen Philosophie in die Pädagogik seit den 1980er Jahren der Stellenwert der Religion in der Erziehungswissenschaft problematisiert und zurückgedrängt wurde. Um verschiedene Phasen im Diskursverlauf vergleichen zu können, begrenze ich meine Studie auf den Zeitraum von 1960 bis zur Gegenwart, verzichte also darauf, auch auf pädagogische Diskussionen zu Religion und Erziehung in der DDR einzugehen. Nach einem Resümee des Diskursverlaufs und der Klärung seines Verhältnisses zu den genannten theoretischen Grundpositionen in der Erziehungswissenschaft sowie zum gesellschaftlichen Kontext skizziere ich meine eigene Position zu dieser Frage.

In vielen Teilen der Welt spielt die teilweise politisch instrumentalisierte Religion eine große Rolle (vgl. Senghaas 1998; Pollack 2001; Leicht 2004; Röhrich 2004). In dem bis dahin unvorstellbaren Extremfall des 11. September 2001 ist »die Spannung zwischen säkularer Gesellschaft und Religion [...] explodiert« (Habermas 2001). Nicht dieser religiös motivierte Terror, sondern andere Gründe erklären, weshalb im Kontrast zu einer weltweiten zentralen Rolle der Religion für Deutschland gilt: »*Für die Minderheit*. Die Deutschen wenden sich von der Religion ab.« Unter dieser Überschrift berichtet Der Tagesspiegel am 23.04.2003 über das Ergebnis der jüngsten Umfrage in Deutschland über religiöse Einstellungen. Trotz formell höherer Kirchenmitgliedschaft bezeichneten sich nur noch 39% der Deutschen als religiös. Zur Bestätigung dieses Ergebnisses wird im Untertitel hinzugefügt: »Und selbst Kardinal Lehmann sagt, dass die Kirche nicht mehr viel zu melden hat« (Gehlen 2003).

Auf diesen gesellschaftlichen und politischen Tatbestand werde ich später zurückkommen, wenn ich unter dem Stichwort des kulturellen und gesellschaftlichen Kontextes danach frage, welche Bedeutung er für die pädagogische Theoriebildung hat. Im ersten Teil (1) werde ich nach dem Stellenwert der Allgemeinen Pädagogik fragen, dann (2) eine Reihe von Entwürfen für eine Allgemeine Pädagogik von den 1960er Jahren bis zum Ende des letzten Jahrhunderts unter dem Gesichtspunkt der Rolle von Religion für Erziehung und Bildung betrachten und (3) miteinander vergleichen, dabei nach der Bedeutung des gesellschaftlichen und kulturellen Kontextes für diese Entwürfe fragen und schließlich meine eigene Position zur Bedeutung von Religion für Erziehung und Bildung knapp kennzeichnen. Im Durchgang durch Entwürfe für eine *Allgemeine Pädagogik* möchte ich nicht nur eine theoriegeschichtliche Skizze zeichnen, sondern auch meine Position klären. Nicht also einfach und »umstandslos« möchte ich sagen, wie ich zu dieser Gretchenfrage stehe, sondern in Kenntnis vorliegender Problematisierungen und Antworten.

1. Zum Stellenwert der Allgemeinen Pädagogik

Es geht um die Bedeutung, die *Religion/Theologie* im Zusammenhang der *Allgemeinen* bzw. *Systematischen Pädagogik* (im Folgenden synonym verwendet, vgl. Benner [1991] 1993, 43, anders Gamm 1979, 30-31) hat. Bevor ich auf eine Reihe von Entwürfen für eine Allgemeine Pädagogik eingehe, muss ich den Stellenwert, genauer: die Aufgaben einer Allgemeinen Pädagogik umreißen. In neuerer Terminologie wird die Allgemeine bzw. Systematische Pädagogik als Teil einer weiter gefassten Allgemeinen Erziehungswissenschaft verstanden (Lenzen [1999] 2002; vgl. zur Neuorganisation in der Sektion ›Allgemeine Erziehungswissenschaft‹ in der Deutschen Gesellschaft für Erziehungswissenschaft Wigger 2002). Ich begrenze mich auf den engeren Bereich der Allgemeinen Pädagogik. In ihr werden alle prinzipiellen Fragen zu Erziehung und Bildung erörtert.

Mit meiner Fragestellung habe ich zwei in der letzten Zeit problematisch gewordene Themen verknüpft: Bestimmung und Begründung einer Allgemeinen Pädagogik und Stellenwert der Religion für Erziehung und Bildung. Wer sich mit Vertretern der konkreteren Teildisziplinen in der Erziehungswissenschaft (wie z.B. Schulpädagogik, Erwachsenenbildung, Historische Pädagogik, Sozialpädagogik) über die Allgemeine Pädagogik unterhält, wird leicht mit der zuweilen spöttischen Frage konfrontiert, worin denn das Allgemeine der Allgemeinen Pädagogik bestehe. Wie sehr diese Frage schon zu einem Topos der Diskussion geworden ist, zeigt sich auch darin, dass Winkler sie in seinem Aufsatz mit Anspielung auf Brecht »Wo bleibt das Allgemeine? Vom Aufstieg der

Allgemeinen Pädagogik zum Fall der Allgemeinen Pädagogik« aufgreift – sie allerdings anders beantwortet als im Untertitel angedeutet (Winkler 1994). Handelt es sich hier also um etwas Abgehobenes, über allem Schwebendes, um nicht recht Greifbares, Spekulation, mithin um Überflüssiges? Denn die konkreteren Inhalte wie z. B. Unterricht und Institutionen des Bildungssystems, die noch in Herbarts »Allgemeine Pädagogik« (1806) und in Schleiermachers Vorlesungen »Die Grundzüge der Erziehungskunst« (1826) neben den prinzipiellen Fragen zu Erziehung und Bildung behandelt wurden, sind vor allem im 20. Jahrhundert aus dem Gegenstandsbereich der Allgemeinen Pädagogik in die erziehungswissenschaftlichen Teildisziplinen verlagert worden. Der Prozess dieser Ausdifferenzierung wurde im 20. Jahrhundert entsprechend der weiteren Differenzierung des pädagogischen Feldes von der Erziehung im Elementarbereich (Kindergarten) bis zur Altenbildung verstärkt (Winkler 1994; Uljens 2002). Gleichwohl werden in Entwürfen für eine Allgemeine Pädagogik *prinzipielle* Bezüge zu den Themen der Teildisziplinen hergestellt: so zum Beispiel bei Gamm zu Didaktik, Schulpädagogik und Erwachsenenbildung (Gamm 1979) und bei Benner zur Allgemeinen Didaktik und zur Theorie pädagogischer Institutionen (Benner [4]2001). Was also sind die Gegenstände der Allgemeinen Pädagogik?

Ein Blick in die Literatur zeigt schnell, dass die Vertreter der Allgemeinen Pädagogik seit den 1970er Jahren, vermehrt seit den 1990er Jahren intensiv über diese Disziplin nachgedacht haben (vgl. z.B. Brinkmann/Petersen 1998; Fuhr/Schultheis 1999). In seiner »Klassifikation der gängigen Auffassungen« über die »Aufgaben der Allgemeinen Pädagogik« stellt Uhl mit Blick auf die bis dahin vorgelegten Beiträge zu diesem Thema die folgenden Aufgabenbereiche zusammen:

Moralphilosophische Aufgaben

Es geht hier um Ziele und Mittel der Erziehung, also um eine »Philosophie der Erziehung« (Uhl 2001, 66). Empirische Forschung spiele neben der normativen philosophischen Erörterung über Ziele der Erziehung insoweit eine Rolle, als die Mittel zur Erreichung dieser Ziele untersucht werden. Hierzu gehöre auch die Aufgabe, einen »pädagogischen Grundgedanken« (S. 76) darzulegen, der die »»Einheit der Pädagogik‹ gewährleisten oder wiederherstellen könnte« (S. 77). Unterschiede bei der Bearbeitung dieser Aufgabe ergäben sich nicht zuletzt dadurch, dass sie deskriptiv, in der Regel aber normativ gelöst würde.

Kritische und konstruktive Aufgaben

Während es unter der Rubrik »moralphilosophische Aufgaben« um den Entwurf und die Begründung von Erziehungs- und Bildungstheorien geht, bestehe die *kritische* Aufgabe darin, dass bereits vorliegende Erziehungs- und Bildungstheorien auf ihre »Ambivalenzen, Widersprüche und Aporien« (Zima 1994, 93, zitiert bei Uhl 2001, 67; vgl. Ruhloff [1990] 1993) hin untersucht werden, »›Allgemeine Pädagogik‹ wäre in diesem Fall nur als ein anderer Name für ›(kritische) Historiographie der Erziehungstheorien‹ aufzufassen« (Uhl 2001, 70). Eine solche kritische Analyse dient den spezialisierten Teildisziplinen der Erziehungswissenschaft insofern *konstruktiv*, als sie ermöglicht, deren Forschungsgegenstände zu bestimmen. Durch diese Untersuchungen der Allgemeinen Pädagogik kann die Frage beantwortet werden, »durch welche Merkmale [...] ein Sachverhalt zum Gegenstand der Pädagogik und nicht (oder erst in zweiter Linie) zu einem Gegenstand einer anderen Wissenschaft, zum Beispiel der Nachbardisziplinen Psychologie und Soziologie« wird (Uhl 2001, 70). Sie ermöglichen es zudem, dass die Allgemeine Pädagogik das ganze Fach durch eine Fachsystematik ordnen kann. Weitere konstruktive Aufgaben werden darin gesehen, dass die Allgemeine Pädagogik die Spezialdisziplinen auf neue Fragestellungen aufmerksam machen, zu Kooperationen zwischen ihnen anregen kann (vgl. Noack 1999) und dass sie in Zusammenarbeit mit den Teildisziplinen die Grundbegriffe der Disziplin erläutert (»Analytische Philosophie der Erziehung«, Uhl 2001, 73).

Wissenschaftstheoretisch können diese Aufgaben also dadurch charakterisiert werden, dass sie teils philosophisch und normativ, teils empirisch zu bearbeiten sind. Es liegt auf der Hand, dass meine Frage nach der Rolle der *Religion* für Bildung und Erziehung vor allem unter dem kritischen und dem konstruktiven Aspekt einer »Philosophie der Erziehung« (zusammen mit einer Explikation der Begriffe Erziehung, Bildung und Religion in diesem Kontext), nicht zuletzt auch im Hinblick auf die Bestimmung eines Gegenstandsbereichs der Erziehungswissenschaft zu stellen ist.

Da die Allgemeine Pädagogik die grundlegenden Aufgaben von Erziehung und Bildung behandelt – so sehen es auch die im Folgenden zu betrachtenden Gesamtentwürfe dazu –, ist zu erwarten, dass die Bedeutung der Religion für Erziehung und Bildung in diesen Entwürfen berücksichtigt wird, wenn diese sie zu solchen grundlegenden Fragen zählen. Wird sie hier übergangen, so ist das ebenfalls bedeutsam. Daher prüfe ich eine Reihe solcher Entwürfe. Ich gehe dabei von der Annahme aus, dass im Zuge der »realistischen Wendung« (Roth 1962) in der Erziehungswissenschaft und der Rezeption der Gesellschaftstheorie der Frankfurter Schule in den 1960er und 1970er Jahren sowie der allmählichen Aufnahme von Impulsen der postmodernen Philosophie in die Pädagogik seit den 1980er Jahren der Stellenwert der Religion problematisiert und zurückgedrängt wurde. Daher begrenze ich meine Studie auf den Zeitraum von 1960 bis zur Gegenwart in der Bundesrepublik Deutschland. Die Diskussionen zur Allgemeinen Pädagogik in der DDR (vgl. Cloer 1998; Eichler 1999) werde ich nicht berücksichtigen. Ich begründe diese Entscheidung nicht nur durch die prinzipiell andere Rolle der Religion im Kontext marxistischer Gesellschaftstheorie, sondern vor allem dadurch, dass erst eine solche Begrenzung einen Vergleich der vermuteten verschiedenen Phasen ermöglicht.

Unter der Voraussetzung, dass die »gegenwärtigen Theorien« zur Bildung sich »als ein geschlossenes [sc. vollständiges, Chr. L.] System ausgeben« und dass zwischen »Religion und Bildung ein notwendiger Zusammenhang besteht,« müssen – so Regenbrecht – diese Theorien sich »fragen lassen, ob sie dazu eine positive oder eine negative Antwort geben« (Regenbrecht 1993 In: Schneider [Hg.] 1993, 134). Genau genommen wird mit der Annahme eines »notwendigen Zusammenhangs« die Möglichkeit ausgeschlossen, zumindest aber sinnlos, sich dazu negativ zu äußern. Die gemeinten Bildungstheorien könnten nur nach der *Art* befragt werden, in der sie diesen Zusammenhang bestimmen. Daher ist zu prüfen, ob der hier angenommene Zusammenhang notwendig oder nur zufällig ist, abhängig von normativen Entscheidungen.

2. Aussagen zur Rolle der Religion in Gesamtentwürfen für eine Allgemeine Pädagogik

Aus den Gesamtentwürfen für eine Allgemeine Pädagogik seit den 1960er Jahren habe ich diejenigen ausgewählt, die ein Spektrum verschiedener Bestimmungen zur Rolle der Religion für Bildung und Erziehung abdecken.

Christliche Religion als Basis einer Allgemeinen Pädagogik: Esterhues und Henz

Esterhues veröffentlichte in dem gleichen Jahr, in dem Roth seine später berühmt gewordene Forderung nach einer verstärkt *empirischen* Forschung in der Erziehungswissenschaft vortrug (Roth 1962), seine »Allgemeine Pädagogik im Grundriss« (Esterhues 1962). Im Gegensatz zu Roths Forderung argumentiert er nahezu ausschließlich normativ, auch wenn die Allgemeine Pädagogik »eine *beschreibende* und eine *normgebende* Seite« habe (Esterhues 1962, 14). Von einem »christlichen, näherhin vom katholischen Standpunkt« (ebd., Vorwort) möchte er »allgemeingültige Grundsätze für die Erziehungs- und Bildungsarbeit überhaupt aufstellen«, und zwar von einer bestimmten »Auffassung […] vom Wesen des Menschen« (S. 14) aus. Genau genommen können seine Grundsätze also nur im Rahmen dieser Auffassung gültig, mithin nicht allgemeingültig sein. Auch wenn er Aussagen aus verschiedenen Wissenschaften (Soziologie, Biologie, Psychologie, Anthropologie) einbezieht, begründet er seine Erziehungslehre vor allem theologisch. Was er über die Erkenntnisse der Wissenschaften vom Menschen (Anthropologie) sagt, gilt für ihn sinngemäß für alle Wissenschaften: Diese »Erkenntnisse sollen vor allem zeigen, dass der Mensch, von welcher Seite man ihn auch betrachten mag, in seiner Wesenheit und seiner Bauform, durch seine Stellung in der Welt, gegenüber der Welt und gegenüber Gott, dem Schöpfer, uns das Ziel aller Erziehungs- und Bildungsarbeit nicht nur selbst klar vor Augen stellt, sondern dass er, so wie er von Gott, dem Schöpfer, gedacht und gewollt ist, auch das *Ziel selber ist*« (S. 20). Daher geht er mit Blick auf die Biologie von einer *Entelechie* des Menschen aus (S. 22). Die Soziologie stellt für ihn die Familie »in der bürgerlichen Gemeinde und im Staat, in der Volks- und Religionsgemeinschaft« (S. 30) dar.

Damit referiert er nicht nur deskriptive Aussagen zu Religion und Kirche, sondern verallgemeinert die Religion zu einem Merkmal aller Völker: »Sogar die religiösen Betätigungsweisen können und müssen nach Völkern und Zeiten verschiedene Betätigungsformen, also verschiedene Ordnungsformen annehmen, wobei die Lehr- und Sittenordnung, also das letzthin Formende, durchaus gleich bleibt« (S. 32). Allerdings zeigt er eine solche Übereinstimmung der verschiedenen Religionen nicht durch deren vergleichende Analyse. Wenn er auch einräumt, dass es nicht-religiöse Menschen mit einer materialistischen Weltanschauung und mit daher »nur relative[n], nach Zeit und wissenschaftlichen Aussagen wechselnde[n] Zielen« gibt, hält er eine »absolut und immer im Gewissen bindende Willenshaltung« (S. 37) als Ziel der Erziehung nur auf der Grundlage der christlichen Religion für möglich. Daher überrascht es nicht, dass erst die christliche Offenbarungslehre (Schöpfungsgeschichte, Mensch als »Gottes Bild« (S. 33), Erbsünde, Zehn Gebote, Gnade und Erlösung) den Aussagen der verschiedenen Wissenschaften über den Menschen ihren »unverrückbaren Boden geben« (S. 36). Er sieht den Menschen letztlich eingeordnet in eine christliche Teleologie. Als erstes Ziel der Erziehung ergebe sich daraus, dass »der Bereich des Religiös-Sittlichen aus absolut inneren Gründen« zuoberst und an erster Stelle« steht (S. 42).

Das »Lehrbuch der Systematischen Pädagogik«, das *Henz* im Jahr 1964 veröffentlichte und dem er eine neu bearbeitete Auflage ([3]1971, [4]1975) folgen ließ, liegt prinzipiell auf der Linie der Allgemeinen Pädagogik von Esterhues, auch wenn es erheblich differenzierter und wissenschaftlich anspruchsvoller verfasst ist. Hier geht es nicht um die scharfe Kritik, der Brezinka die erste Auflage dieses Lehrbuchs im Jahr 1966 vom Standpunkt des Kritischen Rationalismus aus unterzog (vgl. Schmid-Jenny 1995; Tenorth 2004) und der Henz offensichtlich in den späteren Auflagen durch eine explizite Trennung zwischen normativer Erziehungslehre und Erziehungswissenschaft entgegenkommen wollte (Henz [3]1971, 19), auch nicht um das relativ geringe Gewicht einer solchen Allgemeinen Pädagogik in der heutigen Erziehungswissenschaft (auch aus der Sicht katholischer Fachvertreter, vgl. Horn 2003), sondern um die Aussagen zur Bedeutung der Religion für Erziehung und Bildung. Welche Reichweite sollen sie haben?

Auch wenn Henz bei seiner allgemeinen Definition des Erziehungsbegriffs berücksichtigen will, dass das »Erziehungsdenken und -handeln nicht weniger Eltern und Erzieher, die religiös nicht oder kaum gebunden sind« (Henz [3]1971, 25), zu beachten sei, grenzt er ihre Geltung doch ein: »Sie [sc. die Definition des Begriffs ›Erziehung‹] muss insofern ›allgemein‹ sein, […] als sie als Arbeits- und Denkgrundlage für möglichst viele Pädagogen akzeptabel sein muss, die auf dem Boden christlich-abendländischen Wertfühlens und Denkens stehen« (S. 31). In dieser Definition wird also entgegen der vorher geäußerten Intention das Erziehungsverständnis religiös nicht gebundener Pädagogen ausgeschlossen. Der Geltungsbereich wird dadurch noch weiter eingeschränkt, dass die gesuchte allgemeine Definition nur für »möglichst viele Pädagogen« auf abendländisch-christlicher Grundlage akzeptabel sein soll. Nach dieser doppelten Begrenzung der Reichweite seiner Definition bestimmt er als obersten Wert der Erziehung den religiösen. Dieser sei – wie alle Werte – »eine Grundeigenschaft des Seins« (S. 58). Abgesehen davon, dass er mit dieser essentialistischen Bestimmung jedes Wertes die davon abweichenden Wertvorstellungen nicht-religiöser Menschen unter der Hand als eigentlich nicht-existent definiert, ist hier erneut ein Schwanken zwischen einer möglichst allgemeinen und einer auf die christliche Religion begrenzten Definition zu erkennen: »Die objektive Wertrangordnung ist nur insoweit allgemein und verbindlich, als der religiöse und sittliche Wert an erster Stelle stehen« (S. 56). Kurz danach unterscheidet er zwischen einer allgemeinen Religiosität und einer »kirchlichen Religiosität« (S. 62). Später schließt er jedoch die nicht-christliche Religiosität wieder aus, wenn er als obersten Wert der Erziehung den religiösen folgendermaßen bestimmt: »Glaube, Hoffnung, Caritas, persönliche und kirchliche Religiosität« (S. 97). Dieser Engführung im Sinne christlicher Religion entspricht es, wenn er als eine der »pädagogisch wesentlichen Grundthesen der Anthropologie« (S. 102) zusammenfasst: »*Der Mensch ist das gottebenbildliche Wesen*: Menschliches Personsein kann verstanden werden in Analogie zum göttlichen Personsein. Der Mensch ist Bild seines Schöpfers, Teilhaber an der Freiheit Gottes« (S. 105).

Christliche Religion als Tradition und Gegenstand legitimierender Diskurse: Mollenhauer

In seinem Buch »Theorien zum Erziehungsprozess« (1972) verzichtet *Mollenhauer* von vornherein darauf sich – wie er es formuliert – sich anzumaßen, eine »Allgemeine Pädagogik« zu verfassen, also einen Standpunkt einzunehmen, »von dem aus sowohl Zusammenfassung wie auch Beurteilung der Verzweigungen einer wissenschaftlichen Disziplin [sc. der Erziehungswissenschaft] möglich ist« (Mollenhauer 1972, 7). Ihm gehe es nur um Theorien zur Erziehung – nicht um *eine* »›Theorie‹ der Erziehung« –, die offensichtlich im Sinne der »realistischen Wendung« zweierlei gemeinsam hätten: »Sie erlauben eine genaue Beschreibung der Erziehungsvorgänge als interpersonelle Ereignisse und sie erlauben, die je besondere Gestalt dieser Ereignisse auf den Kontext ihrer gesellschaftlichen Genese zu beziehen« (S. 7). Wenn ich hier trotzdem dieses Buch berücksichtige, so aus folgendem Grunde: Mollenhauer möchte für die »Erziehungswissenschaft das interaktionistische Paradigma [...] entfalten und so viele pädagogische Probleme wie möglich in dieses Paradigma [...] integrieren« (S. 7). Mit diesem Versuch stellt er in Aussicht, möglichst viele pädagogische Probleme unter dem Gesichtspunkt des Interaktionismus zu bündeln und so einen *Zusammenhang* zwischen verschiedenen Prozessen herzustellen – also formal genau das in Angriff zu nehmen, was die Vertreter einer Allgemeinen Pädagogik durch Entwicklung *eines* pädagogischen Gedankenganges zu erreichen versuchen. Daher frage ich danach, ob Religion in seinen Ausführungen zu Interaktionen im pädagogischen Feld in seinen Kapiteln »Erziehung als kommunikatives Handeln«, »Erziehung als Interaktion« und »Erziehung als Reproduktion« eine Rolle spielt.

An zwei Stellen bezieht Mollenhauer sich auf Religion: zunächst dort, wo er aus Schleiermachers Strukturierung des pädagogischen Feldes die Feststellung übernimmt, dass »Selbstverwirklichung [...] nur in konkreten *gesellschaftlichen Lebensbereichen*, in *Staat, Kirche, geselligem Verkehr* und *Wissenschaft*« (S. 19) geschehe, sodann dort, wo er aus W. Flitners »Allgemeine Pädagogik« (1950) folgende These referiert: »Was wahre und echte Bildung sei, das ergibt sich anschaulich aus den Lebensformen, die in einem historisch bestimmten Lebenskreis als gültig empfunden werden« (Flitner 1950). Solche Ideale der Bildung werden nach Flitner »weder bewusst konstruiert noch kann ihre Gültigkeit wissenschaftlich nachgewiesen werden« (Flitner 1950). Das gelte auch für die »religiöse Dimension (›verstehend und tätig in die Kirche [...] eingliedern‹« (Flitner 1950, alle Zitate bei Mollenhauer 1972, 43-44). So wirke die christliche Religion als Überlieferung, sei damit aber nicht wissenschaftlich begründbar.

Obwohl Mollenhauer, ähnlich wie Schleiermacher es in seinen oben erwähnten Vorlesungen »Die Grundzüge der Erziehungskunst« (1826) getan hat, das pädagogische Feld strukturieren will, argumentiert er auf einer allgemeineren Ebene als dieser, kommt dort also nicht auf Kirche und Religion zurück. Und im Hinblick auf die Frage nach der Begründbarkeit pädagogischer Ziele setzt er an die Stelle einer bloß tradierten Tatsache (wie Religion und Kirche) als mögliche Legitimation jenen *Diskurs*, in dem die pädagogisch Interagierenden sich allererst über die Ziele ihrer Interaktion vernünftig verständigen können. Damit sei die »alte Weltanschauungspädagogik« (Mollenhauer 1972, 49) als normative Pädagogik überholt. Eine »Berufung auf Autoritäten (Kirche, Gruppenkonsens [...] usw.« (S. 49) reiche als Begründung nicht mehr hin. Angewandt auf die bisher charakterisierten Gesamtentwürfe für eine Allgemeine Pädagogik (Esterhues 1962, Henz [1964] [3]1971) – die Mollenhauer zwar nicht nennt, aber prinzipiell meint – heißt das, dass sie allenfalls als Fortschreibung einer bereits bestehenden Tradition wirken, damit indes noch nicht begründet sind. An Stelle einer so durch Weltanschauungspädagogik begründeten Bildung und Erziehung fordert er, das im pädagogischen Handeln nicht zu umgehende »Normenproblem auf die Frage nach der *Form* des Bildungsprozesses« zu reduzieren: »Der Bildungsprozess muss so gedacht und gestaltet werden, damit der Educandus im pädagogischen Dialog, im ›Bildungsgespräch‹ (Derbolav) sich nicht vorgegebenen normativen Erwartungen fügt, sondern in die Lage versetzt wird, den Anspruch der Selbstbestimmung zu realisieren« (Mollenhauer 1972, 49). Analoges solle für den Erzieher gelten. Der mit dem Adverb ›so‹ gemeinte Weg ist im Sinne der kritischen Rollentheorie der Frankfurter Schule der Diskurs mit den Strukturbestimmungen einer ›Individuierung‹, ›Rollendistanz‹ und ›Autonomie‹ (S. 59, vgl. ebd. 57, 169-170) als »letzte[r] Legitimationsbasis für Lernzielentscheidungen« (S. 62).

Es muss hier nicht beurteilt werden, wie realistisch die Annahme eines solchen Diskurses ist, den er mit Verweis auf Apel und Habermas strukturiert und nach Prinzipien regelt. Für unsere Frage entscheidend ist zunächst: Religion und Kirche haben für Mollenhauer allenfalls als *faktische* Tradition Bedeutung für Erziehung und Bildung, sind dadurch aber noch nicht hinreichend legitimiert. In seinen »Theorien zum Erziehungsprozess« verlagert er mithin die Frage nach der Rolle der Religion (und anderer Normen) auf die Ebene des Diskurses, macht ihre Begründung also von den Bedingungen einer vernünftigen, aufgeklärten Argumentation abhängig.

Christliche Religion als historische Tatsache: Lassahn

Ohne diese Legitimationsbasis zu erwägen, wird *Lassahn* in seinem »Grundriß einer Allgemeinen Pädagogik« neben anderen anthropologischen Konzepten das jüdisch-christliche Bild vom Menschen nur nennen: »Nach solch einem

›Bild-Entwurf‹ haben im Abendland seit 2000 Jahren Menschen sich selbst gesehen, ihr Leben gestaltet und ihr gesamtes Handeln in der Welt eingerichtet. Millionen leben noch innerhalb dieses Bezugsrahmens« (Lassahn [1981] ³1993, 52). Das ist der einzige Bezug auf Religion in dieser Allgemeinen Pädagogik: eine historische Tatsachenfeststellung aus der Distanz eines fast ethnologischen Blickes.

Christliche Religion kein notwendiger Gegenstand einer Allgemeinen Pädagogik: Gamm

In scharfer Abgrenzung von den »bisherigen Allgemeinen Pädagogiken der bürgerlichen Gesellschaft« (Gamm 1979, 14) entwickelt Gamm seine »Allgemeine Pädagogik. Die Grundlagen von Erziehung und Bildung in der bürgerlichen Gesellschaft« (1979). Keine der bezeichneten früheren Entwürfe betreibe »eine hinlängliche Analyse der realen Voraussetzung von Erziehung und Bildung […], sondern [alle reflektierten] gleichsam auf die Konstanz einer pädagogischen Zwischenwelt« (S. 14). Mit seinem Entwurf vom Standpunkt einer »materialistischen Pädagogik« knüpft er der Sache nach an Mollenhauers Forderung nach einer »materialistischen Erziehungswissenschaft« (Mollenhauer 1972, 182) an. Weder Mollenhauer noch Gamm konzipieren sie mit der naiven Annahme einer linearen Abhängigkeit eines Überbaus (z.B. Erziehung, Bildung) von der ökonomischen Basis, sondern gehen von einer wechselseitigen Abhängigkeit aus. Die »materialistische Pädagogik« soll den »zwischenmenschlichen und intergenerativen *Umgang*« in Erziehungs- und Bildungsprozessen »zunächst in seiner aktuellen Erscheinungsweise zu erfassen versuchen, um ihn dann auf sein gesellschaftliches Wesen zurückzuführen« (Gamm 1979, 32). Dabei gehe es darum, die Einflüsse von »Macht und Herrschaft« auf die »Normen, Anlässe, Verlaufsformen und Richtungsveränderungen« (S. 32) von Erziehung und Bildung zu erkennen.

Da dieser methodische Ansatz einer Allgemeinen Pädagogik auch die Analyse der Geschichte von Erziehung und Bildung einschließt, um die Grundbegriffe der Pädagogik aus den einzelnen Phasen der Gattungsgeschichte des Menschen zu erfassen, überrascht es nicht, dass Gamm wiederholt die Rolle von Religion, Theologie und Kirche historisch darstellt. Darauf braucht nicht eingegangen zu werden. Denn hier interessiert nur Gamms *systematische* Auffassung zur Rolle der Religion für Erziehung und Bildung. Können wir eine solche Auffassung bei seinem Bewusstsein von der historischen Bedingtheit auch seiner Theorie überhaupt erwarten? Eine systematische Aussage im Sinne von unbedingt *konstanten* Normen und Prinzipien für Erziehung und Bildung würde seinem theoretischen Standpunkt widersprechen. Daher finden wir in der Regel nur *Feststellungen* zur Rolle der Religion/Theologie in der *Gegenwart*: Wenn sogar die Theologie in »Schwierigkeiten [gerate], ihrem Auftrag, Wort und Weisung für *alle* Lebensbereiche zu vermitteln, gerecht zu werden«, müsse die Pädagogik erst recht bei dem Versuch scheitern, ihre Normen durchzusetzen (S. 31, vgl. S. 162). Eine solche Relativierung des Einflusses der Religion zeige sich auch in der Erziehung. Soweit diese sich nämlich in eine *religiöse Erziehung* spezifiziere, also nur noch bestimmte Gruppen erreiche, sei sie nicht mehr Gegenstand einer Allgemeinen Pädagogik. Daher stünden neben dem Weg der Wissenschaft die beiden anderen Wege zur Erkenntnis von »Natur, Geschichte und Gesellschaft« – Religion und Kunst – »nicht allen gleichermaßen offen, da sie ästhetisches Vermögen oder Glaubensüberzeugungen voraussetzen, die nicht durch logisch strukturierte Lernprozesse jederzeit erreichbar« seien (S. 108). Die hierfür vorausgesetzte religiöse Prägung werde im Elternhaus bewirkt. Soweit ein heranwachsendes Kind dadurch »gleichsam auch in metaphysischer Hinsicht beschriftet« wurde, könne es sich später nur durch »ungemeine seelischen Leistungen« davon ablösen (S. 149). Schließlich rechnet er bei seiner »Didaktik des gesamten Lebens« (S. 184), in der er die Stufen des Lebens von der frühen Kindheit bis zum Alter pädagogisch zusammenfasst und in einen Generationenzusammenhang stellt, mit dem Fall, dass die Religion nicht mehr Trost spende: »Wenn ein solcher Gedankengang Anerkennung findet, so lässt sich auch das unausweichliche Ende jeder Person in pädagogische Reflexion nehmen. Für die nicht (mehr) religiösen Menschen muss der Abgang bei voller Säkularität durchgehalten werden. Die Tröstungen aller Propheten und auch die eines COMENIUS vermögen nichts auszurichten, wo die Glaubensgrundlage fehlt« (S. 183-184).

Gleichwohl ist – bei diesen Feststellungen zur Relativierung der Religion und zu ihrer möglichen Belastung bei einer sich von ihr lösende Entwicklung Heranwachsender und Erwachsener nicht überraschend – eine *systematische* und *normative* Position zu erkennen, der zufolge Religion (trotz einiger vorwärts weisender Momente in der Vergangenheit im pädagogischen Gesamtentwurf des Comenius) eine historisch zu überholende Stufe ist. Bemerkenswert ist, dass Gamm seine gesellschaftspädagogische Utopie für eine Weltgesellschaft in teilweiser Analogie zu – nicht aber in Anlehnung an – Prinzipien einer theologisch begründeten Erziehungs- und Bildungstheorie entwirft. Zwar sei die religiöse Dimension weitgehend überholt, nicht aber die Frage, was an ihre Stelle treten solle. Die Religion, die bei »COMENIUS noch Triebkraft zu Humanität und geistig-sittlicher Freiheit« gewesen sei, »verformte sich als Herrschaftsmittel, wurde zum obrigkeitlichen Religionsunterricht« (18./19. Jh.) (S. 182). Während Comenius seinen pädagogischen Entwurf noch aus »heilsgeschichtlichen Zusammenhängen abgeleitet« habe, hätten Humboldt und Goethe diese Zusammenhänge verlassen: Bei ihnen stehe der pädagogische Zukunftsentwurf »bereits unter dem klassischen Anspruch, dass die Menschheit ihr eigener Schöpfer werden müsse« (S. 182). Man muss hier genau lesen, um nicht den religiösen Impetus eines Comenius aus Gamms Utopie herauszulesen. Auch sein Vergleich mit der Bergpredigt soll – neben seiner Beziehung auf Kants Ethik – nur ein Beispiel für »unverrückbare Maßstäbe« geben, die für die »Würde des Menschen« zu verlangen seien (S. 199), aber keine christliche Begründung für seine Utopie. In ihr bezieht er sich vielmehr auf jene »fortschrittlichen Gestalten vor allem des 18. Jahrhunderts«, die in der »Herstellung der Gerechtigkeit, der Freiheit, des menschenwürdigen Umgangs« (S. 73) das Ziel einer weiteren Entwicklung sahen: »Dies wäre die geforderte Vollkommenheit und zugleich der Übergang in eine Phase der Geschichte, die mit Sicherheit nicht mehr nach bürgerlichen Maßstäben zugeschnitten sein wird, sondern sich global an der Mehrheit, und das ist die so genannte Dritte Welt, zu orientieren hat« (S. 73).

Religion als Gegenstand kritischer Reflexion und Selbstbestimmung in Bildungsprozessen: Benner

Als *Benner* seinen Entwurf für eine Allgemeine Pädagogik vorlegte (Benner 1987, [4]2001 – von dieser »völlig neu bearbeiteten«, vierten Auflage gehe ich im Folgenden aus), bezog er sich zum Beispiel auf so verschiedene philosophische Richtungen wie den Deutschen Idealismus (vor allem Kant, Fichte, Hegel) und die Frankfurter Schule sowie u. a. auf die pädagogischen Theoretiker Humboldt, Schleiermacher und Herbart. Auch Benner bezieht wie Gamm seinen Entwurf für eine Allgemeine Pädagogik auf das gesamte Feld der Praxis, differenziert es aber stärker und anders als jener. Während Gamm Gesellschaft, Ökonomie und Politik ins Zentrum rückt und die Funktion der Pädagogik in Relation zu diesen Bereichen darstellt und erörtert, unterscheidet Benner nicht nur zwischen sechs Teilbereichen der »menschlichen Gesamtpraxis« (S. 29), sondern ordnet – wie Mollenhauer (1972) und Gamm (1979) jede lineare Abhängigkeit zwischen Überbau und Basis zurückweisend – die Pädagogik auf *gleicher* Ebene ein: Arbeit, Ethik, Pädagogik, Politik, Kunst und Religion. Er fordert überdies, dass diese »koexistentiellen Praxen« (Benner [4]2001, 43) gleichrangig sein sollen. Das sei eine regulative Idee, »die wir anerkennen oder auch nicht anerkennen können« (S. 46). Für den Fall der Anerkennung dieser regulativen Idee folgt für Benner daraus zunächst, dass die Religion z. B. die Pädagogik nicht dominieren darf. Andernfalls würde ein religiöser Fundamentalismus begründet, den bereits Schleiermacher abgelehnt habe. Bestimmt Benner das Verhältnis zwischen Religion und Pädagogik über diese Negation hinaus näher, auch positiv? Oder meint Gleichrangigkeit, dass Religion in Erziehung und Bildung zwar eine Rolle spielen kann, nicht aber muss?

Um diese Fragen zu beantworten, müssen wir uns zunächst klar machen, was Benner unter *Religion* versteht. Er definiert religiöses Handeln folgendermaßen: »Es wird als Praxis der Lebenden mit den Toten ausgeübt und bezieht sich auf eine Verständigung über den Sinn des menschlichen Daseins, welche durch fremde Todeserfahrung veranlasst und in der Gewissheit des eigenen Todes gesucht wird« (S. 34). Für die inhaltliche Bestimmung eines Verhältnisses von Pädagogik (als Theorie und Praxis) und Religion ist es wichtig, sich darüber hinaus Benners Ablehnung einer Hierarchie auch unter den verschiedenen Religionen zu verdeutlichen. Alle Formen der Religionen seien unvollkommen. Die gegenläufige Auffassung, dass eine bestimmte Religion (z. B. die christliche) vollkommen sei, beende die »Fragen religiöser Praxis.« Auch »der reflexive Anspruch der Religion [ginge dann] verloren« (S. 35).

Um die damit bereits angedeutete Form des Umgangs mit Religion in Bildung und Erziehung weiter zu bestimmen, werde ich jene vier Prinzipien kurz charakterisieren, die Benner unter Berücksichtigung früherer Theoretiker formuliert und die helfen sollen, den oben für eine Allgemeine Pädagogik geforderten »umfassenden pädagogischen Grundgedanken« (S. 60) für alle pädagogischen Praxisfelder und die diesen entsprechenden Teildisziplinen – wenn auch nicht abschließend – zu entwickeln. Es handelt sich um die »Prinzipien der *Bildsamkeit*, der *Aufforderung zur Selbsttätigkeit*, der *Überführung gesellschaftlicher in pädagogische Determination* und der Ausrichtung der menschlichen Gesamtpraxis an der Idee einer *nicht-hierarchischen und nicht-teleologischen Verhältnisbestimmung* der Einzelpraxen ausdifferenzierter Humanität« (S. 59). Die beiden erstgenannten, im 18. und beginnenden 19. Jahrhundert in Europa von den oben genannten Philosophen und pädagogischen Theoretikern formulierten, der Sache nach aber schon vorher immer wirkenden Prinzipien (Bildsamkeit, Aufforderung zur Selbsttätigkeit) seien konstitutiv, ohne sie sei also keine pädagogische Praxis möglich. Die beiden letzteren Prinzipien hätten erst *nach* der Formulierung der ersteren aufgestellt werden können, hätten daher keine »übergeschichtliche Bedeutung« (S. 62) wie die beiden ersteren. Sie regulierten das Verhältnis der pädagogischen Tätigkeit im Umfeld der neuzeitlichen Gesamtpraxis, seien also *regulative Prinzipien* – sind demnach normativ –, während die ersteren *konstitutive Prinzipien* seien. Allerdings ist es zu bezweifeln, dass ohne das für Benner konstitutive Prinzip einer Aufforderung zur Selbsttätigkeit keine pädagogische Praxis möglich sei. Weder in der spartanischen Erziehung noch in der Erziehung in totalitären Staaten – um extreme Beispiele zu geben – ist es um Selbsttätigkeit gegangen. Dieses Prinzip hat also ebenfalls normativen Charakter, durch den nur bestimmte Prozesse als solche der Bildung abgegrenzt werden sollen.

Der individuellen Seite von Erziehung und Bildung ordnet Benner die konstitutiven Prinzipien der Bildsamkeit und der Aufforderung zur Selbsttätigkeit zu, der gesellschaftlichen die beiden regulativen Prinzipien der »*Überführung gesellschaftlicher in pädagogische Determinationen*« und der »*nicht-hierarchischen und nicht-teleologischen Verhältnisbestimmung* der Einzelpraxen« (S. 59). Es ist kurz zu erläutern, in welcher funktionalen Relation diese Prinzipien stehen. Mit der Annahme der *Bildsamkeit* jedes Menschen schließt Benner die Behauptung aus, man könne bereits *vor* einem pädagogischen Einwirken *bestimmte* und *festliegende* Begabungen erkennen und messen. Vielmehr müsse man von einer anfänglichen *Unbestimmtheit* des Menschen ausgehen, die es ermögliche, sich selbsttätig mit Hilfe bestimmter Inhalte zu bilden. Zu einer solchen Bildung müsse durch Aufforderung zur Selbsttätigkeit angeregt werden, die vom Erzieher/Lehrer ausgehe. Um eine solche selbsttätige Bildung zu ermöglichen, sollen die gesellschaftlichen Einflüsse (Anforderungen zur Vermittlung bestimmter Inhalte, Fertigkeiten und Werte) im Sinne des regulativen Prinzips der Umformung in »pädagogische Determinationen« (d. h. mit Blick auf die Ziele und Interessen des Educanden) umgestaltet und im Sinne der »Idee einer *nicht-hierarchischen und nicht-teleologischen Verhältnisbestimmung*« (S. 59) als gleichrangig in Freiheit verarbeitet werden. Die Erinnerung nicht nur an die kontroverse Diskussion über H. Nohls Forderung, der Erzieher müsse im wohlverstandenen Interesse des Educanden die Forderungen der Gesellschaft prüfen und ggf. zurückweisen (vgl. Hoch 2004, 141-145, 161), sondern auch an die Festlegung von bestimmten Zielen mit hierarchischer Anordnung der Fächer in jeder Lehrplanentwicklung bestätigt, dass wir es hier mit *regulativen* Prinzipien zu tun haben.

Bedeutung der Religion in Bildungsprozessen

Diese notgedrungen knappe Skizze dürfte hinreichen, um unsere Frage nach der Rolle der Religion für Erziehung und Bildung zu beantworten: Religion als Lerninhalt und Tätigkeit kann im Rahmen dieser vier Prinzipien genau so wenig gefordert werden wie andere Lerninhalte. Das wäre Sache affirmativer Bildungs- und Erziehungstheorien, die Benner ausdrücklich nicht entwerfen möchte. Anders formuliert: Diese Prinzipien können bei der Frage berücksichtigt werden, wie bestimmte Bildungsprozesse *ermöglicht* werden (aufgrund der Prinzipien der Bildsamkcit und des »nicht-hierarchischen Ordnungszusammenhang[s] der menschlichen Gesamtpraxis«) und wie bestimmte Erziehungsprozesse *gestaltet* werden (nach den Prinzipien der »Aufforderung zur Selbsttätigkeit« und einer »pädagogischen Transformation gesellschaftlicher Einflüsse und Anforderungen« (Benner [4]2001, 128). Daher sei es Aufgabe einer »nichtaffirmativen Erziehungstheorie« zu prüfen, ob die beiden Prinzipien der Aufforderung zur Selbsttätigkeit und der »pädagogischen Transformation« gesellschaftlicher Einflüsse auf Erziehung in bereits *vorgegebener* Theorie und Praxis der Erziehung berücksichtigt werden (S. 145). Hier soll also die *Intentionalität* von Erziehung durch das Prinzip der Aufforderung zur Selbsttätigkeit mit der Frage problematisiert werden, ob dabei die Selbsttätigkeit des Educanden gefördert wird. Weiter soll die *Funktionalität* der Erziehung daraufhin beurteilt werden, ob dabei die gesellschaftlichen Anforderungen pädagogisch transformiert werden. Entsprechend geht es in einer »nicht-affirmativen Bildungstheorie« darum, die »individuell und gesellschaftlich vorgegebenen Zweckbestimmungen« – wie z.B. Religion als Gegenstand des Unterrichts – mit Blick auf die beiden Prinzipien der »individuellen Bildsamkeit« und des »nicht-hierarchischen Verhältnisses der Einzelpraxen« (S. 150) zu beurteilen. Diese Prinzipien sind also nur hilfreich, um »handlungstheoretische Fragestellungen der Pädagogik zu identifizieren und zu ordnen« (S. 125). Um letzteres an unserem Beispiel der Religion zu veranschaulichen: Religionsunterricht darf im Sinne des Prinzips des nicht-hierarchischen Verhältnisses nicht fundamentalistisch zu einer Dominanz der Religion in einem Staat (einem »Gottesstaat« z.B.) führen. Betrachtet man Erziehung und Bildung im Religionsunterricht zusammen, so heißt das: Die vier Prinzipien sind teils Kriterien für eine Beurteilung von Theorie und Praxis eines Religionsunterrichts, teils ermöglichen sie es Lernenden, sich in Freiheit, also selbsttätig, mit Fragen der Religion im Sinne einer Selbst-Bestimmung auseinanderzusetzen, ihre anfängliche Unbestimmtheit also durch eigene Tätigkeit zu verlassen. Bildung als »allgemeinste, regeste und freieste Wechselwirkung« zwischen Individuum und Welt, die bereits Humboldt forderte (Humboldt [1793/94] ²1969, 235-236, vgl. Benner ⁴2001, 165), ist die Kurzformel, mit der Benner die von ihm geforderte Bildung kennzeichnet.

Religion ist also nur insofern Gegenstand der von Benner entworfenen Allgemeinen Pädagogik, als sie (1) zu den Einzelpraxen gerechnet wird, die faktisch Einfluss auf Erziehung und Bildung nehmen, und (2) Thema bereits vorliegender Erziehungs- und Bildungstheorien wie realisierter Erziehungs- und Bildungspraxis ist. Diese können aus der kritischen Perspektive seiner Allgemeinen Pädagogik – d.h. deren vier Prinzipien – analysiert, nicht aber begründet bzw. entwickelt werden (vgl. Benner 2002; Benner 2004). Vergleicht man die hier betrachteten sechs Entwürfe für eine Allgemeine Pädagogik, so ist es bemerkenswert, dass nur Benner die Perspektive erweitert, indem er ausdrücklich neben der christlichen die übrigen Religionen berücksichtigt – eine Konsequenz aus seinem regulativen Prinzip eines nicht-hierarchischen Verhältnisses der Einzelpraxen, jetzt angewandt auf die Religion als Einzelpraxis.

3. Vergleich zwischen diesen sechs Entwürfen für eine Allgemeine Pädagogik, ihre Beziehung zum gesellschaftlichen und kulturellen Kontext – und eigene Position

In seinem Aufsatz »EINE Allgemeine Pädagogik?« ([1990] 1993) geht Ruhloff von der »Uneinheitlichkeit der gegenwärtig wirksamen Grundgedanken« in den einzelnen »pädagogischen Systematiken bzw. Systemkeimzellen« als bekannter Tatsache aus und fragt, ob diese verschiedenen Systematiken »Platzhalter in einem zentrierten Verständigungsprozess« (S. 57-58) auf der Suche nach der *einen* Allgemeinen Pädagogik sind oder ob die Unterschiede dieser Entwürfe so groß sind, dass es sich empfiehlt, sie durch eine geltungs-analytische Prüfung zu begleiten. Die Unterschiedlichkeit der Ansätze zeige sich zum Beispiel darin, dass die jeweiligen pädagogischen Grundgedanken *»verschiedenartig dimensionierte Felder von Fragen«* (S. 58) aufrissen: »Ob heute noch die Religion in das Themenfeld pädagogischen Fragens hineinzuziehen ist und wenn ja, in welcher Aspiration – als faktisch überdauerndes Relikt der menschheitlichen Irrtumstradition oder als eine der fundamentalen Richtungen, die sich im Ganzen menschlichen Fragens unterscheiden lassen und in Rücksicht auf welche dann eine pädagogische Systematik zu entwerfen sei, das ergibt eine jeweils andere Ausformung des Grundrisses von Allgemeiner Pädagogik« (S. 58-59). Damit verknüpft Ruhloff eine Feststellung über die Unterschiedlichkeit der gegenwärtigen Entwürfe für eine Allgemeine Pädagogik mit der Frage nach der Bedeutung der Religion für pädagogische Fragen. Ich möchte zunächst diese Feststellung durch einen Vergleich der hier betrachteten Entwürfe unter dem Gesichtspunkt der Bedeutung der Religion konkretisieren, dabei nach ihrem gesellschaftlichen und kulturellen Umfeld fragen und abschließend kurz die Frage nach meiner Auffassung zur Bedeutung der Religion für Erziehung und Bildung aufgreifen.

Esterhues (1962) und Henz (1964/³1971) entwickeln ihren pädagogischen Grundgedanken normativ auf der dogmatischen Basis der christlichen Religion, die nur hier, sonst in keinem der Entwürfe konkret dargestellt wird. Zwar wollen beide dabei berücksichtigen, dass es nicht-religiöse Menschen gibt bzw. Anhänger nicht-christlicher Religionen, doch schließen sie diese Optionen für Alternativen dann wieder aus: Eine gültige Erziehung sei nur auf dem Boden der christlichen Religion möglich.

Mollenhauer (1972) nimmt zwar zur Kenntnis, dass es eine christliche Religion und Kirche gibt, hält die durch sie vermittelten Normen aber aufgrund einer bloßen Tradition nicht für legitimiert und begründet. Im Sinne der kritischen Rollentheorie der Frankfurter Schule fordert er, dass über pädagogische Normen nur in einem Diskurs zwischen Educanden und Pädagogen nach dem

Kommunikationsmodell von Apel und Habermas entschieden werden könne. Ohne die Legitimationsfrage zu stellen, stellt Lassahn ([1981] [3]1993) nur als Tatsache fest, dass es neben anderen auch das jüdisch-christliche Bild vom Menschen gibt. Von dieser Tatsache geht auch Gamm (1979) aus, relativiert aber nicht nur den Stellenwert der Religion, sondern hält jede Religion für eine historisch zu überwindende Stufe in der Menschheitsgeschichte. An ihre Stelle solle unter dem »klassischen Anspruch, dass die Menschheit ihr eigener Schöpfer werden müsse« (Gamm 1979, 182) eine Weltgesellschaft zur »Herstellung der Gerechtigkeit, der Freiheit, des menschenwürdigen Umgangs« (S. 73) treten.

Anders als Mollenhauer, Lassahn und Gamm geht Benner ([4]2001) von der Religion nicht nur als Tatsache aus, sondern erkennt er die Religion als eine der Einzelpraxen in der Gesellschaft an. Mit dieser Anerkennung kehrt er aber nicht zu der dogmatischen Position von Esterhues (1962) und Henz (1964/[3]1971) zurück, die in der christlichen Religion den höchsten Wert für Erziehung und Bildung sehen. Vielmehr stellt Benner Bedingungen für diese Anerkennung: Religion soll auf gleicher Ebene wie die übrigen Einzelpraxen Arbeit, Ethik, Pädagogik, Politik und Kunst stehen und wie diese nur unter bestimmten Bedingungen eine Rolle in Erziehung und Bildung spielen: Unter der Annahme einer ursprünglichen Unbestimmtheit jedes Menschen – die mithin auch die Annahme ausschließt, Religion gehöre zum Wesen des Menschen – soll Religion ein Angebot sein, das die Educanden selbsttätig befragen und prüfen, über das sie folglich auch urteilen sollen. Diesem Modus des Fragens und Prüfens entspricht es, dass er eine Hierarchie der verschiedenen Religionen ablehnt. Notwendig, d. h. unvermeidbar, ist Religion für Erziehung und Bildung allerdings weder bei Benner noch – wenn auch aus anderen Gründen – bei Mollenhauer, Gamm und Lassahn. Allerdings wird Religion in allen hier betrachteten Entwürfen thematisiert.

Erinnert man sich bei der Übersicht über diesen Diskursverlauf von den beginnenden 1960er Jahren bis zum Ende des letzten Jahrhunderts daran, dass die beiden großen Kirchen in der Bundesrepublik vom Ende des Zweiten Weltkrieges bis zum Anfang der 1960er Jahre fast völlig unbestrittene Institutionen waren (vgl. Pollack 2001) und dass sie im Zuge der Emanzipationsbewegung, des weiteren Säkularisierungsschubes und der Verschiebung von den mit den Kirchen verbundenen »Pflicht- und Akzeptanzwerten« wie »Disziplin, Gehorsam, Leistung, Fleiß, Bescheidenheit und Selbstbeherrschung« (Pollack 2001, 355) zu Werten der Selbstentfaltung der 1960er und 1970er Jahre in eine Krise geraten sind (die sich z. B. in den sprunghaft ansteigenden Kirchenaustrittszahlen zeigt, vgl. Pollack 2001), die durch den Diskurs einer postmodernen Philosophie seit den 1980er Jahren (vgl. Welsch [5]1997) verschärft wurde, dann verblüfft die Parallelität zwischen den Entwürfen für eine Allgemeine Pädagogik und der gesellschaftlichen und kulturellen Entwicklung zunächst. So gesehen, sind die fest auf der (vor allem katholischen) Dogmatik aufruhenden Entwürfe von Esterhues (1962) und Henz (1964/³1971) ein Spiegelbild der damals relativ unangefochtenen großen Kirchen. Wenn man auch Auswirkungen der Theorie der Frankfurter Schule und des im Zusammenhang mit dieser wieder stärker thematisierten, theoretisch sublimierten Marxismus in den Konzepten Mollenhauers (1972) und Gamms (1979) erkennen kann, wenn man schließlich eine partielle Rezeption des postmodernen Pluralitäts- und Gleichrangigkeitstheorems in dem Entwurf Benners (1987/⁴2001) und in der skeptisch analysierenden Position Ruhloffs ([1990] 1993) nicht verkennen kann (zur konkreteren Auseinandersetzung mit dem Verhältnis von Religion und Postmoderne vergleiche Ziebertz 1995), so wäre es doch eine grobe Vereinfachung, eine genaue Parallele und Abhängigkeit zwischen diesen gesellschaftlichen und kulturellen Veränderungen und den genannten Entwürfen festzustellen. Nicht erklärt wäre durch die Annahme einer solchen Parallele mit entsprechenden Einflüssen auf den Diskursverlauf, dass in derselben Zeit prinzipiell *verschiedene* Konzepte für eine Allgemeine Pädagogik erarbeitet wurden. Diese Eigenlogik der Theorie zeigt sich nicht nur in den hier betrachteten, sondern auch in weiteren, hier nicht behandelten Entwürfen (z. B. Ballauff ³1970; Ballauff ³2000; v. Hentig 1996; Treml 2000)

Spiegelt sich aber zumindest der zunächst noch relativ unangefochtene, dann aber zunehmend unsicher gewordene Status der Kirche und der Religion in diesen Entwürfen für eine Allgemeine Pädagogik wider? Es ist bemerkenswert, dass nur Esterhues (1962) sich explizit mit einer Bedrohung der Kirche durch die weitergehende Säkularisierung auseinandersetzt: »Die meisten Fehler in Erziehen und Bilden entspringen in unsern Tagen und in unserm Kulturleben aus dem Mangel an einer tief gegründeten und das gesamte Leben bestimmenden Weltanschauung mit religiösem Fundament, dem unseligen Erbe der philosophischen Lehren seit dem Ende des offenbarungsgläubigen Zeitalters« (Esterhues 1962, 116), kurz: der Säkularisierung. Eine solche Bedrohung wird in den späteren Entwürfen, als die Säkularisierung und die Emanzipationsbewegung anwuchsen, nicht verzeichnet. Das kann – mit Ausnahme des Entwurfs von Henz (1964/³1971/⁴1975) – nicht überraschen, da eine solche Kritik voraussetzt, dass man die Religion verteidigt. Nicht eine Verteidigung ist in den Entwürfen seit den 1970er Jahren zu beobachten, wohl aber die Wahrnehmung, dass es die (christliche) Religion, wenn auch nur »irgendwie«, gibt: tradiert (Mollenhauer 1972), relativiert (Gamm 1979), als bloße Tatsache (Lassahn 1981/³1993), als mögliche Fragestellung (Ruhloff [1990] 1993) und schließlich als unter bestimmten Bedingungen anerkannte Tatsache (Benner 1987/⁴2001), nicht zuletzt als ein Bereich, der in den Hintergrund getreten ist. Ohne v. Hentigs Position in der Frage kennzeichnen zu wollen, scheint es doch für das Zurücktreten der Religion in den meisten der hier betrachteten Entwürfen für eine Allgemeine Pädagogik signifikant zu sein, dass er seinem Essay mit dem knappen Titel »Bildung« zunächst folgenden längeren geben wollte: »Nicht ungerne hätte ich diesem Buch den Titel *Über die Bildung. Eine Rede an die Gebildeten unter ihren Verächtern gegeben*« (von Hentig 1996, 9). Bemerkenswert ist nicht so sehr, dass v. Hentig auf diese Anspielung auf Schleiermachers Reden »Über die Religion. Reden an die Gebildeten unter ihren Verächtern« (Schleiermacher [1799] 1993) vor allem aus Gründen der Bescheidenheit verzichtet hat, sondern das Spiel mit dem Gedanken, an die Stelle der *Religion* die *Bildung* in den Titel zu setzen.

Damit komme ich zu der Frage, wie *ich* die Bedeutung der Religion für Bildung und Erziehung einschätze, ungeschützt durch Literatur. Wenn ich es als Erziehungswissenschaftler auch nicht verantworten kann (allein schon wegen der mangelnden Fachkompetenz, aber nicht nur deswegen), wie ein Theologe eine christliche Dogmatik im pädagogischen Zusammenhang zu lehren (wie es Esterhues und Henz getan haben), sehe ich doch eine Bedeutung der Religion für Erziehung und Bildung in mehreren Punkten: zunächst, wie mir seit meiner Tätigkeit in Brandenburg – einem zur Zeit der DDR weitgehend atheistischen Land – und aufgrund meiner Kontakte zu einem evangelischen Gymnasium in Brandenburg und zu Dissidenten in der DDR noch klarer wurde, darin, dass die Kirche (um in dieser Form von Religion zu sprechen) Kindergärten und Schulen einrichtet und gestaltet. Welchen Kahlschlag die DDR in Fragen der Religion angerichtet hat und welche Leere seit dem Ende der Staatsjugendorganisation in den Köpfen vieler entstand, wurde mir in Gesprächen mit Studierenden deutlich, die nach Alternativen suchten (wenn auch nicht unbedingt religiösen). Für unverzichtbar halte ich die Kenntnis der christlichen Religion und anderer Religionen aber auch aus dem weiteren Grund, um die Literatur, viele Erziehungs- und Bildungstheorien, ganze Epochen der Schulgeschichte, selbst bestimmte Philosophen zu verstehen. So musste ich in einem Seminar zu Rousseau erklären, was unter Erbsünde zu verstehen ist, um Rousseaus scharfe Kritik an dieser Lehre und die nicht minder scharfe Reaktion des Erzbischofs von Paris, der Rousseaus »Emile« deswegen dem Scheiterhaufen übergeben ließ, überhaupt verständlich zu machen Die Bibel war terra incognita.

Doch solche allgemeinen Stellungnahmen werden schwieriger, wenn es noch konkreter wird. In den wenigen Seminaren, in denen ich an der Universität Potsdam religiöse Themen direkt thematisierte (zu Menschenbildern und entsprechenden Formen der Bildung sowie zum Verhältnis von Bildung und Religion) entstanden Situationen einer merkwürdigen Befangenheit: Über alle anderen Religionen ließ es sich leichter, d. h. religions- und kulturwissenschaftlich und mit der Neugier auf das ganz Andere, sprechen als über die christliche: Sie war offensichtlich gleichzeitig zu fern und zu nah. Als zwei Referate den Duktus und die Direktheit von Predigten annahmen, die ins Gewissen und von Gott redeten, wurde die Situation (»Du hast ja eine Predigt gehalten« lautete der Vorwurf) bedrückend und peinlich. Bereits vorab bei der Ankündigung des Seminars »Bildung und Religion – ein randständiges Thema?« (2004) hatte ich ein ungutes Gefühl, etwas zu riskieren. Was genau meinte ich zu riskieren? Dass zu wenige teilnehmen würden? (Es wurde dann stark besucht, und 60.6 % der Studierenden gaben bei einer anonymen, gegen Ende des Semesters durchgeführtem Befragung »Interesse am Thema« als wichtigsten Grund für den Besuch dieser Lehrveranstaltung an.) Nein, es war die Befangenheit auch auf meiner Seite, über »so etwas« in einem Seminar zu sprechen. Ich tat es gleichwohl, da auch Religion zentral für eine Auseinandersetzung mit Grundlagenfragen des eigenen Lebens – insbesondere mit Blick auf Orientierungsbewegungen Heranwachsender –, der Gesellschaft und der Politik ist (allemal zu Zeiten eines militanten Fundamentalismus). Darüber, so meinte und meine ich immer noch, müssten angehende Lehrer, auch Studierende des Magisterstudiums in Erziehungswissenschaft, etwas wissen. Bei der Lösung dieser Aufgabe erkenne ich jetzt eine starke Nähe zu dem zum Beispiel von Benner vertretenen Ansatz eines reflektierenden, fragenden, im Ergebnis nicht festgelegten Umgangs mit der Religion in Bildungsprozessen, und mit dem Ansatz von Ruhloff, vorliegende Systementwürfe auch mit Blick auf die Bedeutung der Religion skeptisch zu prüfen. Ob für solche Auseinandersetzungen der von Mollenhauer vertretene Diskurs taugt, müsste geprüft werden – etwa in dem Sinne der Suche nach einem *Weltethos,* das auch allen Religionen gemeinsam ist (Küng 1990; Nipkow 1992; Senghaas 1998). Allein angesichts der Tatsache, dass die verschiedenen Religionen gegenwärtig in fast allen Teilen der Welt eine zentrale Rolle spielen, halte ich die Utopie Gamms hingegen für eine schlechte Utopie.

Wie weit sich meine eigene religiöse Sozialisation in einem Elternhaus evangelisch-lutherischer Prägung und durch die Kirche, der ich bis heute – trotz mancher Zweifel – angehöre, in dieser Position wieder erkennen lässt, mögen andere beurteilen.

Was ist das Wichtigste im Leben?
Überlegungen zum sich wandelnden Verhältnis von Theologie und Pädagogik

Norbert Hilgenheger

Auf die Frage hin, was denn das Wichtigste in ihrem Leben sei, werden die Befragten recht unterschiedliche Antworten geben. Der sozialwissenschaftliche Begriff »Wertorientierung« wurde eingeführt, um die Vielfalt der möglichen Antworten besser auswerten zu können. Fragen der *Wertorientierung* dürfen als ein Bindeglied zwischen Theologie und Erziehungswissenschaft gelten. Der folgende Beitrag zum sich wandelnden Verhältnis von Theologie und Pädagogik beginnt mit einer kurzen Beschreibung des Beziehungsgefüges, das zwischen Religionssystem, Erziehungssystem und Wissenschaftssystem besteht. Im Wissenschaftssystem aufgeworfene Fragen zur Wertorientierung betreffen nicht selten zugleich das Religions- und das Erziehungssystem. Auf der Grundlage einiger Ergebnisse der 14. Shell Jugendstudie wird anschließend nachgezeichnet, welche Stellung der *Glaube an Gott* im Gesamt der Wertorientierungen, die bei der heutigen jungen Generation vorgefunden wurden, einnimmt. Hierbei wird deutlich, dass Theologie und Erziehungswissenschaft trotz ihres gemeinsamen Interesses an Fragen der Wertorientierung inzwischen in *unterschiedlichen Traditionen der normativen und der valorativen Argumentation* beheimatet sind. Diese Traditionen sind wiederum geprägt durch einen *säkularen Wandel der Wertorientierungen*, der nicht ohne Einfluss auf das Verhältnis von Theologie und Pädagogik geblieben ist. In der Aufeinanderfolge dreier Beispiele (J. A. Comenius, J. F. Herbart und E. Durkheim) wird gezeigt, wie sich die Pädagogik allmählich aus ihrer *schlechthinnigen Abhängigkeit von der Theologie* befreit hat. Diese Emanzipation hat jedoch dazu geführt, dass dort, wo früher theologisch begründete Antworten auf die Frage nach dem Lebenswichtigsten gestanden haben, eine leere Stelle zurückbleibt. Diese leere Stelle vermag die Erziehungswissenschaft nicht zu schließen.

Die Erwartungen und Ansprüche, die *Religion*, *Erziehung* und *Wissenschaft* miteinander verbinden, sind überaus vielfältig. Dennoch lassen sich sechs *Grundmuster des Bezuges* unterscheiden, indem man der Reihe nach jedes Glied mit jedem verbindet. Hierbei ist allerdings zu berücksichtigen, dass der Bezug zwischen zwei Gliedern aus der Perspektive eines jeden der beiden beschrieben werden kann.

Ich beginne mit den Beziehungen zwischen Religion und Erziehung. *Religionen* haben nur Bestand, wenn sie als *Formen des Lebens* von der älteren Generation an die jüngere weitergegeben werden. Ohne *religiöse Erziehung* käme das religiöse Leben zum Erliegen. Umgekehrt sind *pädagogische Zielkonzeptionen* wenn nicht religiös, so doch zumindest weltanschaulich eingefärbt. Der pädagogische Gesichtskreis hängt nicht zuletzt davon ab, »ob der Mensch sich als Geschöpf Gottes versteht oder als arrivierten Affen« (Gehlen 1966, 9).

Sowohl der Religion als auch der Erziehung sind im Laufe der Zeit spezifische Wissenschaften zugeordnet worden: Bei der *Religion* ist es die *Religionswissenschaft* und bei Gottesreligionen die *Theologie*. Der Erziehung entspricht die *Erziehungswissenschaft*, die sich mit den Rahmenbedingungen, den Zielen und den Methoden der Erziehung beschäftigt. Es gibt aber auch ein umgekehrtes Leistungsverhältnis, das die *Wissenschaft* abhängig sieht von *Erziehung* und vielleicht sogar von *Religion*. Der Eintritt in eine wissenschaftliche Gemeinschaft setzt eine entsprechende *Sozialisation* voraus, die sich als *wissenschaftliche Propädeutik* intensivieren lässt: Es bedarf der *Einführung* und der *Einübung* in wissenschaftliche Traditionen, wenn später wissenschaftliches Neuland betreten werden soll. Demgegenüber ist der *Religionsbezug der Wissenschaft* nicht so leicht zu erkennen. Die genauere Beschreibung dessen, was der Wissenschaftler tut, lässt jedoch einen solchen Bezug vermuten: Wissenschaftliche Tätigkeit besteht darin, dass *Unterscheidungen* getroffen und *weiterführende* Unterscheidungen an schon *geläufige* angeschlossen werden. Dieses sich immer weiter fortzeugende Unterscheiden führt zu einem »Leiden an Unterscheidungen« (N. Luhmann), sobald es damit beginnt, sich selbst zu reflektieren und die hierbei unvermeidlichen Paradoxien nicht zu ignorieren. Es stellen sich *Sinnprobleme* ein, die in Grenzfällen auf *religiöse Probleme* verweisen. So heißt es bei Luhmann, »dass jeder Formgebrauch Religion involviert« (Luhmann 2002, 53). Der reflektierende Beobachter werde irgendwann die Frage nach der *Einheit*, die vor oder hinter seinen Unterscheidungen liegt, und nach der *coincidentia oppositorum* (Nikolaus von Kues 1964, 18) nicht mehr unterdrücken können. Angemerkt sei schließlich, dass es eine wissenschaftliche Disziplin gibt, die sich auf wissenschaftlicher Basis mit Problemen der religiösen Erziehung befasst. Es ist die *Religionspädagogik*.

Die mannigfachen Abhängigkeiten zwischen Religion, Erziehung und Wissenschaft spiegeln sich in der Struktur der modernen Gesellschaft wider. Es haben sich relativ autonome *Teilsysteme der Gesellschaft* herausgebildet, die durch die *Leistungen*, die sie füreinander erbringen, miteinander verbunden sind. Dementsprechend kann man zwischen dem *Religionssystem*, dem *Erziehungssystem* und dem *Wissenschaftssystem* unterscheiden.

Im Sinne des gestellten Rahmenthemas, das die Beiträge dieses Bandes miteinander verbindet, ist nun danach zu fragen, welche Berührungen (Schnittstellen) es auch heute noch zwischen Theologie und Erziehungswissenschaft (Pädagogik) gibt. Offenbar handelt es sich um eine Frage, die im *Wissenschaftssystem* aufgeworfen wird und die sich auf Leistungsbeziehungen zwischen verschiedenen Teilen des Wissenschaftssystems bezieht. Hierbei ist darauf zu achten, dass die Theologie innig mit dem *Religionssystem* und die Erziehungswissenschaft mit dem *Erziehungssystem* verknüpft sind. Hinter der Frage nach den Berührungen von Theologie und Erziehungswissenschaft steht demnach die Frage nach den *Beziehungen zwischen Religionssystem und Erziehungssystem.* Unter der Bedingung von *Kirchlichkeit* (eine nicht für alle Religionssysteme selbstverständliche Bedingung) spitzt sich die Frage nach dem Verhältnis von Religion und Erziehung zur Frage nach dem Verhältnis von *Kirche und Erziehungssystem* zu: Ist die Kirche auch ein Ort der Erziehung? Wenn ja, mit welchen Zielen und in welcher Weise wird in der Kirche erzogen? Sind Prediger, Seelsorger und Katecheten als solche auch Erzieher? In welchem Ausmaß hat die Kirche bei der Festlegung der Ziele und der Rahmenbedingungen auch der außerkirchlichen Erziehung mitzureden? Gibt es ein kirchliches Mitspracherecht in Bereichen wie z. B. dem der Leibeserziehung oder des naturwissenschaftlichen Unterrichtes, die doch auf den ersten Blick ziemlich religionsfern zu sein scheinen?

1. Wie lebenswichtig ist der Glaube an Gott?
Empirische Jugendforschung als Bindeglied zwischen Theologie und Erziehungswissenschaft

Ich greife das allgemeine Rahmenthema auf und frage nach den Leistungen, welche die Erziehungswissenschaft und allgemeiner die Sozialwissenschaft für die Theologie erbringt, sowie nach den Anleihen, welche die Erziehungswissenschaft bei der Theologie gemacht hat und vielleicht immer noch macht. Ich gehe von einem Beispiel aus. In einem meiner Seminare ging es um die Ergebnisse der 14. Shell Jugendstudie. Deren Verfasser versuchen, auf empirischer Grundlage ein aktuelles *Bild der jungen Generation* zu entwerfen, wobei sie insbesondere auf deren *Wertorientierungen* achten wollen. Bei Th. Gensicke, einem der Autoren, wird hieraus die Frage, wie sich die Wertorientierungen der jungen Leute im Laufe der letzten Jahrzehnte *verschoben* haben (Gensicke 2002). Dieses *Thema des Wertewandels* verdient nun sowohl das Interesse von Theologen als auch von Erziehungswissenschaftlern. Denn die Fragen der *moralischen Erziehung* werden heute häufig als Fragen der *Werteerziehung* diskutiert. Der Theologe wiederum wird die Probleme des Wertewandels mit dem theologischen Problem der Unterscheidung von Gut und Böse (Gen 2,17) und folglich mit Sündenfall und Erlösungsbedürftigkeit verbinden. Er möchte z. B. wissen, ob die heutige junge Generation überhaupt noch die Voraussetzungen mitbringt, um Begriffe wie Sünde, Sündenschuld und Erlösung wenigstens als sinnvoll zu erkennen (Luhmann 2002, 95 ff.).

Wer nun herausbringen will, wie sich die Wertorientierungen junger Leute in den letzten Jahrzehnten verschoben haben und immer weiter verschieben, wird sie in geeigneter Weise befragen müssen. So wird er von ihnen wissen wollen, was ihnen in ihrem Leben mehr oder weniger *wichtig* ist, und welches die *Leitvorstellungen* sind, von denen sie sich in ihrem Verhalten bestimmen lassen. In der 14. Shell Jugendstudie wurde z. B. danach gefragt, welche Bedeutung das Streben nach *Lebensgenuss*, einem hohen *Lebensstandard*, *eigenverantwortlicher Lebensgestaltung*, nach *Familie*, nach *Freundschaft* usw. hat. Die Antwortmöglichkeiten waren auf einer 7er-Skala zwischen 1 (= völlig unwichtig) und 7 (= außerordentlich wichtig) gestaffelt. Da die Fragen, die gestellt wurden, das *Gesamt* der Wertorientierungen so *vollständig* wie möglich abdecken sollten, bezog sich eine der Fragen auf den *Glauben an Gott*. Wie die anderen Fragen auch, wurde sie etwa 2500 jungen Menschen zwischen 12 und 25 Jahren vorgelegt, einer *Stichprobe*, die für die jungen Leute in Deutschland als repräsentativ gelten durfte.

Das Ergebnis, das die Auswertung der Frage nach der *Wertorientierung* »Gottesglauben« erbrachte, gibt zu denken: Als Mittelwert der zwischen 1 und 7 skalierten Antworten ergab sich 3,9 für weibliche und 3,5 für männliche Jugendliche. Diese Werte liegen knapp *oberhalb* bzw. *auf* der Skalenmitte (Skalenmittelwert 3,5). Auf den ersten Blick scheinen solche Werte immerhin noch ein »durchschnittliches« Ergebnis zu sein. Das stimmt aber nur im Hinblick auf die Gesamtheit der befragten *Jugendlichen*, nicht aber im Hinblick auf die Gesamtheit der möglichen *Wertorientierungen*. Wie es wirklich um die Einstufung des Gottesglaubens steht, wird erst deutlich, wenn man sie mit der Gewichtung anderer Wertorientierungen vergleicht: Die Mittelwerte zu den meisten der erhobenen Wertorientierungen übersteigen den erhobenen Mittelwert zum Gottesglauben bei weitem. Lediglich die Frageitems »Geschichtsstolz«, »politisches Engagement«, »Althergebrachtes« und »Konformität« erreichten *schlechtere* Mittelwerte. Demgegenüber liegen die Mittelwerte z. B. von »Freundschaft« und »Partnerschaft« sowohl für weibliche als auch für männliche Jugendliche sogar deutlich oberhalb von 6. Für Freundschaft und Partnerschaft wurden also Mittelwerte erreicht, die erstaunlich nahe bei dem Maximalwert von 7 (= außerordentlich wichtig) angesiedelt sind.

Übernimmt man das geschilderte Teilergebnis der 14. Shell Jugendstudie, wird man sagen müssen: Für die meisten Jugendlichen ist heute der Glaube an Gott *nachrangig*. Schlimmer noch, das *Wertesystem* der heutigen Jugendlichen scheint sich *weitgehend unabhängig* von ihrer Gewichtung des Gottesglaubens stabilisiert zu haben. Th. Gensicke stellt fest: »Während der Glaube an Gott in den alten Ländern (ohne ausländische Herkunft) nur für etwa ein Drittel der Jugendlichen wichtig ist (Skalenwerte 5-7, 34 %), ist Religiosität in den neuen Ländern praktisch bedeutungslos geworden (14 %). Dieser erhebliche Unterschied führt jedoch nicht zu einem unterschiedlichen Wertsystem, ebenso wenig wie die erhöhte Religiosität der ausländischen Jugendlichen (63 % wichtig!). Die Frage der Religiosität muss somit heute weitgehend unabhängig vom Wertsystem der Jugendlichen gesehen werden, egal ob sie erhöht oder niedrig ausfällt.« (Gensicke 2002, 148)

Der Religionsunterricht steht angesichts dieser Gewichtung der Wertorientierungen, die sich bei den jungen Menschen verfestigt hat, vor einer schwierigen Aufgabe. Wie will man denn z.B. den Sinn des »größten Gebotes« (Mt 22,37; Lk 10,27), das Gottesliebe, Selbstliebe und Menschenliebe miteinander verbindet, vermitteln, wenn Freundschaft und Partnerschaft in der Regel viel höher geschätzt werden als der Glaube an Gott? Müsste sich nicht ein lebendiger Glaube an Gott schon gefestigt haben, *bevor* der Religionsunterricht beginnt? Und wenn der Glaube an Gott so weit in den Hintergrund getreten ist: Wie sollen dann noch Begriffe wie Sünde, Sündenschuld und Erlösung verstanden werden können?

Offenbar lohnt es sich sowohl für den Theologen als auch für den Erziehungswissenschaftler, sich mit den Ergebnissen der 14. Shell Jugendstudie auseinanderzusetzen. Es gibt ein gemeinsames Interesse an Fragen der Wertorientierung und insbesondere an der *Problematik des mehr oder weniger raschen Wandels säkularer Wertorientierungen*. Das gemeinsame Interesse erschöpft sich nicht darin, dass man dieses oder jenes Ergebnis der empirischen Werteforschung bemerkenswert findet. Vielmehr ist man auch darin miteinander verbunden, dass man *wertend* zu den herausgefundenen Ergebnissen Stellung nimmt. Jedes Gefüge von Wertorientierungen, das sich bei einem einzelnen Menschen oder in einer Gesellschaft verfestigt hat, ist mehr oder weniger wertvoll. Man glaubt zu wissen, welchen Werthaltungen im Konfliktfalle der Vorrang gegeben werden sollte und welche Werthaltungen unterstützt bzw. zurückgedrängt werden müssen. Pädagogen sprechen in diesem Zusammenhang von *Unterricht* und von *Erziehung*, Theologen von *Predigt* und *Seelsorge*. Nicht alles, was Menschen im Laufe ihres Lebens anstreben, ist von derselben Wichtigkeit. Es gibt viele Sorgen und Mühen, so dass die Gefahr groß ist, das Wichtigere bzw. vielleicht sogar das *einzig Notwendige* zu verfehlen (Lk 10,42).

Sobald dann allerdings genauer bestimmt werden soll, welches die vorrangigen Werte sind, zerbricht die Koalition zwischen Theologie und Erziehungswissenschaft. Was ist denn *das Wichtigste* im menschlichen Leben? Die Auffassungen gehen weit auseinander, wobei es zunächst noch nicht einmal *inhaltliche* Differenzen sind, die sich in den Vordergrund drängen. Vielmehr geht es zunächst um die grundsätzliche Möglichkeit, vorgefundene *Wertorientierungen* von einem *zentralen Bezugspunkt aus* zu *bewerten*. Während der Theologe nach wie vor von seinem religiös geprägten Menschen- und Weltbild ausgeht und sich dann, wenn seine natürliche Erkenntnis versagt, auf die Auslegung kanonisierter Texte oder auf die Autorität eines Lehramtes beruft, gesteht der Erziehungswissenschaftler freimütig ein, dass es ihm verwehrt sei, Werthaltungen als Erziehungswissenschaftler allgemein gültig zu bewerten. Theologen und Erziehungswissenschaftler leben in unterschiedlichen Provinzen des Wissenschaftssystems, in denen sich unterschiedliche Stile der normativen bzw. der valorativen Argumentation eingebürgert haben.

Dementsprechend lässt es sich nicht vermeiden, die Ergebnisse der 14. Shell Jugendstudie aus einer erziehungswissenschaftlichen Perspektive anders zu gewichten als aus der theologischen. Auch der Erziehungswissenschaftler wird sie in mancher Hinsicht bedenklich finden. Falls er ein religiöser Mensch ist, wird er vielleicht sogar bedauern, dass der Gottesglaube bei den heutigen Jugendlichen nicht mehr denselben Stellenwert hat wie zur Zeit seiner eigenen Kindheit und Jugend. Aus seiner Sicht ist die Vermittlung des Gottesglaubens jedoch kein Erziehungsziel, dessen Gültigkeit vom Standpunkt seiner Wissenschaft aus begründbar wäre. Die Stellung, die dem Glauben an Gott in manchen Verfassungen gegeben wird, zwingt ihn allerdings dazu, dennoch der Vermittlung des Gottesglaubens in seinen Überlegungen einen angemessenen Platz einzuräumen. So lautet Art. 7 Abs. 1 der Verfassung für das Land Nordrhein-Westfalen: »Ehrfurcht vor Gott, Achtung vor der Würde des Menschen und Bereitschaft zum sozialen Handeln zu wecken, ist vornehmstes Ziel der Erziehung«. Dementsprechend sollte die Wendung »Ehrfurcht vor Gott« selbst für einen Erziehungswissenschaftler, der nicht mehr an Gott glaubt, bedeutsam bleiben. Er müsste z. B. historisch und systematisch erläutern können, wie Erziehungskonzeptionen ausgesehen haben, welche die Vermittlung der Ehrfurcht vor Gott als vorrangiges Ziel der Erziehung setzten.

Im Abendland ist es bis an die Schwelle zum 19. Jahrhundert geradezu selbstverständlich gewesen, dass *sämtliche* Ziele des menschlichen Lebens und damit auch die *Ziele der Erziehung* einem einzigen übergeordneten Ziel subsumiert wurden, wobei die Ordnung der Erziehungsziele zunächst *theologisch* und später *philosophisch* begründet wurde. Im Laufe des 19. Jahrhunderts wurden derartige Begründungsversuche zunehmend kritisch gesehen, so dass man die Herleitung einer für alle Menschen verbindlichen Erziehungsordnung schließlich für unmöglich erklärte. Diese säkulare Wandlung in der Einstellung zu erziehungsrelevanten Wertorientierungen möchte ich mit drei Beispielen belegen: Johann Amos Comenius hat den Versuch gemacht, im Ausgang von der gottgewollten *Schöpfungsordnung* eine für alle Menschen verbindliche *Erziehungsordnung* herzuleiten. Im Rahmen dieser Erziehungsordnung war jede *gute* Erziehung *religiöse* Erziehung. Gut hundert Jahre später ist bei Johann Friedrich Herbart aus der früheren Abhängigkeit der Pädagogik von der *Theologie* eine Abhängigkeit der Pädagogik von der *Praktischen Philosophie* geworden. Dieser wird zugetraut, eine für alle Menschen verbindliche Erziehungsordnung zu begründen. Religiöse Erziehung bleibt ein integraler Teil der allgemeinen Menschenbildung. Es ist jedoch streng zwischen religiöser Erziehung und einer sich auf die Welt richtenden Erziehung zu unterscheiden. Schließlich wird eine Erziehung planbar, die ganz bewusst auf alle religiösen Elemente verzichtet. Der französische Soziologe Emile Durkheim hat eine derartige, völlig laisierte Erziehungskonzeption beschrieben. Damit ist es zu einem Problem der Pädagogik geworden, wie sich die von der Gesellschaft geforderten Wertorientierungen unter völligem Verzicht auf einen Gottesbezug vermitteln lassen. Vielleicht darf man behaupten, dass dieses Problem bis zur Gegenwart nicht befriedigend gelöst ist. Denn es ist schwierig geworden, sich in einer als multikulturell gedachten Gesellschaft über die vorrangigen Wertorientierungen zu einigen.

2. Ist Gott das vorrangige Ziel der Erziehung?
Historische Erziehungsforschung als Bindeglied zwischen Theologie und Erziehungswissenschaft

Johann Amos Comenius (1592-1670)

Zunächst möchte ich die Erziehungsordnung skizzieren, die J. A. Comenius aus seiner christlichen Sicht der göttlichen Schöpfungsordnung ableitet. Hierbei stütze ich mich auf sein pädagogisches Hauptwerk, die Pampaedia (Comenius 1965). Wie schon in seinen vorausgegangenen pädagogischen Schriften geht es auch in diesem Werk um den besten Weg, wie sich die vorgefundene und überaus beklagenswerte Lage der Menschheit durch *Bildung* (paideia, eruditio) verbessern lässt. Das *Ziel* des Bildungsprozesses ist für Comenius mit seinem *theozentrischen Weltbild* vorgegeben. Es gelte, die in Sünde gefallene, durch Christus jedoch erlöste Menschheit zu *wahrer Gottebenbildlichkeit* zurückzuführen. Alle Menschen sollen zu *neuen Menschen* gemacht werden (transformare in Homines novos, ad imaginem Dei veram (Comenius 1965, 10)).

Schon in den einleitenden Bemerkungen zur Pampaedia lässt Comenius erkennen, wie der Weg, der zu diesem Ziel hinführt, beschaffen sein soll. Er wolle, »einen Weg (…) finden, auf dem der Menschengeist der Sachenwelt kraft der Ordnung so untergeordnet werden könne, wie die Dinge selbst kraft des Lichtes immer« schon in einer Ordnung aufgestellt sind« ((…) modum inveniri optamus, quo sicut RES jam redactae sunt in Ordinem, Lucis vi, ita Rebus queant subigi Mentes, Ordinis vi« (Comenius 1965, 10 f.)).

Auch nach unserem heutigen Verständnis besteht der Sinn von Bildung darin, dass sie dem Menschen eine *innere Ordnung* gibt. Der Gebildete weiß, was mehr oder was weniger wichtig ist. Deswegen zieht er in seinem Handeln das

Wichtigere dem weniger Wichtigen vor.[1] Woher rührt aber die Ordnung, die den Menschengeist prägt? Das ist eine Frage von fundamentaler bildungstheoretischer Bedeutung. Die Antwort des Comenius geht von einer Proportion der bildenden Kräfte aus, die mit der Schöpfungsordnung vorgegeben ist. Bildung ist für Comenius keinesfalls *Selbstbildung* (wie später für Herbart) und auch nicht das Ergebnis eines *Sozialisationsprozesses* (wie später für Durkheim). Vielmehr ist es die *ordnende Kraft der Sachenwelt*, die den Geist bildet. Diese Kraft geht auf Gott zurück. Sie ist ein Abbild des göttlichen Lichtes, das alle Dinge im Akt der Schöpfung ordnet: Das Verhältnis zwischen der den Dingen innewohnenden *ordnenden Kraft*, den *Dingen* selbst und dem *menschlichen Geist* entspricht dem Verhältnis zwischen dem *göttlichen Licht* als der die Dinge ordnenden Kraft, der bei Gott vorgedachten *dinglichen Ordnung* und den *Dingen*. Wie das göttliche Licht die Dinge der bei Gott vorgedachten Ordnung unterwirft, so leuchtet die von Gott geschaffene dingliche Ordnung in den menschlichen Geist hinein. Dementsprechend besteht die *pädagogische Kunst* darin, den menschlichen Geist für die bildende Ordnung, die in den Dingen steckt, zu öffnen. Nicht der Erzieher unterwirft den menschlichen Geist den Dingen, sondern die den Dingen innewohnende Ordnung. Sie ist es, die den Menschen nach göttlichem Bilde formt.

In dem so konzipierten Gang der Bildung gibt es auch Komponenten, die dem entsprechen, was man heute als *Werteerziehung* bzw. als *Vermittlung von Wertorientierungen* bezeichnet. Der Blick auf die Dinge lässt den Verstand erkennen, was gut und was schlecht ist: »(...) der vernünftige Verstand ist das göttliche Licht im Menschen, mit dessen Hilfe er sich selbst in sich und die übrigen Dinge außerhalb seiner selbst sieht, betrachtet und betrachtend beurteilt. Daraus entspringt dann unmittelbar die Liebe oder das Verlangen nach dem wahrhaft Guten, durch welches der Mensch alles ausspürt, was unter den Dingen begehrenswert ist, diesem nachgeht und seine Sehnsucht in die Zu-

---

1. Vgl. z. B. das Bildungsverständnis Th. Litts: »Wenn wir einen Menschen »gebildet« nennen und ihm mit dieser Bezeichnung mehr bescheinigen wollen als die urkundlich bezeugte Absolvierung gewisser Lehrgänge, dann meinen wir doch wohl zumindest dies, daß es ihm gelungen sei, in dem Ganzen seiner Existenz, in der Mannigfaltigkeit der in ihm vereinigten Gaben, Möglichkeiten, Antriebe, Leistungen eine gewisse Ordnung herzustellen, die das eine zu dem anderen in das rechte Verhältnis setzt und sowohl die Überbetonung als auch die Unterdrückung des Besonderen verhütet. Nun aber kann der Mensch nie und nimmer in sich selbst Ordnung stiften, es sei denn, daß er auch seine Beziehungen zur *Welt* in angemessener Weise geregelt habe. Nehmen wir das eine mit dem anderen zusammen, so dürfen wir als »Bildung« jene Verfassung des Menschen bezeichnen, die ihn in den Stand setzt, sowohl sich selbst als auch seine Beziehungen zur Welt »in Ordnung zu bringen«.« (Litt 1968, 11).

kunft, ja in die Ewigkeit spannt.« (Comenius 1965, 51) Die *Ordnung der Werte* ist aus der Sicht des Comenius *erkennbar*. Im Einzelnen ist sie bestimmt durch die jedem Menschen angeborenen *Bedürfnisse* (desideria). Comenius zählt zwölf verschiedene »desideria« (Wertorientierungen) des Menschen auf, beginnend mit dem »Wunsch zu sein und zu leben« und endend mit dem »Wunsch, einen gnädigen Gott zu haben«. Gott als »die größte Freude« des Menschen und als die »Gewißheit seiner Seligkeit« ist der absolute Zielpunkt allen menschlichen Strebens und folglich auch das höchste Ziel der Erziehung.

Aus der Sicht des Comenius besteht kein Zweifel daran, von welchen letzten Bezugspunkten aus das *menschliche Streben* und das gesamte *Gefüge der menschlichen Wertorientierungen* zu bewerten ist. Demnach ist für ihn die gesamte Erziehung eine religiöse Erziehung.

Johann Friedrich Herbart (1776-1841)

Aus der Sicht Herbarts wäre es verfehlt, die *Ordnung der Erziehungsziele* und damit auch die *Ordnung der zu vermittelnden Wertorientierungen* mit *theologischer* Hilfe der *Schöpfungsordnung* entlehnen zu wollen. Er pocht auf eine *relative Autonomie der Pädagogik*: Der drohenden Gefahr, »als entfernte eroberte Provinz von einem Fremden aus regiert zu werden« (Herbart 1982b, 21), müsse vorgebeugt werden. In Erziehungsfragen dürfe man sich weder abhängig machen vom Staat noch von der Kirche.

Wovon hängt aber die Pädagogik als Wissenschaft ab, wenn nicht von der *Staatslehre* oder von der *Theologie*? – Die Antwort, die Herbart auf diese Frage gegeben hat, ist schon oft zitiert worden: »Pädagogik als Wissenschaft hängt ab von der praktischen Philosophie und Psychologie. Jene zeigt das Ziel der Bildung, diese den Weg, die Mittel und die Hindernisse.« (Herbart 1982c, 165) Bei der Herleitung des *Bildungszieles* und der durch Erziehung zu vermittelnden *Werteordnung* ist man dementsprechend auf die *Praktische Philosophie* (d. h. auf die *Ethik*) verwiesen.

Aus der Abhängigkeit von der *Theologie* wird bei Herbart eine Abhängigkeit von der *Praktischen Philosophie*. Diese Abhängigkeit ist aus seiner Sicht durchaus erträglich. Denn da die Praktische Philosophie der Pädagogik keine *Prinzipien* vorgibt, hat sie auch nicht die Absicht, die Pädagogik als eine fremde Provinz zu erobern und zu regieren. Die Leistung, welche die Praktische Philosophie für die Pädagogik erbringt, besteht vielmehr lediglich darin, dass sie zur *Berichtigung einheimisch-pädagogischer Urteile* anleitet. Die pädagogischen Urteile werden nicht aus *fremdartigen* Prinzipien abgeleitet, sondern von Pädagogen angesichts pädagogischer Verhältnisse gefällt, dann allerdings nötigenfalls mit fremder Hilfe berichtigt. Somit bleibt es möglich, dass sich die

Pädagogik auf »einheimische Begriffe besinnt« und ein »selbständiges Denken kultiviert« (Herbart 1982b, 21).

Es würde an dieser Stelle zu weit führen, die verschiedenen Wege einer relativ autonomen pädagogischen Überlegung, die Herbart für möglich hält, ausführlicher zu beschreiben (vgl. Hilgenheger 1993). In jedem Fall wird man sich bei der Beurteilung pädagogischer Verhältnisse und bei der Aufstellung pädagogischer Zwecke an den *sittlichen Ideen* orientieren, also an den Ideen der inneren Freiheit, der Vollkommenheit, des Wohlwollens, des Rechtes und der Billigkeit. Sowohl das Wollen des *Zöglings* als auch das Wollen des *Erziehers* in seinem Verhältnis zum Zögling sind nach diesen *Musterbegriffen* zu beurteilen. Herbart setzt es als selbstverständlich voraus, dass *alle* Menschen sich mehr oder weniger deutlich an diesen Musterbegriffen orientieren. Insofern gibt es ein allgemein verbindliches System der Wertorientierungen, das alle Menschen miteinander verbindet. Ganz entsprechend sind auch die höchsten Zwecke der Erziehung universal: Alle Menschen sollten unabhängig von allen kulturellen Unterschieden so erzogen werden, dass sich bei ihnen ein »vielseitiges Interesse« und »Charakterstärke der Sittlichkeit« ausbilden.

Wie aber können diese Wertorientierungen der nachwachsenden Generation vermittelt werden? Es liegt nahe, den *Gang der Bildung*, den Herbart plant, mit dem von Comenius empfohlenen zu vergleichen. Bei Comenius war es das *göttliche Licht*, das über die *dingliche Ordnung* als sein Abbild in den *menschlichen Geist* eindringt und ihn zum Guten führt. Der Mensch solle im Blick auf die ihn umgebende Schöpfungsordnung gebildet werden. Der menschliche Erzieher trat hinter die von Gott geschaffenen Dinge zurück: Die von Gott gewollte dingliche Ordnung war der eigentliche Erzieher. Auch bei Herbart tritt der Erzieher zurück. Der eigentliche Erzieher ist aber nicht mehr die den *Dingen* innewohnende Ordnung, sondern die *Ordnung des Gedankenkreises*, den die Menschheit im Laufe ihrer Geschichte erzeugt hat. Denn wohl an diesem Gedankenkreis, nicht jedoch am Kreis der Dinge kann man lernen, wie *zwischenmenschliche* Verhältnisse zu beurteilen sind. Schon in der Einleitung zur Allgemeinen Pädagogik heißt es, dass »die ganze Macht alles dessen, was Menschen je empfanden, erfuhren und dachten«, der »wahre und rechte Erzieher« sei (Herbart 1982b, 19). Weil der Gedankenkreis und nicht der Pädagoge der eigentliche Erzieher ist, wird ein Unterricht, der in diesen Gedankenkreis einführt, zum *Hauptmittel der Erziehung*: »Ästhetische Darstellung der Welt« (Herbart 1982c), d. h. ein besonders gestalteter Unterricht, ist das »Hauptgeschäft der Erziehung«. Eine ästhetische Darstellung der Welt regt den Schüler zu eigenen ästhetischen Urteilen an, und diese sind es, die ihn allmählich zu sicheren moralischen Urteilen befähigen. Er wird empfindlich für die Harmonien und die Disharmonien, die zwischen Menschen bestehen. Er wird nicht bloß in die schönen Künste eingeführt, sondern lernt es auch, zwischenmenschliche Willensverhältnisse nach den sittlichen Ideen zu beurteilen.

In dem Gedankenkreis, den die Menschheit im Laufe ihrer Geschichte erzeugt hat, gebührt dem *Gottesbegriff* eine vorzügliche Stellung. Herbart trägt dem Rechnung, indem er der Erziehung zwei Richtungen des Voranschreitens vorschreibt: »Aufwärts und abwärts hat sie fortzuschreiten. Aufwärts gibt es *einen* Schritt, nur *einen* und nichts Höheres mehr« (Herbart 1982c, 116). Der einzige Aufwärtsschritt, der zu tun sei, führe in das Reich des Übersinnlichen hinein. Es gelte, die *Idee Gottes* den jungen Menschen nahe zu bringen. Nach der entgegengesetzten Richtung hin liege die *Wirklichkeit*, die nicht bloß durch einen einzigen Schritt zu erschließen sei: »Abwärts – eine unendliche Weite und Tiefe.«

Die Idee Gottes, die zu vermitteln ist, schließt sich eng an die sittlichen Ideen an: »Gott, das reelle Zentrum aller praktischen Ideen und ihrer schrankenlosen Wirksamkeit, der Vater der Menschen und das Haupt der Welt: Er fülle den Hintergrund der Erinnerung als das Älteste und Erste, bei dem alle Besinnung des aus dem verwirrten Leben rückkehrenden Geistes immer zuletzt anlangen müsse, um, wie im eignen Selbst, in der Feier des Glaubens zu ruhen.«[2] (Herbart 1982c, 116) Der Aufwärtsschritt zur Idee von Gott hin, der im Unterricht zu tun sei, ist allerdings nicht leicht zu vollziehen. Wie redet man im Unterricht von Gott? Die Gefahr sei groß, dass die Idee durch ein unbedachtes Reden über Gott verunstaltet werden könnte. Dem gelte es vorzubeugen: »Es gibt ein Mittel, sie (die Idee von Gott, N. H.) langsam zu ernähren, zu verstärken, auszubilden und ihr eine unaufhörlich steigende Verehrung zu sichern, ein Mittel, das demjenigen, der sie theoretisch kennt, zugleich für das einzige gelten muß: dies nämlich, sie fortdauernd durch *Gegensatz zu bestimmen*.« (Herbart 1982a, 117) Dieser Weg der religiösen Erziehung sei der nahe liegende, da die andere Richtung der Erziehung auf die Welt verweise.

Mit seinem Vorschlag, im Unterricht die Idee Gottes »fortdauernd durch Gegensatz zu bestimmen«, hat Herbart den Religionsunterricht in seine Gesamtkonzeption des *erziehenden Unterrichts* einbezogen. Dieser hat sowohl die *Erkenntnis* der Welt als auch die *Teilnahme* am Geschick anderer Menschen zu fördern. Herbart unterscheidet zwischen mehreren *Gliedern der Erkenntnis* und mehreren *Gliedern der Teilnahme*, wobei das Verhältnis der Menschheit zu Gott als eines der Glieder der Teilnahme gilt (Herbart 1982b, 58 und 85 ff.). Herbarts methodische Grundregel für die religiöse Erziehung besagt dementsprechend,

---

2.   Vgl. auch den folgenden Satz aus Herbarts Lehrbuch zur Einleitung in die Philosophie: »Die Idee von Gott enthält zuvörderst Weisheit und Heiligkeit, – zusammen genommen *innere Freiheit*; dann Allmacht, als höchste *Vollkommenheit*; reine und umfassende Güte, das *Wohlwollen*; endliche *Gerechtigkeit*, insbesondere die sogenannte distributive, die nichts anderes ist, als Billigkeit (…)« (Lehrbuch zur Einleitung in die Philosophie, § 106).

dass die *Idee von Gott* im Gegensatz zu den *Gliedern der Erkenntnis* bzw. den anderen *Gliedern der Teilnahme* bestimmt werden sollte. Hierbei zeichnet sich ein enger Zusammenhang von *sittlicher* und von *religiöser* Erziehung ab.

Während es für Comenius nur eine Richtung der Erziehung gab, nämlich die Richtung *aufwärts zu Gott hin*, grenzt Herbart im Anschluss an die Unterscheidung von Gott und Welt zwei Richtungen der Erziehung voneinander ab. Der Gang der religiösen Erziehung ist ein anderer als der Gang der Welterziehung. Religiöse Erziehung ist von sonstiger Erziehung und insbesondere von sittlicher Erziehung unterscheidbar geworden. Religiöse Erziehung bleibt jedoch ein integraler Bestandteil des Bildungsprozesses. Ein Verzicht auf religiöse Erziehung würde gegen die Forderung der Vielseitigkeit des Bildungsprozesses verstoßen.

Emile Durkheim (1858-1917)

Trotz aller Unterschiede gibt es zwischen den beiden Erziehungsordnungen, die Comenius bzw. Herbart entworfen hat, eine fundamentale Gemeinsamkeit: Beide Konzeptionen werden mit dem Anspruch auf *allgemeine Gültigkeit* vertreten, d. h. auf eine Gültigkeit unabhängig von Raum und Zeit. Zu Anfang des 20. Jahrhunderts verzichtet Emile Durkheim demgegenüber auf jeden Versuch, eine für *alle* Menschen *gleichermaßen* verbindliche Erziehungsordnung begründen zu wollen. Die Unterschiede zwischen all dem, was Menschen als wichtig gilt, sind zu groß. Die Vielfalt der Erziehungsziele und der Erziehungspraktiken ist aus seiner Sicht – es ist eine *soziologische* Sicht – so groß wie die Vielfalt der unterschiedlichen Gesellschaften. »Jeder Volkstypus hat seine Erziehung, die ihm eigen ist, und die dazu dienen kann, ihn auf dieselbe Weise zu definieren wie seine moralische, politische und religiöse Organisation. Sie ist ein Element seiner Physiognomie. Das ist der Grund, warum die Erziehung so außerordentlich nach Zeit und Ort verschieden ist; (…).« (Durkheim 1984b, 42) Alle Versuche, die Ziele der Erziehung allgemein verbindlich aus der *Natur des Menschen* abzuleiten, seien gescheitert. Der Gedanke einer *allgemeinen Menschenbildung*, die jeder gesellschaftlichen Prägung vorausgeht, ist aus der Sicht Durkheims eine bloße Illusion: »Der Mensch, den die Erziehung in uns verwirklichen muß, ist nicht der Mensch, den die Natur gemacht hat, sondern der Mensch, wie ihn die Gesellschaft haben will; und sie will ihn so haben, wie ihn ihre innere Ökonomie braucht.« (Durkheim 1984b, 44)

Bei Durkheim tritt die *Gesellschaft* an die Stelle, die in älteren pädagogischen Konzeptionen der *Schöpfergott*, die *Natur* oder die *Vernunft* innegehabt hatten. Nicht nur die Erziehung, sondern auch die Religion, die Moral und die Politik seien Teile der gesellschaftlichen Organisation. Durkheim unterscheidet konsequent zwischen *natürlichen Tatsachen* und *gesellschaftlichen Gegebenheiten*, die sich durch eine Aura des *Zwanges* und der *Verpflichtung* von natürlichen Tatsachen unterscheiden. Der Begriff der *sozialen Tatsache* (fait social) soll diesen Unterschied markieren: Eine soziale Tatsache sei eine »mehr oder minder festgelegte Art des Handelns, die die Fähigkeit besitzt, auf den Einzelnen einen äußeren Zwang auszuüben; oder auch, die im Bereiche einer gegebenen Gesellschaft allgemein auftritt, wobei sie ein von ihren individuellen Äußerungen unabhängiges Eigenleben besitzt.«(Durkheim 1984a, 114) Es ist nicht beliebig, wie man seine Kinder erzieht, sich zu anderen Menschen verhält, religiöse Kulte praktiziert oder das Gemeinwesen gestaltet. Das, was geboten, erlaubt bzw. verboten ist, ist durch die jeweilige gesellschaftliche Ordnung vorgeschrieben. Die Menschen sollen ihr Leben so gestalten, wie es der inneren Ökonomie der Gesellschaft, der sie angehören, entspricht.

Die Unterschiede zwischen *natürlichen* und *sozialen* Tatsachen sind so groß, dass ihnen verschiedene Wissenschaften zugeordnet werden müssen. Die *Naturwissenschaft* beschäftigt sich mit den *natürlichen Tatsachen*, also z. B. mit den Phänomenen der Schwerkraft, des Magnetismus oder der Elektrizität. Sie wird schon seit Jahrhunderten in einer mustergültigen Weise betrieben und kann somit zum Vorbild werden für die Wissenschaft von den *sozialen Tatsachen*, die erst begründet werden muss. Es ist die spezifische Aufgabe der *Soziologie*, soziale Tatsachen zu beschreiben und auf der Grundlage von Gesetzen zu erklären. Aus der früheren Abhängigkeit der Pädagogik von der Theologie bzw. der Praktischen Philosophie wird dementsprechend eine Abhängigkeit von der Soziologie. Es sei ein Postulat einer jeden pädagogischen Theorie, »daß die Erziehung eine eminent soziale Angelegenheit ist, und zwar durch ihren Ursprung wie durch ihre Funktionen, und daß folglich die Pädagogik stärker von der Soziologie abhängt als jede andere Wissenschaft.« (Durkheim 1984b, 37)

Zwischen der *Moralordnung* einer Gesellschaft und deren *Erziehungsordnung* gibt es nun gewichtige Zusammenhänge. Sowohl bei der *Moral* als auch bei der *Erziehung* handelt es sich um *soziale Tatsachen*, wobei die Erziehungsordnung durch die Moralordnung bedingt ist. Denn jede Gesellschaft will, dass ihre Moral an die nachwachsenden Generationen weitergegeben wird. Deswegen ist Erziehung immer auch *moralische Erziehung* (Werteerziehung). Die Vielfalt der *Moralordnungen* hat zur Folge, dass es eine mindestens genauso große Vielfalt der *Erziehungsordnungen* gibt. Trotz dieser großen Vielfalt gibt es eine fundamentale Gemeinsamkeit zwischen allen Moralordnungen, die eine entsprechende Gemeinsamkeit der Erziehungsordnungen bedingt. Die Gemeinsamkeit betrifft die *Form* der verschiedenen Moralen, nicht jedoch deren Inhalte. Durkheim spricht von (formalen) »Elementen der Moralität«, die in sämtlichen Moralen wiederkehren. Diese Elemente der Moralität sind durch Erziehung zu vermitteln, und insofern gibt es Ziele der Erziehung, die trotz aller inhaltlichen Unterschiede allen Erziehungsordnungen gemeinsam sind. In jeder Gesellschaft müssen diese Elemente der Moralität, die allen Moralen gemeinsam sind, mit Inhalt gefüllt werden.

Ich möchte die beiden wichtigsten Elemente der Moralität und die ihnen entsprechenden Ziele der Erziehung kurz umschreiben. Es gibt keine Gesellschaft, in der es keine *verpflichtenden Regeln* gäbe. Jede Gesellschaft verlangt von jedem ihrer Mitglieder Disziplin *(Geist der Disziplin als erstes Element der Moralität)*. Eine solche Disziplin ist aber auf Dauer bloß möglich, wenn die Gesellschaft bzw. einige Teilgruppen der Gesellschaft wie die Familie, eine religiöse Gemeinschaft oder eine Schulklasse für deren Mitglieder eine *emotionale Bedeutung* gewinnen. In jeder Gesellschaft gibt es Güter, die der einzelne Mensch nur als Mitglied der Gesellschaft genießen kann. Deswegen ist er ihr bzw. den für ihn bedeutsamen Teilgruppen in Liebe verbunden *(Anhänglichkeit an soziale Gruppen als zweites Element der Moralität)*. Den beiden genannten Elementen der Moralität entspricht eine *doppelte Aufgabe der moralischen Erziehung*: Unabhängig von allen gesellschaftlichen Besonderheiten muss der Nachwuchs dazu erzogen werden, sich umfassenden Gemeinschaften anzuschließen und die mit dieser Mitgliedschaft verbundenen Verpflichtungen zu übernehmen. Aus der Sicht Durkheims gibt es zwei Erziehungsziele, die sich in jeder Gesellschaft stellen: In jeder Gesellschaft müsse zum *Geist der Disziplin* und zur *Anhänglichkeit an soziale Gruppen* (z. B. die Familie, eine Schulklasse, eine religiöse Gemeinschaft, die Nation) erzogen werden.

Im Rückblick auf die Erziehungsgeschichte glaubt Durkheim erkennen zu können, dass die bisherige *religiöse Erziehung* mit ihrer Betonung von *Gottesfurcht* und *Gottesliebe* immer auch zur Vermittlung der beiden genannten Elemente der Moralität beigetragen habe. Mehr noch: Bis weit ins 19. Jahrhundert hinein sei moralische Erziehung weitgehend mit religiöser Erziehung identisch gewesen. Die innere Ökonomie der gegenwärtigen französischen Gesellschaft (konsequente Trennung von Kirche und Staat) lasse eine derartige Verquickung von religiöser und von moralischer Erziehung nicht mehr zu. Es müsse ein Stil der moralischen Erziehung begründet werden, der von allen religiösen Komponenten gereinigt sei. Mit dem Ausscheiden aller religiösen Elemente dürfe die Erziehung zum *Geist der Disziplin* und zum *Gemeinschaftsgeist* nicht gefährdet werden. Deswegen stehe die Pädagogik vor einer schwierigen Aufgabe: Sie müsse eine Methodik entwickeln, die das Gelingen einer von allen religiösen Elementen befreiten moralischen Erziehung garantiere.

Durkheim versucht diese Aufgabe zu lösen, indem er *die schulische Moralerziehung als Sozialisation methodisiert*. Es gilt, eine *Schulordnung* zu schaffen, die jeden einzelnen Schüler durchdringt, und ein *Schulleben* zu gestalten, das jeden einzelnen Schüler begeistert. Nicht der Lehrer ist der eigentliche Erzieher, sondern die aufbauenden oder zerstörenden *Kräfte*, die in jeder sozialen Gruppe stecken. Bei Comenius trat der Lehrer zurück hinter der *ordnenden Kraft, die in den Dingen steckt*, und bei Herbart hinter der *ordnenden Kraft, die vom menschlichen Gedankenkreis ausgeht.* Durkheim lässt den Lehrer zurücktreten hinter den Gemeinschaften, denen das Kind angehört (Familie, Schulklasse usw.). In ihnen vermutet er die Kräfte, die zur *Anhänglichkeit an soziale Gruppen* und zum *Geist der Disziplin* führen können. Der Lehrer wird zum Mittler zwischen dem Kind und der Gesellschaft, und insofern kann man ihm eine priesterliche Funktion zuschreiben:»So wie der Priester der Mittler Gottes ist, so ist er (der Lehrer, N. H.) der Vermittler der großen moralischen Ideen seiner Zeit und seines Landes.«(Durkheim 1984b, 196 f.)

Die anfängliche *Abhängigkeit der Pädagogik von der Theologie* (Comenius) hat sich zunächst zu einer *Abhängigkeit von der Praktischen Philosophie* (Herbart) und schließlich zu einer *Abhängigkeit von der Soziologie* (Durkheim) gewandelt. Doch dabei kann es nicht bleiben. Niemand wird heute noch an Durkheims Begriff der Gesellschaft festhalten wollen. Durkheim dachte die Gesellschaft als ein»Wesen sui generis«, als»soziales Wesen«und als»Kollektivpersönlichkeit«(Durkheim 1984b, 112).[3] Er zögert nicht, der Gesellschaft psychische Qualitäten wie Denken, Fühlen und sogar Handeln zuzuschreiben (Durkheim 1984b, 116). Die Seinsweise der Gesellschaft sei vergleichbar derjenigen eines Organismus. Auch die lebende Zelle sei mehr als die Summe der leblosen Moleküle, die sie zusammensetzen. Dementsprechend komme auch der Gesellschaft in einem höheren Grade Identität zu als ihren einzelnen Mitgliedern: Trotz des ständigen Wandels, der bei ihren einzelnen Gliedern stattfindet, bleibe die Gesellschaft sich selbst gleich. Mit Durkheims Begriff der Gesellschaft, der für uns inakzeptabel geworden ist, wird aber auch die Möglichkeit hinfällig, moralische Erziehung als eine in sich geschlossene, metho-

3. Vgl. Durkheim 1963, 56:»(...) nous avons vu, et il est de toute évidence, qu'en dehors de l'individu il n'existe qu'un seul être psychique, un seul être moral empiriquement observable, auquel notre volonté puisse s'attacher: c'est la société. Il n'y a donc que la société qui puisse servir d'objectif à l'acitivité morale. Seulement, il faut, pour cela, qu'elle remplisse plusieurs conditions. Tout d'abord, il faut de toute nécessité qu'elle ne se réduise pas à n'être qu'une simple collection d'individus; car, si l'intérêt de chaque individu pris à part, est dénué de tout caractère moral, la somme de tous ces intérêts, si nombreux qu'ils soient, ne saurait en avoir davantage. Pour qu'elle puisse jouer en morale un rôle que l'individu ne peut remplir, it faut qu'elle ait une nature propre, une personnalité distincte de celle de ses membres. (...) De même que la cellule vivante est autre chose que la simple somme des molécules non vivantes dont elle est formée, de même que l'organisme lui-même est autre chose qu'une somme des cellules, de même la société est un être psychique qui a sa manière spéciale de penser, de sentir et d'agir, différente de celle qui est propre aux individus qui la composent. Il y a un fait, notamment, qui rend très sensible ce caractère spécifique de la société; c'est la manière dont la personnalité collective se maintient et persiste, identique à elle-même, en dépit des changements incessants qui se produisent dans la masse des personnalités individuelles.«.

dische Sozialisation zu betreiben. Man wird die Gesellschaft und somit auch Sozialisation anders begreifen müssen. Sie lässt sich für uns nicht denken als über den Individuen stehendes Wesen, dem man wie früher dem personal gedachten Gott in Furcht und Liebe verbunden sein könnte.

3. Was ist das Wichtigste im menschlichen Leben?
Eine erziehungswissenschaftliche Anfrage bei der Theologie

Ich komme zum Schluss meiner Überlegung zum sich wandelnden Verhältnis von Theologie und Pädagogik. Bei meiner Suche nach Berührungspunkten zwischen Theologie und Erziehungswissenschaft bin ich auf das *Problem der sich wandelnden Wertorientierungen* gestoßen. Zunächst einmal verdienten einige Ergebnisse der empirischen Jugendforschung das gemeinsame Interesse beider Disziplinen. Bei den Phänomenen, welche die *empirische Werteforschung* beschreibt, handelt es sich allerdings um bloße *Oberflächenphänomene*. In der Tiefe haben sich säkulare Wandlungen vollzogen, die nur durch geistesgeschichtliche Forschung erschlossen werden können. An drei Beispielen habe ich gezeigt, wie das pädagogische Denken in den säkularen Prozess des Wertewandels eingebunden ist. Früher eingeschlagene Wege zur Begründung einer allgemeinen Erziehungsordnung sind nicht mehr gangbar. Insbesondere hat sich abgezeichnet, dass mit den sich wandelnden Wertorientierungen auch das Verhältnis von Theologie und Erziehungswissenschaft bzw. von Religionssystem und Erziehungssystem sich verändert hat. Das frühere Verhältnis einer *schlechthinnigen Abhängigkeit* der Pädagogik von der Theologie besteht nicht mehr. Während anfänglich *alle* Erziehung *religiöse* Erziehung war und auch als solche begründet wurde, musste später die *öffentliche* Erziehung in zunehmendem Maße von religiösen Elementen befreit werden. Im Zuge dieses Prozesses verwandelte diese sich in eine *schulische Sozialisation* von großer Disparität. Eine in sich geschlossene, allgemein verbindliche Erziehungsordnung gibt es nicht mehr. Der Platz, den in älteren Erziehungsordnungen *Gott* innegehabt hat, ist aus Sicht der heutigen Erziehungswissenschaft leer. Weder die Natur noch die menschliche Vernunft oder die Gesellschaft sind jedoch als Gottesäquivalente akzeptabel. Was ist dann aber das Wichtigste im menschlichen Leben? Die Frage nach dem unum necessarium, nach dem einzig Notwendigen im menschlichen Leben, müsste unter den Bedingungen einer sich immer stärker pluralisierenden und globalisierenden Gesellschaft neu gestellt werden. Das jedoch ist in ihrem Kern eine theologische Frage: Was ist denn das Wichtigste im Leben eines sterblichen Wesens, das sich als das Ebenbild eines unendlich gütigen Gottes besser zu verstehen sucht?

Diskurs zwischen Erziehungswissenschaft und Religionspädagogik: Weltbürgerliche Erziehung, evolutionäre Pädagogik und Religion

Annette Scheunpflug

In diesem Beitrag werden Überlegungen zum kulturellen Kontext und zum theoretisch-konzeptuellen Kontext des Diskurses zwischen Pädagogik und Religionspädagogik skizziert. Kulturell geht es um die Entwicklung zur Weltgesellschaft und die sich daraus ergebenden Implikationen; theoretisch-konzeptuell um das neue Theorieangebot einer evolutionären Erziehungswissenschaft. Beide Aspekte werden in einen biografischen Kontext gestellt. Dabei wird auf den grundsätzlich gegebenen gegenseitigen Einfluss zwischen zu erkennendem Objekt und erkennendem Subjekt verwiesen und dem Diskurs zwischen Erziehungswissenschaft und Religionspädagogik in dieser Hinsicht keine Sonderrolle eingeräumt.

Ausgangspunkt des Buches ist die Beobachtung der Herausgeber, dass der Bezug auf Religion in der Erziehungswissenschaft in den vergangenen Jahrzehnten kontinuierlich zurückgegangen und heute ausschließlich durch den individuellen Bezug der jeweiligen Wissenschaftler gegeben sei. Der individuelle Bezug sei es, der den Diskurs zwischen Pädagogik und Religionspädagogik bestimme. In den nachfolgenden Überlegungen wird der Diskurs zwischen der Pädagogik und der Religionspädagogik alles andere als systematisch nachgezeichnet (vgl. dazu Schweitzer 2003), sondern entlang der eigenen Forschungsschwerpunkte skizziert.

1. Kultureller Kontext: Die Entwicklung zur Weltgesellschaft

Für die Existenz von Religion in unserer Gesellschaft ist die Globalisierung bzw. die Entwicklung zur Weltgesellschaft von großer Bedeutung. Die Globalisierung führt zu einer Veränderung der Welt, die – nach Luhmann – als eine Entwicklung zur Weltgesellschaft beschrieben werden kann (vgl. Luhmann 1975). Mit ›Weltgesellschaft‹ und ›Globalisierung‹ verbinden sich ganz unterschiedliche Vorstellungen, je nachdem, ob man darüber in einem ökonomischen oder kulturellen Kontext spricht, je nachdem, ob man den Begriff in einem deskriptiven oder in einem normativen Sinne verwendet. Im Überblick über die verschiedenen Diskurse zur Weltgesellschaft lassen sich aber gemeinsame Merkmale dieser Entwicklung finden (vgl. ausführlich Scheunpflug 2003).

Die Dimensionen der Entwicklung zur Weltgesellschaft

In der *Sachdimension* lässt sich die Weltgesellschaft als gemeinsamer Problemzusammenhang eines Kommunikationsnetzes beschreiben (vgl. Luhmann 1975; 1995; Stichweh 1995). Das Überleben der Menschheit als Ganzes wird zum Teil ernstlich in Frage gestellt gesehen (vgl. UNDP 1999, 2 f.): Die wachsende wirtschaftliche Kluft zwischen den Ländern des Nordens und des Südens sowie innerhalb von Gesellschaften zwischen Armen und Reichen ist eine enorme Herausforderung. Der weltweit zunehmende Ressourcenverbrauch, das Erreichen von Nachhaltigkeit, die Einhaltung der Menschenrechte, die Sicherstellung von Demokratie und Partizipationsmöglichkeiten, die Verringerung der weltweiten Armut und die Ermöglichung von Sicherheit – vor allem in den Gebieten, die von kriegerischer Auseinandersetzungen in Bürgerkriegen oder zwischen Staaten bedroht sind – aber auch die Gewährleistung individueller Sicherheit und Schutz vor Terror, sind dominante aktuelle Herausforderungen. Für Einzelpersonen, für menschliche Gemeinschaften, für Staaten und für die Gemeinschaft der »Einen Welt« sind damit neue Herausforderungen entstanden, die für die Beurteilung einzelnen Verhaltens sowie für Fragen von Solidarität und Gerechtigkeit neue Beurteilungsmaßstäbe, Verstehenshorizonte und Handlungsperspektiven erfordern (vgl. für die Erziehungswissenschaft Scheunpflug/Hirsch 2000; Görgens u. a. 2001; Wulf/Merkel 2002).

Die Weltgesellschaft kann zweitens in einer *zeitlichen Dimension* beschrieben werden. Die Globalisierung führt, bedingt durch die modernen Medien, zu einer »Schrumpfung der Zeit« (UNDP 1999, 1) und einer Beschleunigung des sozialen Wandels, der gleichzeitig als Motor und Folge der Globalisierung beschrieben werden kann. Die weltweite Kommunikation wird immer schneller und überfordert nicht selten den Menschen mit seinem evolvierten Zeitempfinden (zum Beispiel im Umgang mit e-Mails). Der soziale Wandel ist schneller geworden als die Zeitspanne eines Generationenwechsels. Damit wird an Pädagogik und Erziehung eine besondere Aufgabe gestellt; denn zum ersten Mal in der Geschichte der Menschheit können sich Erzieher und Lehrkräfte nicht einfach nur an ihre Jugendzeit erinnern, um Heranwachsende zu verstehen. Konflikte zwischen Modernität und Tradition sind vielerorts die Konsequenz.

Das dritte Kennzeichen der Weltgesellschaft zeigt sich im Hinblick auf die *räumliche Dimension*. In einer globalisierten Gesellschaft verlieren Dinge ihren Anker im Raum. Die Globalisierung bedeutet eine Veränderung *des Raumes* und neue Formen der *Entgrenzung des Raums*. Durch neue Medien und Kommunikationsformen spielt der Raum eine immer geringere Rolle. Personen können zum Beispiel an Ereignissen über das Internet teilnehmen, ohne selbst anwesend zu sein. Es entstehen neue Strukturen, die sich nicht mehr an nationalstaatlichen Hierarchien entlang organisieren, sondern in neuen gesellschaftlichen Netzwerken (vgl. Castells 2002) organisiert sind. Gleichzeitig ist die Bedeutung von Räumen als Bezugsgröße für Handeln (beispielsweise in der individuellen Familienplanung) nach wie vor von Wichtigkeit. Der britische Soziologe Robertson (1995; vgl. für den deutschen Sprachraum Beck 1997, 90) spricht deshalb von »Glokalisierung« und meint damit die gleichzeitige Bedeutungszunahme von *lokalen wie globalen Prozessen*. Es entstehen neue soziale Beziehungen und veränderte Formen von Fremdheit, die weniger über räumliche Nähe oder nationalstaatliche Zugehörigkeit, sondern eher über die Zugehörigkeiten zu agierenden Netzwerken gekennzeichnet sind (Castells 2002).

In der *Sozialdimension* ist die Unterscheidung in Vertrautes oder Fremdes nicht länger nach räumlicher Nähe sortiert, sondern vielmehr ein Ausdruck sozialer Ausdifferenzierung oder Fragmentierung (Appadurei 1992). Der Unterschied zwischen privilegierten und nicht privilegierten Menschen zwischen und in Gesellschaften nimmt zu, gleichzeitig werden sich Lebenswelten in ähnlichen sozialen Kontexten über den Globus hin ähnlicher.

Die Bedeutung von Religionen

Diese Entwicklung zur Weltgesellschaft beeinflusst Religionen bzw. Religion. Auf allen Ebenen der Entwicklung zur Weltgesellschaft spielen Religionen eine bedeutende Rolle:

In *sachlicher Hinsicht* spielen Religionen eine große Rolle im Hinblick auf die ungelösten Probleme dieses Millenniums. Bedeutende politische Konflikte, wie der Nahost-Konflikt oder die Irak-Politik der USA sind ohne Bezug auf Religionen nicht zu verstehen. Hier vermischen sich hegemoniale Ansprüche, Lebensformen, kulturelle Praxen und religiöse Weltbilder zu komplexen Weltdeutungsformeln. Religiöse Deutungen sind in sie hinein verwoben, zum Teil werden sie für bestimmte Zwecke instrumentalisiert. Insofern hat die politische Bedeutung von Religion zugenommen. Die Vermischung mit Machtfragen führt zu einer moralisch aufgeheizten Situation, die nicht unbedingt leicht zu handhaben ist.

In *zeitlicher Hinsicht* führt die Beschleunigung des sozialen Wandels zu einer Zunahme individuell erlebter Unsicherheit, auf die Religionen verschiedene Formen von Antworten bereithalten. So genannte Jugendreligionen bzw. esoterische Bewegungen, die Erstarkung des auch christlichen Fundamentalismus, die Bedeutung katholischer und evangelischer Kirchentage, die Anziehung von Taizétagen sind Beispiele dafür, dass Religionen im Hinblick auf den Umgang mit Ungewissheit heute Deutungskraft besitzen und diese auch angenommen wird.

In *räumlicher* wie in *sozialer* Perspektive ist heute ein stärkeres Nebeneinander unterschiedlicher Religionen erlebbar. Gleichzeitig nimmt die Zahl der Menschen, die sich nicht zu einer Religion bekennen, zu. Die Volkskirchen verlieren ihre Bindekraft. Gleichzeitig entstehen überwiegend durch Migration bedingt weitere christliche Kirchen (wie unterschiedliche orthodoxe Glaubensgemeinschaften und Gemeinden von Christen nichtdeutscher Muttersprache; vgl. Affolderbach im Druck). Die Zahl von Menschen nichtchristlicher Religionen wächst. Die gesellschaftliche Pluralisierung von Religionen bedingt – neben neuen gesellschaftlichen und ordnungspolitischen Herausforderungen (im Überblick Guntau 2003) neue religionspädagogische Aufgaben, beispielsweise im Umgang mit pluralen und individualisierten Religionsvorstellungen und den damit verbundenen Fragen religiöser Milieubindung und Sozialisation (vgl. Shell 2000; Ziebertz u. a. 2003), im Hinblick auf interreligiöses Lernen (vgl. Asbrand 2000) oder die Organisation des Religionsunterrichts und den interreligiösen Dialog (Lähnemann 1998), um nur wenige zu nennen.

Es würde allerdings die Bedeutung von Religion sehr stark reduzieren, diese nur unter der Perspektive der Reaktion auf die Entwicklung zur Weltgesellschaft zu beobachten. Religion war und ist ein wirkmächtiger Impuls zur *Gestaltung* von Welt und damit auch Weltgesellschaft. Mit Religion werden Vorstellungen transportiert, wie Gesellschaft zu beeinflussen und auf sie einzuwirken ist. Das Christentum hat in seiner zweitausend Jahre alten Geschichte eine Reihe von wirkmächtigen Gesellschaftsvorstellungen entwickelt, wie – um nur wenige Beispiele zu nennen – die Spaltung zwischen dem ost- und weströmischen Reich, die Kreuzzüge, die Entwicklung des Kapitalismus, die Missionsgeschichte und die so genannten »europäischen Entdeckungen« etc. Die Pluralisierung und Demokratisierung unserer westlichen Gesellschaft ist in ihrer Entstehungsgeschichte eng mit einer auf Individualität setzenden Religion verbunden. Religiöse Vorstellungen gestalten Welt – positiv wird dies bei all den durch Religionen initiierten Friedensverhandlungen deutlich (wie zu Beispiel bei den Friedensverhandlungen in Mosambik, an denen der Christenrat von Mosambik und Kommunität von St. Ägidien in Rom einen erheblichen Anteil hatten; vgl. Sengulane 1994) und vor allem bei der immer wieder religiös motivierten Frage nach Gerechtigkeit (z. B. in der ökumenischen Bewegung für Frieden, Gerechtigkeit und Bewahrung der Schöpfung), in negativer Form bei religiös motivierter oder aber die religiöse Semantik als Deckmantel in Anspruch nehmender Gewalt.

Herausforderungen für pädagogische Praxis und erziehungswissenschaftliche Theorie

Diese Entwicklungen bringen gravierende Herausforderungen für pädagogische Praxis und erziehungswissenschaftliche Theorie mit sich, die eine enge Zusammenarbeit von Erziehungswissenschaft und Religionspädagogik bedeuten:

Religionen können – aufgrund der Vielfalt der Religionen und der gesellschaftlichen Säkularisierung – nicht mehr von einer *selbstverständlichen religiösen Sozialisation* ausgehen. Religiöse Erfahrung ist nicht mehr selbstverständlich teilbar, sondern bedarf, will sie nicht abgrenzend wirken, intensiver, interreligiöser Sprachfähigkeit. Damit gewinnt die religiöse Spracherziehung, aber auch der *interreligiöse Dialog* an Bedeutung. Gleichermaßen wird der intrareligiöse Dialog zwischen Angehörigen der gleichen Religion in ihrer lebensweltlichen Unterschiedlichkeit sowie der interkonfessionelle Dialog von Angehörigen der gleichen Religion unterschiedlicher Konfession oder Denomination sowie der interkulturelle Dialog Angehöriger gleicher Religion wichtig. Zudem ist die Kommunikation zwischen denjenigen, die mit religiöser Semantik vertraut sind, sowie denjenigen, für die Religion ein unbekanntes Phänomen ist, nicht einfach. Nicht nur der interreligiöse Dialog zwischen Religionen wird zur pädagogischen Herausforderung, sondern auch der zwischen denjenigen, die sich einer Religion zugehörig fühlen und denjenigen, die sich bewusst oder unbewusst, gegen jede Form von Religion entschieden haben.

Die Heterogenität möglicher Religionserfahrungen bedeutet eine neue Situation für das *Einüben in Religion* als zweite Herausforderung. Der Verlust selbstverständlicher religiöser Sozialisation führt tendenziell dazu, dass die intentionale religiöse Sozialisation (Treml nennt diese Form von Erziehung extensionale Erziehung; vgl. 2000, 75) an Bedeutung gewinnt. Dies dürfte einer der vielen Gründe dafür sein, dass Schulen in religiöser Trägerschaft auf größeres öffentliches Interesse stoßen. Das bedeutet zudem, dass über eine basale *religiöse Alphabetisierung* nachgedacht werden sollte, um Religion innerhalb einer Gesellschaft überhaupt gesellschaftlich (und das heißt: außerhalb des religiösen Systems) kommunizierbar zu halten. Die durch christliche Traditionen geprägte Alltagskultur der Bundesrepublik lässt sich – unabhängig vom eigenen Glauben – für immer weniger junge Menschen entziffern. Der Bedeutungsgehalt christlicher Feste, die historische Entwicklung Deutschlands, die rechtliche Verfasstheit des Religionsunterrichts – das alles lässt sich kulturell nicht verstehen, ohne über basales Wissen über die christliche Religion zu verfügen. Der Wissensrückgang im Hinblick auf Religion könnte Anlass sein, die Rolle und die Leistung des Religionsunterrichts zu reflektieren. »PISA-Religion« könnte über die bisher in der empirischen Religionspädagogik angewandten Einstellungs- und Erfahrungsuntersuchungen zum Religionsunterricht eine konstruktiv-kritische Diskussion über die Leistungsfähigkeit dieses Schulfaches ermöglichen. Dazu wäre es nötig, dass nicht nur Wissensbestände identifiziert, sondern vor allem über ein Konstrukt »religiöse Kompetenz« diskutiert würde. Die zunehmende religiöse Heterogenität fordert zudem neue Praxen religiöser Unterweisung. Der klassische, christliche, konfessionell geprägte Unterricht ist dabei neben säkularen Formen wie Lebensgestaltung-Ethik-Religion oder Religionskunde eine Möglichkeit; eine andere der gemeinsame Religionsunterricht aller Schülerinnen und Schüler (vgl. Asbrand 2000). Drittens sollte diese Situation Konsequenzen für die Ausbildung von Religionslehrerinnen und –lehrern haben. Es fehlt in Deutschland eine *religionspädagogische Ausbildung* für den nicht-katholischen bzw. den nicht-evangelischen Religionsbereich. Die Anzahl der orthodoxen Schülerinnen und Schüler steigt ebenso an, wie die der muslimischen und der jüdischen. Schülerinnen und Schüler haben ein Recht auf eine an die Moderne anschlussfähige religiöse Bildung, und vor diesem Hintergrund sind die Bestrebungen, Religionslehrer nicht-christlicher Religionen oder christlich-orthodoxen Hintergrunds auf akademischem Niveau auszubilden, zukunftsweisend.

Viertens stellen sich neue Herausforderungen der Theoriearbeit sowohl für die Erziehungswissenschaft als auch für die Religionspädagogik. Erziehung kann ohne eine ethische Fundierung nicht auskommen und die Frage nach Gerechtigkeit und nach der Erziehung zu moralischen Kategorien verliert nicht an Aktualität. Dabei geht es um den persönlichen Lebensvollzug ebenso wie um die Normen politischen Handelns in der Weltgesellschaft. Hier sind beide Disziplinen, die Religionspädagogik wie die Erziehungswissenschaft, herausgefordert. Im Hinblick auf die religionspädagogische Theoriebildung ist es von Bedeutung, den jeweiligen Wahrheitsanspruch von einzelnen Religionen zu beobachten. Da die Theologie als eine Supertheorie per se mit einer universellen Perspektive argumentiert, kann gerade vor dem Hintergrund religiöser Heterogenität der interdisziplinäre Dialog mit der Erziehungswissenschaft nur gelingen, wenn dieser Anspruch metatheoretisch aufgelöst und abstrakt – mit Verlust auf den entsprechenden Universalitätsanspruch – bearbeitet wird. Je moralaufgeheizter das Praxisfeld, umso sinnvoller ist der Zugang zu ihm unter quasi klinischen Bedingungen der strengen Kontrolle von Moralität.

2. Theoretisch konzeptueller Kontext: System- und Evolutionstheorie

Eine Möglichkeit eines solchen »klinischen« Theorichintergrunds bieten System- und Evolutionstheorien. Sie stehen sowohl dem christlichen, schöpfungstheoretisch geprägten Weltbild als auch der pädagogisch dominanten Theoriekonstruktion entlang pädagogisch intendierter Handlungen abgrenzend gegenüber. Gerade diese Distanz ermöglicht die Beobachtung von Heterogenität und unterschiedlichen Geltungsansprüchen; allerdings zum Preis von Abstraktheit und Praxisferne – für die Pädagogik manchmal eine nicht auflösbare Hypothek.

Schöpfungs- und Evolutionslogik

Traditionell wird in der Erziehungswissenschaft – wie in den Geisteswissenschaften insgesamt – Theorie entlang einer Ziel-Mittel-Ergebnis-Relation gedacht, die von den Intentionen eines Urhebers ausgeht. Eine solche Theoriebildung entspricht anthropologisch dem Anthropozentrismus menschlichen Denkens und kulturell dem in der christlichen Überlieferung, aber auch in anderen Religionen transportierten Schöpfungsgedanken. Eine Schöpfung setzt den Schöpfungsakt eines Schöpfers voraus. In den großen Buchreligionen gehört der Schöpfer nicht zur Welt, sondern ist – als Gott – ihr souveränes Gegenüber.

System- und Evolutionstheorien operieren hingegen in einer ganz anderen Logik (vgl. in der Gegenüberstellung zwischen Schöpfungs- und Systemtheorien Baumann/Treml 1990). Das durch die »Entstehung der Arten« vermittelte Geschichtsbild war es unter anderem, das die Zeitgenossen Darwins erschütterte. Es stand nicht mehr ein Schöpfer, der Ziele verfolgte und diese in einem Schöpfungsvorgang durch unterschiedliche Mittel umsetzte, im Mittelpunkt der Theorie. Vielmehr wurde die Schöpfung über einen Selbstentwicklungsprozess in den Mechanismen von Variation und Selektion interpretiert. Wir legen heute das biblische Schöpfungsverständnis naturwissenschaftlicher Theoriebildung selbstverständlich nicht mehr zugrunde. Häufig prägt es aber nach wie vor die Logik pädagogischen Denkens (vgl. Treml 2002).

Das Spezifikum evolutions- und systemtheoretischer Entwürfe – und damit auch das faszinierende Neue – liegt darin, dass diese Theorien abstrakte Denkkategorien anbieten und Phänomene nicht mehr durch Zweck-Mittel-Relationen oder Ursache-Wirkungen kausal erklären, sondern vielmehr auch nicht-deterministische Prozesse unterstellen, die durch verschiedene Randbedingungen und Zufälle entstehen. Beide Theorieofferten stellen eine »Provokation für die Pädagogik« (Hof 1991) dar. Anders als Schöpfungs- und Handlungstheorien interpretiert dieses Paradigma Veränderungen nicht durch Intentionen, Ursachen oder kausale Ereignisse (obwohl es diese natürlich gibt!), sondern sieht sie in Reaktion auf eine vorausgegangene Entwicklung in Form von Strukturveränderungen von Systemen durch die evolutionären Mechanismen Variation, Selektion und Stabilisierung bedingt. Mit der Evolutions- und Systemlogik wird die wissenschaftliche Reflexion von Veränderungsprozessen von der Einheit einer Handlung mit all den dazugehörigen Elementen wie Objekt, Subjekt, Intention, Medium etc. auf die Differenz zweier Angebote, nämlich einem System und seiner jeweiligen Umwelt, die sich als gegenseitige Variation, Selektion oder Stabilisierung erweisen, umgestellt. Diese Perspektive hat tiefgreifende Konsequenzen im Hinblick auf einen veränderten Umgang mit Heterogenität und Komplexität. Sie ermöglicht die gleichzeitige Beobachtung unterschiedlicher Wahrheitsansprüche.

Aus systemtheoretischer Perspektive wird Religion im Hinblick auf ihre Funktionalität als spezifische Kommunikation in einer Gesellschaft beobachtet. Systemtheorie operiert oberhalb konkreter Religionen; sie bezieht sich abstrakt auf die Funktionalität des Religiösen (vgl. dazu Luhmann 1977; 2000; auch Kött 2003). Im Folgenden kann keine systemtheoretische Religionstheorie entfaltet werden; das wäre vermessen. Der Verlust von Kritik und der Gewinn an Aufklärung

Diese durch die Systemtheorie möglich werdende gleichzeitige Beobachtung heterogener Wahrheitsansprüche geht einher mit einem Verlust an Kritikfähigkeit. Kritik setzt das bessere Wissen voraus, Aufklärung dagegen nur die andere Perspektive eines Beobachters. System- und Evolutionstheorien bieten Aufklärung (und Aufklärung der Aufklärung) über vergessene oder übersehene Zusammenhänge angesichts hoher Komplexität. Sie sind damit keine »kritische Theorie« in dem Sinne, dass sie beispielsweise die kapitalistische Gesellschaft kritisierten und normativ eine bessere Welt forderten. Das würde der Grundannahme von der Komplexität unserer Welt widersprechen. Diese besagt ja eben, dass Wissen immer unvollständig und deshalb jedes Handeln riskant ist. Anstatt selbst normativ die Welt verbessern zu wollen, klären Evolutions- und Systemtheorie unter anderem gerade über dieses – in vielen Gesellschaftswissenschaften wie in der Politikwissenschaft, der Pädagogik oder der Soziologie – weit verbreitete normative Erwarten auf (vgl. die Auseinandersetzung zwischen Habermas/Luhmann 1971). System- und Evolutionstheorien erhöhen damit das wissenschaftliche Potenzial zur Erfassung und Reduktion von Komplexität und klären so darüber auf, warum etwas klappt, wenn es klappt, und wenn es nicht geht, warum es nicht geht. Nicht Forderung, sondern *Überforderung* ist das Problem, auf das reagiert wird: »Nicht Diskreditierung, sondern Überforderung wird jetzt zum Problem der Aufklärung« (Luhmann 1970, 71).

Diese Grundentscheidung der Beobachtung von Beobachtungen ist einerseits für die Religionspädagogik ein herber Verlust. Die in Religion implizite Normativität geht durch diese Theoriebildung verloren bzw. wird nicht mehr mittransportiert. Es ist die Frage, ob Religion damit zurecht kommen kann. Gleichzeitig wird Religion damit andererseits in ihrer Funktionalität beobachtbar und die Anerkennung von Heterogenität ermöglicht. Von daher könnte diese Theoriebildung ein fruchtbares Anregungspotenzial für die Religionspädagogik darstellen.

Religionspädagogische Anregungen

Diese Theorieanregungen sind für die Erziehungswissenschaft als »evolutionäre Pädagogik« (Treml 2002; Scheunpflug 2002) fruchtbar gemacht worden. Sie liegt als ausgearbeitete didaktische Theorie vor (Scheunpflug 2001). Dabei geht

es um eine Unterrichtstheorie, die einerseits Unterricht in seiner Vermittlungs-
aufgabe ernst nimmt, ihn andererseits aber konsequent als selbst organisierten
Lernprozess reflektiert. Unterricht wird hier nicht mehr als kausaler Durchgriff
von Zielen auf Mittel und sodann auf Unterrichtsergebnisse beschrieben, sondern als ein Prozess interpretiert, in dem -- wie in einem evolutiven Prozess –
Variationen und Selektionen aufeinander treffen (vgl. ausführlich Scheunpflug
1999; 2001). Unterricht kann als ein lebendiges Geflecht der Kommunikation
unterschiedlicher Systeme, die füreinander Umwelten sind, interpretiert werden. Die Richtung der Entwicklung wird dann nicht mehr durch die Zielperspektiven des Variationsangebots bestimmt, sondern durch die Struktur, in der
ein Angebot selektiert wird. Diese Theorie des Unterrichtsprozesses interpretiert das geplante Handeln von Lehrkräften als Handlung, die in einem evolutiven Prozess nicht mehr planbar ihre Wirkung entfaltet. Das, was im Unterricht passiert, ist das komplexe Zusammenspiel aller Kommunikationen, die
auf Lehrkräfte und Schüler einwirken.

Die Rezeption dieses Theorieangebots in der Religionspädagogik sieht
durchaus hilfreiche Aspekte für das Verständnis von Unterricht (vgl. Büttner/
Dieterich 2004), klagt aber ein, dass die Rolle normativer Orientierungen im
Unterricht durch ein solches Theorieangebot nicht hinreichend zu berücksichtigen sei (vgl. Schweitzer 2003). Die Begründung normativer Orientierungen
über Anschlussmöglichkeiten an zukünftige Kommunikation stellt für religionspädagogische Konzepte ein Problem dar, da zumindest oberflächlich der
Eindruck entsteht, dass sich damit die normative Grundlage der Religionspädagogik selbst auflöst. Ob eine solche Theorieofferte deshalb langfristig überhaupt an religiöse Kommunikation (und damit auch die Religionspädagogik)
anschlussfähig sein könnte, bleibt zweifelhaft. Gleichwohl – und das zeigen die
Arbeiten von Karl-Ernst Nipkow (1998, 1999, 2002; siehe nächster Abschnitt) –
gibt es aber durchaus auch interessante Berührungsflächen dort, wo es um die
Beschreibung von Entstehungsbedingungen für Normen geht.

Das evolutionäre Menschenbild

Aus evolutionärer Perspektive wird nach der Funktionalität von Religion für
Individuen gefragt. Die Forschung zu diesem Thema aus Sicht moderner evolutionärer Theoriebildung ist in den letzten Jahren erst in Gang gekommen
(vgl. Söling 2002; Voland/Söling 2004; Lüke u. a. 2004). Danach wäre Religion
durch vier Domänen gekennzeichnet: Mystik, Ethik, Mythos und Ritual. Jeder
dieser Bereiche stellt eine spezifische Form von Angepasstheit dar und erfüllt
eine spezifische Funktion: »Mystik beruht auf intuitiven Ontologien und dient
der Kontingenzbewältigung und Entscheidungsfindung in einer fluktuierenden

und unsicheren Umwelt. Ethik erhöht die Sozialkompetenz und ermöglicht Kooperationsgewinne. Mythen dienen als Identität stiftende soziale Bindemittel der in-group/out-group Differenzierung und Rituale schließlich exekutieren das Handicap-Prinzip zur Etablierung verlässlicher moralischer Standards innerhalb der Gruppe.« (Voland/Söling 2004, 60 f.). Die Autoren verbinden mit dieser Art naturwissenschaftlich-anthropologischer Forschung die Vermutung, dass sie dazu beitragen könnte,»die Bedeutung der Religiosität in den biologischen, psychologischen und pädagogischen Anthropologien eher [zu] stärken und die Aufmerksamkeit ihr gegenüber eher zu vermehren« (ebd., 62) als zur Schwächung der Religion durch deren biologische Aufklärung beizutragen.

Zwar wird bisher die Evolutionäre Ethik in der Religionspädagogik rezipiert und diskutiert (z. B. Nipkow 1998, 1999) und auch am Rande der Denkschrift der EKD zu»Evangelische Perspektiven zur Bildung in der Wissens- und Lerngesellschaft« kursorisch aufgegriffen (EKD 2003, 51 f.), die Rezeption und Diskussion einer evolutionären Religionstheorie ist mir hingegen in der Religionspädagogik nicht bekannt.

3. Biographische Einbettung

Wie kommt es biographisch zu einem Interesse an Religion, Weltgesellschaft und evolutionären Theorien? Eine solche Selbstinterpretation ist mit Vorsicht zu genießen; schließlich sagen biographische Narrationen eher etwas über den Kontext der Narration als über die Biographie selbst aus.

Aus familiärer Tradition und aus Interesse an Abenteuer, dem Wunsch nach Selbstständigkeit und eigener Verantwortung habe ich seit meinem neunten Lebensjahr mit wachsender Begeisterung eine evangelische Pfadfindergruppe (des Verbands Christlicher Pfadfinderinnen und Pfadfinder, VCP) besucht. Drei Erfahrungen waren hier sehr wichtig: zum einen die Sozialisation in eine Religion, die sich offen für sehr viele gesellschaftliche Fragen zeigte und sich in ihren Formen stark von den als langweilig empfundenen gemeindlichen Aktivitäten und Zumutungen des Religionsunterrichts absetzte, des weiteren frühe Erfahrungen mit Internationalität und Interreligiosität, zum Beispiel in der Begegnung mit anglikanischen oder muslimischen Pfadfinderinnen und Pfadfindern sowie zudem die durch diesen Jugendverband gegebenen großartigen Möglichkeiten der Erfahrung von Selbstwirksamkeit und den Möglichkeiten zu Engagement und Erfahrungsfülle. Die positiven internationalen Erfahrungen wurden auch durch die Schule unterstützt, die über die Partnerstadt einen intensiven Schüleraustausch nach Frankreich ermöglichte.

Ein privat organisierter Schüleraustausch nach Südafrika (in Zeiten der

Apartheid 1981) sowie ein dreimonatiger solidarischer Lernaufenthalt in Peru nach Ende der Schulzeit über den Pfadfinderverband konfrontierte mich nachdrücklich mit Fragen des Rassismus, politischer Marginalisierung, Armut und Entwicklungszusammenarbeit. Der Aufenthalt in Peru war eingebettet in ein langjähriges Engagement für ein integriertes kommunales Entwicklungsprojekt in den Anden und entwicklungsbezogene Bildungsarbeit im Jugendverband.

Das Lehramtsstudium (Lehramt Grundschule) ermöglichte mir mit dem Nebenfach evangelische Religionspädagogik (Universität Bamberg bei Rainer Lachmann) den Zugang zu theologischen und religionspädagogischen Fragen, die sich mit dem gleichzeitigen Engagement in der Arbeitsgemeinschaft der Evangelischen Jugend (dort vertrat ich den VCP) ergänzten und vertieften.

Nach dem Vorbereitungsdienst für das Lehramt an Grundschulen begann ich eine Promotion. Dass meine Bewerbung in einem Forschungsprojekt der DFG zur »Geschichte der entwicklungspolitischen Bildung in Deutschland«; vgl. Scheunpflug/Seitz 1995) Erfolg gehabt hatte, war sicherlich weniger durch meinen Studienabschluss als vielmehr durch meine persönlichen Erfahrungen und meinem Zugang zum Forschungsfeld begründet. Sehr interessant war für mich die Möglichkeit, mit dieser Tätigkeit mich auch intensiv mit Theorie beschäftigen zu können, nachdem ich schon lange mit den handgestrickten Weltkonzepten solidarischer Dritte-Welt-Arbeit unzufrieden war. Zunächst experimentierte unsere Forschergruppe mit Chaostheorien als Theoriegrundlage einer erziehungswissenschaftlichen Entwicklungstheorie (vgl. Scheunpflug/Seitz 1992) bis wir dann intensiv – und mit durchaus sehr unterschiedlichen Ergebnissen – evolutionäre Theorien bearbeiteten (vgl. Seitz 2002; Treml 2004). Sehr viel habe ich dabei von Alfred Treml gelernt.

Die Arbeit im Jugendverband führte später zur Berufung in die damalige »Jugendkammer« der Evangelischen Kirche in Deutschland – und die Mitgliedschaft dort sowie nachfolgend in der Kammer der EKD für Bildung und Erziehung, Kinder und Jugend bedingte weitere Forschungsideen und Arbeitsschwerpunkte.

Mit diesen selektiven biografischen Eindrücken scheint die eingangs genannte Hypothese gestärkt. Auch wenn man die Geschichte so erzählte, dass die Verbindung von Gemeindepädagogik in der Jugendarbeit, mit einem Lehramtsstudium, in dem Scheine in Theologie oder Philosophie verpflichtend vorgeschrieben waren, Begegnungen mit Religionspädagogen, die sich der Erziehungswissenschaft eng verbunden sahen, sowie mit Erziehungswissenschaftlern mit breitem theologischem Hintergrund, auf die enge historisch gewachsene Verbindung von Erziehungswissenschaft und Theologie verweist, wird dennoch erkennbar, dass der selbstverständliche konzeptionelle Bezug beider Disziplinen nicht selbstverständlich ist, sondern eines individuellen Anknüpfungspunktes bedarf. Ist dieser Anknüpfungspunkt jedoch spezifisch für das

Verhältnis von Religionspädagogik und Erziehungswissenschaft? Wohl eher nicht. Die Ausdifferenzierung der Erziehungswissenschaft führt zu einer großen Vielfalt möglicher Anknüpfungspunkte. Jede Forschung ist in einer Mischung von biographischen, organisatorischen, zufälligen, wissenschaftsimmanenten und Zeitgeist bedingten Aspekten begründet, die sich selbstreferentiell gegenseitig anregen. Wissen und Wissenschaft lässt sich ohne das Bewusstsein von Menschen nicht vorstellen. Zwar ist die Wissenschaft als soziales System dabei, sich zunehmend von dieser Zurechnung zu lösen. Wissen (oder hier: den Diskurs zwischen der Pädagogik und der Religionspädagogik) wird zunehmend von individuellem Bewusstsein bzw. dem jeweiligen »Sitz im Leben« losgelöst betrachtet (vgl. dazu ausführlich Luhmann 1992, 11-67); dennoch bleibt die Frage nach individuellen Bezügen gerade in den Wissenschaftsbereichen, die mit persönlichem Handeln unmittelbar verbunden sind, von hoher Relevanz. Und gerade die Erziehungswissenschaft als auch die Religionspädagogik werden sich von diesem individuellen Bezug wohl schwerlich lösen können.

Die religiöse Dimension der wissenschaftlichen Pädagogik in der Pluralität – Traditionen, Herausforderungen, Lösungsmodelle

Friedrich Schweitzer

Lange Zeit schien das Thema Religion in der wissenschaftlichen Pädagogik keine Rolle mehr zu spielen. Die einst so intensiven Diskurse zwischen Erziehungswissenschaft und Theologie etwa im Umkreis des Comenius-Instituts in den 1950er und 60er Jahren (vgl. dazu jetzt Elsenbast u. a. 2004, auch Kaufmann u. a. 1991) wurden zunehmend einer Zeit zugeordnet, an deren Voraussetzungen sich schon seit Jahrzehnten nicht mehr anknüpfen ließ. Der Versuch, gleichwohl an einer katholisch fundierten Pädagogik festzuhalten (s. etwa Böhm 1992, Schmid-Jenny 1995) ändert an dieser Einschätzung ebenso wenig wie die gelegentlichen Hinweise auf »Klassiker christlicher Erziehung« (März 1988), weil beides offensichtlich zumindest den Mainstream der erziehungswissenschaftlichen Theoriediskussion gar nicht erreichte.

Auch der vorliegende Band sollte nicht vorschnell als Beleg für die Wiederbelebung des Diskurses zwischen Pädagogik, Theologie und Religionspädagogik gewertet werden. Und doch ist es wohl nicht einfach Zufall, dass er sich in eine bemerkenswerte Reihe von Neuerscheinungen einordnen lässt – über »Formen des Religiösen« als Herausforderung für die pädagogische Anthropologie (Wulf/Macha/Liebau 2004), über Religion und Theologie als »verdrängtes Erbe« von Pädagogik und Erziehungswissenschaft (Oelkers/Osterwalder/Tenorth 2003) oder über das Verhältnis von »Erziehungswissenschaft, Religion und Religionspädagogik« (Groß 2004 – mit Beiträgen von D. Benner, H. Peukert, J. Oelkers und V. Ladenthin). Auffällig ist darüber hinaus ein neues erziehungswissenschaftliches Interesse etwa an den »Transformationen des Religiösen in der Reformpädagogik« (Baader 2005) oder an Schulen in evangelischer Trägerschaft (Standfest/Köller/Scheunpflug 2005). Ebenso gehört der mir erteilte Auftrag, für die Reihe »Grundriss der Pädagogik/Erziehungswissenschaft« eine eigene Monographie zur Einführung in »Pädagogik und Religion« zu schreiben (Schweitzer 2003b), in diesen Zusammenhang. Auch wenn die genannten Veröffentlichungen nicht durchweg Rechenschaft darüber ablegen, aus welchen Hintergründen das neue pädagogische Interesse an Religion erwächst, dürfte die veränderte Situation einer zum Teil Furcht einflößenden Präsenz von Religion in Gesellschaft und Öffentlichkeit dabei eine nicht zu vernachlässigende Rolle spielen. Der 11. September 2001 ist dafür zu einem traurigen Symbol geworden, das manchmal übersehen lässt, dass die verstärkt öffentliche Präsenz von Religion keineswegs auf Terrorismus oder Fundamentalismus eingeschränkt werden darf. Vielmehr entspricht es einer zunehmend multikulturellen und multireligiösen Gesellschaft, dass Religion einen veränderten Stellenwert auch auf der erziehungswissenschaftlichen Tagesordnung einnehmen sollte. Ein neuer Anlauf zu einem Diskurs zwischen Pädagogik und Religionspädagogik könnte daher derzeit besonders sinnvoll sein.

Die Beiträge des vorliegenden Bandes lassen ebenso wie die genannten Veröffentlichungen unschwer erkennen, dass der Zusammenhang von Religion und Pädagogik in mindestens vier Hinsichten aktuell bleibt:

– Hinsichtlich einer religiösen oder nicht-religiösen Begründung von Normen und Werten.

– Hinsichtlich der pädagogischen Anthropologie und des Menschenbildes mit seinen religiösen und weltanschaulichen Prägungen.

– Im Blick auf den pädagogischen Umgang mit Religion und Religionen in der (Welt-)Gesellschaft, aber auch in der individuellen Lebensgeschichte.

– Für das Anliegen einer Selbstaufklärung der Erziehungswissenschaft, das sowohl persönliche Prägungen (also die Autobiographie von Erziehungswissenschaftlerinnen und Erziehungswissenschaftlern) einschließt als auch den geschichtlich gesehen enormen Einfluss von Religion auf die Pädagogik in Deutschland und Europa.

Der vorliegende Beitrag soll sich gemäß der Konzeption dieser Publikation auf Konstitutionsfragen konzentrieren. Es wird also nicht um den gesamten Umkreis möglicher Schnittstellen zwischen Religion und Pädagogik gehen (dazu Schweitzer 2003b). Stattdessen möchte ich die These entfalten, dass zwar die traditionelle Form der religiösen Grundlegung von Erziehungslehren – noch ganz abgesehen von wissenschaftstheoretischen Fragen im engeren Sinne – schon angesichts der gesellschaftlichen, kulturellen und religiösen Pluralität in der Gegenwart für die Erziehungswissenschaft nicht zukunftsfähig ist, dass sich zugleich aber auch viele der modernen, sich von dieser Tradition bewusst absetzenden, disjunktiven Zuordnungen von Religion und Erziehungswissenschaft als problematisch erweisen. Deshalb ist heute die Suche nach neuen Zuordnungsmöglichkeiten jenseits des Gegensatzes zwischen Tradition und Moderne angezeigt.

1. Die Tradition: Religiöse Grundlegung von Erziehungslehren

Bei der Frage nach der traditionellen religiösen Grundlegung von Erziehungslehren wird auch in den erziehungswissenschaftlichen Beiträgen des vorliegenden Bandes gerne an frühe Vertreter wie Klemens von Alexandrien, Thomas von Aquin oder Johann Amos Comenius gedacht, die in der Regel nicht der

Neuzeit oder Moderne zugerechnet werden. Weniger bewusst ist die enorme Wirksamkeit konfessioneller Erziehungslehren auch im 19. Jahrhundert (dazu etwa Horn 2003), gerade in ihrer bleibenden Dominanz gegenüber den tendenziell erfolglosen Versuchen, Erziehungslehren naturwissenschaftlich-empirisch zu begründen (Oelkers 2004), und ebenso vergessen scheint der durchaus enge Zusammenhang zwischen Religion und pädagogischer Wissenschaftsentwicklung im 19. Jahrhundert (Tenorth 2003). Dass im 20. Jahrhundert nicht nur Autoren wie Esterhues und Henz (zu beiden vgl. Lüth im vorl. Band), die heute fast vergessen sind, sehr deutlich auf religiöse Begründungen zurückgriffen, sondern eben auch höchst einflussreiche und bis heute als klassisch angesehene Vertreter wie E. Spranger oder W. Flitner (dazu Schweitzer 2003b, S. 34 ff.), wird nur selten erinnert oder genauer untersucht. Das religiöse oder theologische »Erbe« der Erziehungswissenschaft (Oelkers/Osterwalder/Tenorth 2003) ist keine Angelegenheit nur einer fernen Vergangenheit, sondern reicht offenbar an die Gegenwart heran. Doch ist dabei keineswegs nur an direkte Rezeptions- oder Abhängigkeitsverhältnisse im Blick auf bestimmte Autoren zu denken. Vielmehr geht es um Grundfragen der abendländischen Geschichte und Tradition – etwa der Begründung von Pädagogik und Ethik zwischen Judentum und Christentum, die derzeit in der Erziehungswissenschaft kaum einmal thematisiert werden (als bemerkenswerte Ausnahme vgl. jedoch Brumlik 1992, 2001, 2002 u. ö.).

Die christliche oder, seit dem 19. Jahrhundert: zunehmend konfessionelle (also katholische oder evangelische) Grundlegung von Pädagogik (Dursch 1851, Palmer 1853, Überblick: Erlinghagen 1971) war so angelegt, dass das christliche bzw. evangelische oder katholische Verständnis von Anthropologie, Ethik und Religion als verbindliche Grundlage aller Pädagogik gelten sollte. Palmer bemüht sich in dieser Absicht ausdrücklich um den Nachweis der Konvergenz des Christlichen und des Humanen (Palmer 1864, 199). Dursch (1851) bezeichnet seine Pädagogik schon im Titel als »Wissenschaft der christlichen Erziehung auf dem Standpunkte des katholischen Glaubens«, ohne die Spannung zwischen der »Standpunkt«-Bezogenheit solcher Wissenschaft und deren allgemeinem Anspruch auflösen zu können. Alle Pädagogik sollte dem gewählten Standpunkt entsprechen. Dies war, in heutiger Sicht geurteilt, wohl eher eine religionspolitische als eine wissenschaftliche Forderung.

Die Plausibilität solcher Entwürfe setzt gleichsam eine vorab gegebene Bereitschaft dazu voraus, sich mit der jeweiligen konfessionellen oder religiösen Ausrichtung zu identifizieren. Insofern entspricht sie den zumindest regional relativ geschlossenen religiösen Verhältnissen, deren endgültige Auflösung vor allem in der zweiten Hälfte des 20. Jahrhunderts angesetzt wird (etwa mit der Auflösung des katholischen Milieus, Gabriel 1993). Insofern sollte – trotz der Bedenken bei C. Lüth (im vorl. Band S. 57) – doch eine deutliche Parallelität zwischen der Entwicklung von Erziehungswissenschaft und gesellschaftlichen bzw. kulturellen und religiösen Veränderungen angenommen werden, auch wenn das Zusammenspiel zwischen Gesellschaft oder Kultur und Wissenschaft gewiss nicht in simplen Relationen etwa von »Basis und Überbau« abgebildet werden kann. Unter den Voraussetzungen gesellschaftlicher, kultureller und religiöser Pluralität war und ist eine Rückkehr zu einer solchen Grundlegung der wissenschaftlichen Pädagogik jedenfalls nicht mehr plausibel zu machen. Ein katholisches oder evangelisches Programm kann nicht mehr auf allgemeine Zustimmung hoffen (jedenfalls solange es seine allgemeine Geltung nicht auszuweisen vermag, was konfessionellen Programmen heute prinzipiell kaum oder gar nicht zugetraut wird).

Nicht mehr befriedigen kann heute allerdings die auch in den erziehungswissenschaftlichen Beiträgen des vorliegenden Bandes mitunter anzutreffende Annahme einer Säkularisierung, aufgrund derer Religion ihren Einfluss in der Gesellschaft überhaupt eingebüßt hätte (dazu kritisch und differenzierend Berger 1999, Pollack 2003). Auszugehen ist eher von einer religiösen Pluralität und einer religiösen Individualisierung – nicht von einem Religionsverlust insgesamt, sondern von einer wachsenden Vielfalt des Religiösen (mit zahlreichen Belegen: Schweitzer u. a. 2002). Die früher geläufige Gleichsetzung von gesellschaftlicher Modernisierung und Säkularisierung wird inzwischen in der (Religions-)Soziologie kaum mehr vertreten. Daraus ergeben sich für die Erziehungswissenschaft im Blick auf Religion mindestens zwei Herausforderungen:
– *Zum einen* muss das Verhältnis von Pädagogik und Religion angesichts religiöser Pluralität neu bestimmt werden. Wenn es stets mehrere religiöse Traditionen und Orientierungen in der Gesellschaft gibt, kann sich die wissenschaftliche Pädagogik von vornherein nicht auf nur eine davon festlegen.
– *Zum anderen* muss eigens beantwortet werden, wie das Verhältnis von Religion und Pädagogik in Zukunft – angesichts bleibender Einflüsse von Religion und des Zweifels an der Säkularisierung – aussehen soll.
Die Frage nach religiösen Grundlegungen und Prägungen von Erziehungslehren muss in der Situation der Pluralität zugleich über die sog. christlich-abendländische Tradition hinaus auch für andere Religionen gestellt und untersucht werden, was namentlich in Deutschland bislang weithin unterbleibt (vgl. dazu etwa bereits die Anlage des »Historischen Wörterbuchs der Pädagogik« mit seiner Zentrierung auf die griechisch-römische Antike und das Christentum, Benner/Oelkers 2004). Auch die internationale Diskussion bietet dazu aber noch vergleichsweise wenig Anstöße (zu Weltreligionen und pädagogischer Praxis: Tulasiewicz/To 1993, zu internationalen Perspektiven zum Zusammenhang von Christentum und Pädagogik: Tulasiewicz/Brock 1988). Angesichts der zunehmenden Multikulturalität und Multireligiosität in Deutschland und Europa zeichnen sich hier wichtige Zukunftsaufgaben und Forschungsdesiderate bei-

spielsweise für religionsvergleichende erziehungswissenschaftliche Untersuchungen ab. Eine zukunftsfähige und gesellschaftlich relevante Pädagogik kann sich die bewusste Beschäftigung mit religiösen Zusammenhängen jenseits des Christentums jedenfalls nicht ersparen. Erst solche Untersuchungen könnten dann auch klären, welche religiös-anthropologischen Voraussetzungen – etwa im Blick auf die Wertschätzung des Individuums oder des einzelnen Kindes – so in die europäische Kulturgeschichte eingegangen sind, dass sie auch dann noch die Pädagogik bestimmen, wenn sich diese solcher Prägungen nicht mehr bewusst ist.

2. Religion – Pädagogik – Erziehungswissenschaft: Umgang mit den Herausforderungen der Pluralität

Eine Form, mit dem Verhältnis von Pädagogik und Religion unter den Voraussetzungen der Pluralität umzugehen, kann in der Unterscheidung zwischen Pädagogik einerseits und Erziehungswissenschaft andererseits gesehen werden. Das Verhältnis zwischen pädagogischer Praxis und erziehungswissenschaftlicher Theorie ist dabei bewusst disjunktiv bestimmt. Eine »säkulare Pädagogik« mag dann zwar unmöglich sein (Oelkers 1990), aber die Erziehungswissenschaft verhält sich in dieser Sicht zu allen religiösen Bindungen in der pädagogischen Praxis bestenfalls analytisch und rekonstruktiv. Religiöse Bindungen oder Grundlagen für die Erziehungswissenschaft kann es demnach jedenfalls nicht geben, auch wenn in der pädagogischen Praxis durchweg mit religiös bestimmten Motiven gerechnet werden muss.

D. Benner (2004) hat in dieser Hinsicht auf eine einleuchtende, bislang wenig beachtete Parallele in der wissenschaftlichen Beschäftigung mit Erziehung einerseits und Religion andererseits hingewiesen: So wie im Zuge einer fortschreitenden Verwissenschaftlichung aus Pädagogik Erziehungswissenschaft werden soll, so kann auch ein Übergang von der Theologie zur Religionswissenschaft gefordert werden. Das Verhältnis zwischen Religionswissenschaft und Theologie wäre dabei ebenso disjunktiv wie das zwischen Erziehungswissenschaft und Pädagogik, woraus eine gleichsam natürliche Nähe zwischen Erziehungswissenschaft und Religionswissenschaft gefolgert werden könnte. Benner folgt dieser Sichtweise allerdings nicht. Vielmehr sieht er eine vollständige Trennung von Theorie und Praxis im Blick auf Pädagogik und Religion weder als möglich noch als wünschenswert an, weil sie den Gegebenheiten in diesem Feld nicht gerecht werden würde: »Der dualistisch nicht auflösbare, zu bewahrende Sinn der Trias von Praxis, Handlungstheorie und Wissenschaft könnte, so gesehen, darin liegen, dass die Wissenschaften von der Erziehung und von der Religion auf eine Reflexion, Aufklärung und Weiterentwicklung von Praktiken zurückbezogen sind, die, wie andere Praktiken auch, niemals vollständig verwissenschaftlicht und durch sozialwissenschaftliche Technologien rationalisiert werden können. Zur Aufgabe handlungsbezogener, praktischer Wissenschaften gehörte dann, in sich Wissensformen zu unterscheiden und auszubilden, die auf ein schon in der Praxis nachweisbares Verhältnis von theoretischer Reflexion und Praxis bezogen sind, das nicht in wissenschaftliche Rationalität überführt, wohl aber durch Reflexion und Wissenschaft aufgeklärt und für neue Möglichkeiten geöffnet werden kann« (Benner 2004, S. 14).

Für den vorliegenden Zusammenhang kann dies m. E. so aufgenommen werden, dass die Unterscheidung zwischen (religiöser) Pädagogik und (nicht religiöser) Erziehungswissenschaft die Frage nach dem Verhältnis von wissenschaftlicher Pädagogik und Religion gerade noch nicht angemessen zu beantworten erlaubt. Anders ausgedrückt: Eine von allen religiösen und weltanschaulichen Bezügen gereinigte Erziehungswissenschaft – sollte es sie tatsächlich geben können – wäre völlig irrelevant, weil sie keine Verbindung mit den in der Wirklichkeit vorkommenden Praxisformen von Erziehung und Religion mehr aufweisen würde. So bleibt auch unter den Voraussetzungen der Pluralität die Herausforderung, das Verhältnis zwischen wissenschaftlicher Pädagogik und Religion ohne Rückzug in den Szientismus weiter zu bearbeiten.

Mehrere der erziehungswissenschaftlichen Beiträge im vorliegenden Band belegen eine weitere Möglichkeit, mit den Herausforderungen religiöser Pluralität umzugehen. Die Forderung nach einer »natürlichen Religion« im Sinne der Aufklärung, deren Grenzen durch eine vernünftige Moral gezogen werden (im Anschluss an Kant Koch im vorl. Band) oder die Empfehlung, den Religionsunterricht durch ein »allgemeines« Fach »Weltorientierung« zu ersetzen (Nieke im vorl. Band), stehen einander insofern nahe, als in beiden Fällen sich wissenschaftliche Pädagogik nur dann mit Religion verbinden können soll, wenn diese Religion von allen konfessionellen usw. Einschränkungen befreit worden ist und die Gestalt einer Universalreligion annimmt. Den erziehungswissenschaftlichen Autoren scheint dabei nicht ohne weiteres vor Augen zu stehen, wie weit sie sich damit faktisch auf das Feld (religions-)theologischer Diskussionen begeben. Sehr deutlich kommen ihre Vorschläge den vor allem in den 1980er und 90er Jahren von manchen Religionsphilosophen vertretenen Auffassung nahe, das Verhältnis zwischen den verschiedenen Religionen könne durch eine Art religiöse Supertheorie geklärt werden. Die neuere, stärker pluralistische Diskussion (vgl. z. B. Schwöbel 2003) hält eine solche Supertheorie jedoch für ausgeschlossen, weil erkenntnistheoretisch nicht plausibel vorstellbar: Es gibt keinen wissenschaftlichen Standort, von dem aus sich die verschiedenen Religionen und Weltanschauungen gleichsam neutral beurteilen oder auch nur ordnen ließen. Daher ist von dialogischen Verhältnissen zwischen

bleibend unterschiedlichen religiösen Traditionen und Gemeinschaften auszugehen bzw. umschreiben solche Verhältnisse das Ziel entsprechender Bemühungen. Aus theologischer und religionspädagogischer Sicht ist es enttäu-
schend, wenn die in der internationalen Diskussion über Theologie und
Religionen entwickelten Argumente von Erziehungswissenschaftlerinnen und
-wissenschaftlern selbst dann nicht zur Kenntnis genommen werden, wenn sie
ausdrücklich in diesem Bereich argumentieren. Diese Feststellung soll freilich
niemand entmutigen oder gar professionelle Schranken aufrichten, so als wäre
die Thematisierung von Religion und Religionen grundsätzlich etwa allein der
Theologie vorbehalten. Vielmehr ist sie als Einladung zu einer Intensivierung
und Vertiefung des Dialogs auch im Blick auf den Stand unterschiedlicher Wissenschaften zu verstehen.

Hinter dem Streben nach einer Form von Religion im Horizont rationaler
Ethik und aufgeklärter Vernunft, so wird auch im vorliegenden Band deutlich,
stehen noch zwei weitere Motive. Das erste dieser Motive kann als Fundamen-
talismusbefürchtung beschrieben werden. Religion wird dann vor allem mit der
Gefahr fundamentalistischer Tendenzen assoziiert. Sehr deutlich ist dies in allgemeiner Form in H. von Hentigs Buch »Glaube« (1992), das den bezeichnen-
den Untertitel »Fluchten aus der Aufklärung« trägt. Wie K. Reich (im vorl.
Band) eindrücklich herausarbeitet, ist dabei die »Unterscheidung von Wissen
und Glauben« zu erörtern. Diese Unterscheidung kann heute – nicht nur unter
den Voraussetzungen einer konstruktivistischen Epistemologie, wie sie bei
Reich selbst vorausgesetzt wird – kaum mehr so trennscharf gezogen werden
wie zu den Zeiten der Frühaufklärung. Reich ist Recht zu geben, wenn er sagt,
»dass die Unterscheidung nach Wissen und Glauben nun selbst als ein Konstrukt erscheint« (S. 182). Diese Einsicht zwingt allerdings, genauer betrachtet,
auch die wissenschaftliche Pädagogik zu einer materialen Auseinandersetzung
mit Religion und Religionen. Denn wie soll eine Unterscheidung zwischen
Glauben und Wissen möglich sein, wenn nicht auch ausführlich von *beiden*
Seiten des Verhältnisses gehandelt wird? Eine solche Unterscheidung nur von
der einen Seite her ist schon logisch gesehen nicht möglich. – In seiner Anwendung auf den Islam in der deutschen sozial- und erziehungswissenschaftlichen
Diskussion (Heitmeyer u. a. 1997) hat sich der Fundamentalismusbegriff zudem als problematisch erwiesen. Er steht einer sorgfältigen Wahrnehmung der
religiösen Orientierungen junger Muslime in Deutschland tendenziell mehr im
Wege, als dass er eine solche – dringend erforderliche – Wahrnehmung fördern
könnte (aus islamischer Sicht Pinn 1999). Zudem lässt sich in wissenschaftlicher Hinsicht schwerlich behaupten, dass Fundamentalismus in Deutschland
oder Europa für die Mehrheit religiöser Überzeugungen kennzeichnend wäre.

Die Attraktivität eines »allgemeinen« Religionsverständnisses im Horizont
rationaler Ethik und aufgeklärter Vernunft steht schließlich – dies das zweite

Motiv – deutlich in der Tradition der Auseinandersetzung zwischen einer kritischen Erziehungswissenschaft und einer auf Macht und Einfluss bedachten Kirche, wie sie spätestens seit Rousseaus entsprechenden Erfahrungen und Schriften kennzeichnend ist. Die Problematik einer Kirche, die sich in diesem Sinne versteht, wird auf evangelischer Seite freilich bereits seit langem deutlich artikuliert, und auf katholischer Seite findet ein solches Kirchenverständnis zumindest in der Theologie kaum mehr Anhalt. Vor allem aber wäre die Frage, wie viel Macht und Einfluss die Kirchen in Deutschland und Europa tatsächlich noch besitzen, wissenschaftlich, u. a. mit Hilfe empirischer Untersuchungen zu klären. Die mir verfügbaren, freilich nicht verallgemeinerbaren Beobachtungen sprechen nicht dafür, dass in der Politik neben Technik und Ökonomie mit einem dritten gleichgewichtigen Faktor Kirche zu rechnen wäre. Und wie steht es mit anderen Religionen und Religionsgemeinschaften in Deutschland, etwa mit Judentum und Islam? Kann die Notwendigkeit der Abwehr machtförmiger Einflussversuche im Falle solcher Minderheiten überhaupt sinnvoll behauptet werden? – Für die Gegenwart und Zukunft stellt sich darüber hinaus die grundsätzliche Frage, ob ein kirchlicher Einfluss im Bereich von Erziehung und Bildung tatsächlich abgelehnt werden muss. Könnte ein solcher Einfluss nicht gerade auch aus pädagogischer Sicht höchst wünschenswert sein? Wie nämlich soll eine demokratisch verfasste Zivilgesellschaft aufrecht erhalten bleiben oder ausgestaltet werden, wenn es in dieser Zivilgesellschaft nicht auch religiöse Vereinigungen gäbe? Wie soll das Prinzip der Subsidiarität, das den Einfluss des Staates heilsam begrenzt und einen Trägerpluralismus erlaubt, realisiert werden ohne solche Institutionen? W. Huber (1998) sieht als prominenter Sprecher von Kirche deren zukünftigen Ort genau hier – in einer starken, demokratisch ausgestalteten Zivilgesellschaft. Im Blick auf die wissenschaftliche Pädagogik machen solche Fragen deutlich, dass diese Disziplin bei ihrer Grundlegung auch ihr Verhältnis zu Staat und Gesellschaft klären muss. Eine sich allein an den Staat anlehnende und nur diesem verpflichtete Pädagogik erwies sich in der Geschichte jedenfalls immer wieder als ein Problem.

3. Zur Neubestimmung des Verhältnisses von wissenschaftlicher Pädagogik und Religion

Fassen wir die Argumentation noch einmal zusammen: In der Situation der Pluralität lassen sich traditionelle Formen der religiösen Grundlegung wissenschaftlicher Pädagogik nur noch um den Preis einer Selbst-Partikularisierung repristinieren sowie bei Inkaufnahme der Gefahr, die Anerkennung innerhalb der Scientific Community zu verspielen. Für die wissenschaftliche Pädagogik an Universitäten insbesondere in Deutschland, aber auch in anderen europäischen Ländern und in vergleichbaren Verhältnissen kann dieser Weg deshalb kaum empfohlen oder gar als allgemeine Zielperspektive begründet werden. Darüber besteht mit den erziehungswissenschaftlichen Beiträgen des vorliegenden Bandes sowie mit der erziehungswissenschaftlichen Diskussion insgesamt weithin eine jedenfalls aus meiner Sicht religionspädagogisch zu teilende Übereinstimmung. Zugleich hat sich im vorliegenden Beitrag allerdings erneut herausgestellt, dass der Zusammenhang von Pädagogik und Religion auch für eine Erziehungswissenschaft, die sich disjunktiv zur pädagogischen Praxis verhält, weder einfach außer Kraft gesetzt werden kann noch durch die Beschränkung auf einen allgemeinen Religionsbegriff (»natürliche Religion« usw.) zu entschärfen oder zu entproblematisieren ist. Zumindest ist der Preis, den die wissenschaftliche Pädagogik für entsprechende Strategien zu zahlen bereit sein muss, auch in diesem Falle so hoch, dass Einfluss und Relevanz der wissenschaftlichen Pädagogik konstitutiv tangiert sind. Zugespitzt: Wenn die wissenschaftliche »Reinheit« von Erziehungswissenschaft durch Relevanz- und Plausibilitätsverluste erkauft werden muss, wird das Ziel einer solchen Reinheit selbstwidersprüchlich, sofern sich Pädagogik überhaupt als eine praxisbezogene Disziplin verstehen und konstituieren will.

Für das gegenwärtige Nachdenken über Pädagogik und Religion dürfen – wie ebenfalls deutlich geworden ist – die gesellschaftlichen, kulturellen und religiösen Rahmenbedingungen eines solchen Nachdenkens nicht außer Acht bleiben. Stand die erziehungswissenschaftliche Abwendung von Religion, Kirche und Theologie bei gleichzeitiger Hinwendung zu den Sozialwissenschaften seit den 1960er Jahren deutlich im Zeichen des Säkularisierungsdenkens und beruht sie bis heute vielfach auf der nicht mehr eigens geprüften Annahme, Religion habe mehr und mehr jeden Einfluss auf die Gesellschaft verloren, so müssen zu Beginn des 21. Jahrhunderts andere Erwartungen, Beobachtungen und Einsichten leitend sein. Internationalisierung, Migration, Globalisierung usw. haben fast überall in der (westlichen) Welt eine kulturelle und religiöse Vielfalt entstehen lassen, durch die das Zusammenleben in Frieden, Toleranz und Solidarität häufig erschwert wird. Zudem begegnet die pädagogische Praxis in einem Maße, das vor 30 oder 40 Jahren noch als völlig unwahrscheinlich oder ganz undenkbar erschien, religiösen Prägungen und Zusammenhängen – angefangen bei der islamischen Familienerziehung über die bereits erwähnten Begegnungen mit Fundamentalismus und Fundamentalismusängsten bis hin zu der für die Sozialwissenschaften überraschenden Herausbildung neuer konfessioneller oder religiöser Grenzen in der deutschen Gesellschaft (Fuchs-Heinritz 2000, S. 180): »Die Kirchlichkeit ist zurückgegangen, die religiöse Grundhaltung im Leben hat bei den deutschen Jugendlichen stark an Boden verloren. Zugleich aber haben die Zugehörigkeit zu einer Religionsgemeinschaft und eine religiös bestimmte Lebensführung in der Folge des Ansässigwerdens von muslimischen Arbeitsmigranten eine Bedeutungsaufladung erfahren. Muslim zu sein, das bedeutet etwas über den religiösen Bereich hinaus für die Lebensführung und die Zukunftsorientierung. Durch die Anwesenheit muslimischer Jugendlicher ist im jugendlichen Alter gerade in dem Moment eine neue ›Konfessionsgrenze‹ wirksam geworden, als die alten konfessionellen Konturen weithin abgeschliffen waren«. – Eine solche Beobachtung unterstreicht zunächst, dass eine gesellschaftlich relevante Pädagogik nicht umhin kann, sich auf den Einfluss der religiösen Sozialisation auf die gesamte Ausrichtung von Personen einzulassen – nicht einfach, weil ein solcher religiöser Einfluss immer positiv wäre, sondern weil entsprechende Ambivalenzen, Einschränkungen usw. überhaupt erst dann erkennbar werden, wenn Pädagogik und Sozialwissenschaften vor solchen Einflüssen die Augen nicht verschließen. Darüber hinaus folgt dieses Zitat aus der Shell-Jugendstudie 2000 allerdings noch immer einem Denkmuster, das schon rein logisch als ziemlich problematisch zu durchschauen ist: Demnach sind die jungen Muslime durch den Islam geprägt, die anderen Jugendlichen offenbar aber durch »nichts«. Plausibler wäre die Annahme, dass die nicht-muslimischen Jugendlichen, die in der Shell-Studie untersucht wurden, im weitesten Sinne kulturell-christlich geprägt sind. Um dies zu erkennen, wären jedoch andere Instrumente erforderlich, als sie die Shell-Jugendstudien bislang einzusetzen wissen oder bereit sind.

Der Befund hinsichtlich des Zusammenhangs von Pädagogik und Religion kann dann auch so formuliert werden, dass dieser Zusammenhang heute von vornherein im Blick auf die *Religionen* bestimmt und erörtert werden muss und also nicht mehr allein vom Christentum her. Die Frage nach den religiösen Grundlagen der für die wissenschaftliche Pädagogik konstitutiven Voraussetzungen in Ethik, Menschenbild und Religionsverständnis sowie der historisch-genetischen Selbstaufklärung von Erziehungswissenschaft könnten dabei etwa unter der Leitperspektive untersucht werden, welchen Beitrag Religion und Religionen zu einem Zusammenleben in Frieden, Toleranz und Solidarität zu leisten vermögen (Peukert 2004). Dies würde freilich voraussetzen, dass der Zusammenhang von Pädagogik und Religion differentiell, nämlich für verschiedene Konfessionen und Religionen erforscht wird, wobei noch einmal zwischen unterschiedlichen Traditionen und Institutionen einerseits und den gelebten bzw. zunehmend individualisierten Formen von Religion andererseits unterschieden werden muss – für das Christentum beispielsweise zwischen der kirchlichen und theologischen Tradition auf der einen Seite und einem gelebten Christentum, das wenig oder keine kirchlichen Bindungen aufweist, auf der anderen Seite. Dies kann zunächst als eine wissenschaftlich-analytische Aufgabe ausgelegt werden und muss also keineswegs zu einer erneuten religiösen Grundlegung von Erziehungslehren führen, die unter den heutigen Voraussetzungen in der Pädagogik nebeneinander stünden und sich von der traditionellen Form lediglich durch ihre Pluralität unterscheiden würden. Weitergehend bedingt die Frage nach Frieden, Toleranz und Solidarität allerdings eine normative Perspektive, die nicht in jeder Hinsicht von unterschiedlichen Auslegungen solcher Ziele u. a. in verschiedenen philosophischen, politischen und religiösen Traditionen zu trennen ist.

Das den erziehungswissenschaftlichen Beiträgen des vorliegenden Bandes vielfach abzuspürende Interesse daran, einseitige Bindungen nur an eine Konfession oder Religion zu überwinden, muss auch bei einem nicht auf eine sog. allgemeine Religion, sondern auf die Religionen angelegten Ansatz nicht preisgegeben werden. Dieses Interesse könnte vielmehr die Gestalt einer materialen Dialogfähigkeit annehmen. Darunter ist die Fähigkeit zu einer Verständigung nicht oberhalb aller Gegensätze, sondern durch die Unterschiede und Gegensätze hindurch zu verstehen (vgl. Nipkow 1998). Im Sinne einer solchen Dialogfähigkeit müssen Menschen nicht lernen, von allen Unterschieden abzusehen, um sich als »Menschen an sich« (die es offenbar nicht geben kann) zu begegnen – lernen müssen sie vielmehr, Begegnung immer auch als Erfahrung von Fremdheit zu verstehen und gerade deshalb zu schätzen.

Den Horizont einer auf den Zusammenhang von Pädagogik und Religionen eingestellten Erziehungswissenschaft bildet die plurale Zivilgesellschaft, in der sich Menschen unterschiedlicher Herkunft, Prägung, Orientierung usw. begegnen und die erst dadurch zu einer gelebten Demokratie werden kann, dass gleichwohl zivilgesellschaftliche Kooperationen möglich sind. Wer eine solche Zivilgesellschaft stärken will, wird auch die in ihr wirksamen religiösen Motive und Handlungsorientierungen wissenschaftlich untersuchen und ihre u. a. pädagogische Bedeutung klären müssen. Das zu Beginn des vorliegenden Beitrags genannte neue erziehungswissenschaftliche Interesse an pädagogischen Einrichtungen in religiöser Trägerschaft ist deshalb höchst zeitgemäß und zukunftsweisend.

Schließlich erwuchs und erwächst der erziehungswissenschaftliche Versuch, sich von religiösen Bindungen zu emanzipieren und zu distanzieren, aus einem kritischen Interesse gegenüber pädagogisch nicht einsichtigen kirchlichen oder religiösen Erwartungen an Erziehung. Auch dieses Interesse muss bei dem hier vorgeschlagenen Vorgehen nicht preisgegeben werden. Es kann als Programm zur Entwicklung pädagogischer Kriterien für Religion und religiöse Erziehung weiterentwickelt werden – wobei heute, im Sinne wechselseitiger Dialogfähigkeit, auch nach religiösen Kriterien für Pädagogik gefragt werden kann (etwa im Sinne der von der Evangelischen Kirche vorgelegten Denkschrift »Maße des Menschlichen. Evangelische Perspektiven zur Bildung in der Wissens- und Lerngesellschaft«, EKD 2003). Im vorliegenden Beitrag beschränke ich mich jedoch auf die Seite der pädagogischen Kriterien für Religion, wie sie für eine wissenschaftliche Pädagogik allerdings nicht ohne weiteres erreichbar sind. Der Wahrheitsgehalt oder auch nur die Plausibilität religiöser Traditionen und Überzeugungen können pädagogisch schwerlich beurteilt werden. Dies bleibt Aufgabe von Theologie oder Philosophie. In meiner eigenen Arbeit habe ich (Schweitzer 2003b, S. 52 ff.) vorgeschlagen, dass sich pädagogische Kriterien für Religion und religiöse Erziehung dann als zwingend oder jedenfalls überzeugend erweisen können, wenn sie unmittelbar auf das »Wohl des Kindes« bezogen sind. Als Verstoß gegen eine am Kindeswohl ausgerichtete Erziehung können etwa irreversible Einschränkungen eigenständiger Lebensentscheidungen oder Angst erzeugende Erziehungspraktiken gelten. Darüber hinaus kann wissenschaftlich erörtert werden, welche pädagogischen und psychologischen Wirkungen wünschenswert sind. Solche Effekte können etwa in der Möglichkeit, Werte und Sinnorientierungen zu unterstützen, gesehen werden, beispielsweise aber auch in der Förderung von Phantasie und Kreativität in der Persönlichkeitsentwicklung.

Am Ende kann zusammenfassend festgehalten werden, wie die wissenschaftliche Pädagogik mit der religiösen Dimension auch in der Pluralität umgehen kann: Lösungen sind weder auf dem Weg zurück vor die Aufklärung zu finden (das wären H. von Hentigs »*Fluchten aus der Aufklärung*«) noch in der Abstraktion von aller konkret gelebten Religion (das wären in diesem Wortspiel dann »*Fluchten in die Aufklärung*« – nämlich als Abstraktion jenseits von Alltag und Praxis). Stattdessen kommen *dialogische Verhältnisbestimmungen* in den Blick, die auf eine materiale Verständigungsfähigkeit zielen – zwischen verschiedenen Religionen und religiös begründeten Standpunkten, zwischen wissenschaftlicher Pädagogik und Theologie oder Religionspädagogik usw. Dabei ist für empirische und analytische Aufgaben wissenschaftlicher Pädagogik ebenso Raum wie für kritische und konstruktive Interessen. In einer multikulturellen und –religiösen Gesellschaft werden solche Aufgaben für die Pädagogik jedenfalls zunehmend unausweichlich, zumindest für eine Pädagogik, die auf gesellschaftliche Relevanz nicht verzichten will. Zumindest insofern entkommt die wissenschaftliche Pädagogik im Blick auf ihre Konstitution auch heute nicht der Frage nach Religion.

Teil II:
Religiöse Dimension pädagogischen Denkens
und Handelns

Der religiöse Aspekt pädagogischen Handelns

Jürgen Rekus

Im folgenden Beitrag soll gezeigt werden, dass pädagogisches Handeln keine »herstellende« Tätigkeit ist, die ein gewünschtes Produkt erzeugt, sondern eine Praxis, die etwas in der Person zur Entfaltung bringt, was ihr als Vermögen wesenhaft bereits mitgegeben ist, nämlich Bildsamkeit. Die Bildsamkeit des Menschen muss im Prinzip jeder pädagogischen Handlung, die auf Bildung zielt, vorausgesetzt werden, wenn die Person am Ende nicht manipuliert oder indoktriniert werden soll. Es wird argumentiert und an verschiedenen Beispielen gezeigt, dass jeder Lernprozess an Voraussetzungen gebunden ist, die er selber nicht erzeugen kann. Diese Voraussetzungen sind nicht empirischer, sondern transzendentaler Art. Sie lassen sich nicht im heute favorisierten empirisch fundierten Forschungsnexus »beweisen«, sondern können nur denknotwendig angenommen, d. h. für wahr gehalten werden. Diese nicht-empirischen Voraussetzungen pädagogischen Handelns werden als religiöser Aspekt bezeichnet und entfaltet. Daraus ergeben sich nicht nur eine Reihe von normativen Konsequenzen für die Führung von pädagogischen Prozessen, sondern es ist auch eine Kritik der gegenwärtigen bildungspolitischen Paradigmen möglich.

1. Die pädagogische Praxis ist an Voraussetzungen gebunden

Im Max-Planck-Institut für Evolutionäre Anthropologie (EVA) wird gegenwärtig die Eigenart menschlichen Lernens erforscht. Man will die Frage klären, wie der moderne Mensch in gerade mal 250 000 Jahren Sprache und Schrift, Wissenschaft und Religion, kulturelle und technische Leistungen hervorbringen konnte. Dabei geht man davon aus, dass die geistigen Fähigkeiten des Menschen an einem bestimmten Punkt in der biologischen Evolution eine kritische Masse erreicht hatten und die explosionsartige kulturelle Entwicklung der Menschheit ermöglicht haben. Zu dieser »kritischen Masse« wird insbesondere die so genannte soziale Kognition gerechnet. Sie besagt, dass es erst mit der Fähigkeit, die Ziele und Absichten eines anderen Menschen zu verstehen, möglich geworden ist, über das bloße Nachahmen hinaus inhaltliche Zusammenhänge voneinander zu lernen, das Gelernte mit eigener Sinngebung zu versehen und in eine intergenerationelle Praxis umzusetzen. Diese Fähigkeit gilt als Voraussetzung dafür, dass das Gelernte von Generation zu Generation nicht nur weitergegeben, sondern weiterentwickelt und perfektioniert werden konnte.

Anthropologen sehen gerade in der sozialen Kognition eine spezifisch menschliche Eigenart. Michael Tomasello und seine Mitarbeiter im Max-Planck-Institut haben verschiedene experimentelle Versuchsanordnungen entwickelt, um die Eigenart der sozialen Kognition genauer zu untersuchen. In einer typischen Versuchsanordnung sollte bei einem 12-monatigen Kind herausgefunden werden, welche Bedeutung das Zeigen für die menschliche Interaktion hat:

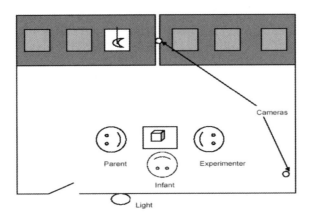

Im Experiment wurde das Kind an einen Tisch mit einem Spielzeug darauf gesetzt, links von ihm saß ein Elternteil und rechts von ihm der Versuchsleiter. Dem Kind gegenüber befand sich eine Abtrennung mit sechs Öffnungen, in denen verschiedene Spielzeugfiguren aufgehängt waren. Diese wurden durch Vorhänge verdeckt, die aber durch eine weitere Person von hinten hochgezogen werden konnten, um den Blick auf die Spielzeuge freizugeben. Der Versuchsleiter spielte zunächst eine Weile mit dem Kind, um sein Vertrauen zu gewinnen. Dann wurden verschiedene Ausschnitte geöffnet, so dass das Kind die Spielzeuge sehen und den Versuchsleiter darauf hinweisen konnte. Machte der Versuchsleiter beim ersten Zeigen einen interessierten Eindruck, dann zeigte das Kind auch die anderen Spielzeuge, wenn sie sichtbar wurden (vgl. Liszkowski u. a. 2004).

Das erscheint auf den ersten Blick banal. Denn warum sollte jemand einem anderen etwas zeigen, der sich nicht dafür interessiert. Bei genauerem Hinsehen wird jedoch klar, dass sich das Kind offenbar in die Person des Versuchsleiters hineinversetzen kann und nur dann etwas zeigt, wenn es mit einem positiven Interesse rechnet. Das Zeigen des Kindes bedeutet nicht einfach den imperativen Hinweis: »Da ist etwas«, sondern beinhaltet bereits einen erklärenden Hinweis, dass da etwas ist, was der andere sehen kann, wenn er hinschaut. »The motive to share attention and interest with others is a uniquely human motivation and it would seem to be a purely social motive. Much of human culture is predicated on individuals having this declarative motivation, and its absence in children with autism is both a source and a symptom of many of their problems« (ebd., 13).

Die Leipziger Anthropologen haben so herausgefunden, dass Zeigen nicht gleich Zeigen ist. Auf einen Gegenstand zu deuten, den sie haben wollen, lernen Kinder recht früh. Dieses Zeigen wird als »imperatives Zeigen« bezeichnet, und der Zweck ist eindeutig. Es geht einzig um den Gegenstand, der gewollt wird. Dieses Zeigen beansprucht keine soziale Kognition, da es gänzlich ohne Einbezug der Perspektive des anderen erfolgt. Folgt man Rousseau, soll es in pädagogischer Hinsicht sogar von den anderen bewusst missachtet werden: »Wenn das Kind in stummer Anstrengung die Hand ausstreckt, glaubt es, den Gegenstand greifen zu können, weil es die Entfernung nicht abschätzen kann; es täuscht sich also. Jammert und schreit es aber dabei, täuscht es sich nicht mehr über die Entfernung, es befiehlt dem Gegenstand, zu ihm zu kommen ... tut gar nicht erst, als hörtet ihr es; je mehr es schreit, um so weniger Gehör schenkt ihm. Es ist wichtig, es frühzeitig daran zu gewöhnen, dass es nicht zu befehlen hat« (Rousseau 1965, 165).

Die soziale Kognition kommt erst dann ins Spiel, wenn das Kind auf etwas deutet, um andere darauf aufmerksam zu machen, wenn es unterstellt, dass es einen Bezug zu etwas herstellt, den andere noch nicht haben. Zu diesem »deklarativen Zeigen« gehört also nicht nur ein Gegenstand, sondern auch eine andere Person, der man das eigene Verhältnis zum Gegenstand mitteilen kann.

Die Experimente des Max-Planck-Instituts für Anthropologie verifizieren auf empirische Weise etwas, was der Philosophie und später der Pädagogik stets bewusst war: nämlich, dass menschliches Lernen erstens auf Voraussetzungen beruht, die es selber nicht schaffen kann (von den Anthropologen hier als die Fähigkeit zur sozialen Kognition bezeichnet) und zweitens, dass menschliches Lernen immer in einem sozial gebundenen Kontext stattfindet, selbst wenn wir das Gelernte am Ende als Ergebnis eines individuellen Lernprozesses ansehen. Anders formuliert: Ohne einen Lehrer, der einem etwas zeigt, und ohne das Vermögen, dieses Zeigen in seiner Bedeutung zu verstehen, kommen Einsichten und Erkenntnisse, Ansichten und Anerkenntnisse, Entscheidungen und Handlungen, kurzum das, was sich als Bildung bezeichnen lässt, nicht zustande.

Die Anthropologen des Max-Planck-Instituts haben insofern frühere Analysen der wissenschaftlichen Pädagogik bestätigt, als sie demonstrieren konnten, dass jede pädagogische Praxis an Voraussetzungen gebunden ist, die sie selbst nicht schaffen kann und die sich bei anderen Primaten so nicht finden lassen. Diese Voraussetzung ist mit der Humanität des Menschen verbunden. Die These, die im Folgenden verfolgt werden soll, lautet daher: Pädagogisches Handeln ist an nicht-empirische Voraussetzungen gebunden, die als religiöser Aspekt betrachtet werden können.

2. Die nähere Charakterisierung pädagogischen Handelns unter religiösem Aspekt

Der religiöse Aspekt pädagogischer Prozesse soll im Folgenden an einem Beispiel aus der pädagogischen Praxis der Schule gezeigt werden. Leitend für die Analyse des Beispiels ist ein bestimmtes Verständnis von pädagogischer Praxis und Theorie, das aus Gründen der argumentativen Klarheit vorab definiert wird: Die Gestaltung sozialer Interaktion im Hinblick auf die Ermöglichung individueller Bildung wird hier als *pädagogisches Handeln* aufgefasst. Dieses Handeln wird in unterschiedlicher Weise auf den Begriff gebracht. So spricht etwa Klaus Prange von »zeigen« (vgl. 2000, 215) oder Alfred Petzelt von »argumentieren« (vgl. 1964, 246 ff.). Damit ist zwar das gleiche Phänomen angesprochen, aber die unterschiedlichen Begrifflichkeiten weisen darauf hin, dass man sich den pädagogischen Phänomen in theoretisch unterschiedlicher Weise und mit verschiedener Begrifflichkeit nähern kann. Die verschiedenen Zugangsweisen machen die Differenziertheit der pädagogischen Theorie aus und zusammengenommen bilden sie ein System bereichsspezifischer Theoriekonzepte, das sich kurz als *Pädagogik* bezeichnen lässt. Zur Pädagogik als Theorie pädagogischen Handelns, d. h. zur Pädagogik als Wissenschaft gehören in jedem Fall sowohl die Analyse der Möglichkeitsbedingungen als auch die Analyse der Vollzugsbedingungen pädagogischer Praxis, d. h. transzendentale und empirische Analysen pädagogischer Interaktionen.

Im Lichte dieses Verständnisses von Pädagogik als Wissenschaft soll nun ein Beispiel für pädagogisches Handeln betrachtet werden. Es stammt aus dem Chemieunterricht und handelt vom Nitratgehalt des Kopfsalats. Wie würde heute eine solche Unterrichtsstunde vernünftigerweise konzipiert werden? In der Regel wird der Lehrer zunächst über die gesundheitlichen Gefahren des Nitratgehalts in unseren Nahrungsmitteln sprechen, um dann auf die besondere Belastung von Kopfsalat hinzuweisen. Die Schüler werden gleichsam von selber auf die Idee kommen, einmal den Nitratgehalt von Salatköpfen messen zu wollen; immerhin handelt es sich ja um eine Chemiestunde. Durch den Bezug zur eigenen Handlungswelt der Schüler ist das Thema »Nitratgehalt des Salats messen« offenbar zu einer anschaulichen Aufgabe geworden. Selbstverständlich werden die Schüler im heutigen Chemieunterricht den experimentellen Versuchsaufbau selber vornehmen und die Messwerte selber ermitteln. Die gewonnenen Messergebnisse sind für sich genommen noch indifferent; sie gewinnen erst dann eine Bedeutung für die Schüler, wenn sie die Messwerte für eine gesunde Ernährungsweise einschätzen, die diesbezüglichen Gefahren erkennen und die Möglichkeiten der Prävention (z. B. Essen nur der inneren Blätter, Neutralisation des Nitratgehalts mit Ascorbinsäure) abwägen. Nach diesen klären-

den Erörterungen können die Schüler abschließend diese Handlungsmöglichkeiten im Hinblick auf eine sinnvolle, d. h. hier gesunde gegenwärtige und
künftige Lebensführung diskutieren. So oder so ähnlich wird heute ein Chemieunterricht ablaufen, wenn er den Unterrichtsprinzipien der Anschaulich-
keit, Selbsttätigkeit, thematischen Konzentration von fachüberschreitenden
Fragestellungen und Synthese von fachlicher Einsicht und eigener Handlungs-
orientierung folgt (vgl. Berger 2003).

Von diesem Beispiel ausgehend lässt sich der religiöse Aspekt pädagogischen
Handelns in sechs Hinsichten aufweisen:

1. Der Bildungsprozess vollzieht sich an Aufgaben, sei es »Spielzeug zeigen«
oder »Nitratgehalt bestimmen«. Die Aufgaben werden überhaupt erst zu Aufgaben durch die eigene Aktivität: Dazu gehört, dass sie zunächst als bedeutsam
angesehen werden und dass sie sodann in eigenen Akten des »Zeigens« oder des
fachlich bestimmten Fragens im Hinblick auf Weg und Ziel konstituiert werden. Dieser Prozess ist notwendig selbst bestimmt – auch dann, wenn das Ar-
rangement vorsorglich vorgegeben und der Lehrer zur entsprechenden Selbsttätigkeit auffordert. Lernende sind – so gesehen – immer ihre eigenen Lehrer,
da die Selbstführung durch Fremdführung zwar angestoßen und begleitet, aber
nicht ersetzt werden kann. Am Ende steht die selbst gewonnene Erkenntnis,
dass Kopfsalat Nitrat enthält und somit ein Gefährdungspotential beinhaltet.

Dieser Prozess ist von bestimmten Voraussetzungen abhängig, damit er
überhaupt möglich ist. Dazu gehört die Voraussetzung, dass Lernende überhaupt erkenntnisfähig sind, dass sie selber Zusammenhänge herstellen und daraus Schlüsse ziehen können. Nur wenn das Vermögen, selber etwas erkennen
zu können, d. h. Zusammenhänge herstellen und Schlüsse ziehen zu können,
also Vernunft und Urteilskraft vorausgesetzt werden, hat die Aufforderung zur
Selbsttätigkeit einen Sinn. Menschen gehen von dieser Prämisse aus, wenn sie
sich gegenseitig etwas zeigen. Das Kind zeigt dem Versuchsleiter die Spielzeuge,
weil es unterstellt, dass der Erwachsene noch nicht um sie weiß, sie aber durch
seine Aufforderung selber erkennen kann. Auch der Lehrer unterstellt, dass
seine Schüler selber die Problematik eines hohen Nitratgehalts erkennen können, wenn er ihnen zeigt, wie sie das selber herausfinden können. Jede pädagogisch gemeinte Aufforderung zur Selbsttätigkeit unterstellt, dass der Lernende bzw. Erkennende aus eigener »Kraft« selber das Gezeigte erlernen bzw.
erkennen kann.

Die Notwendigkeit einer solchen Unterstellung als Voraussetzung für pädagogische Prozesse ist in der Problemgeschichte der Pädagogik durchgängig anzutreffen. Sokrates etwa führt vor, wie man einem Sklaven das Verfahren der
Quadratverdopplung durch geschicktes Fragen so zeigen kann, dass er selber
auf die Lösung kommt. Als Erklärung für die Möglichkeit dieses Lernprozesses
führt Sokrates an, dass der Sklave diese Erkenntnis ja nur deswegen selber ge-

winnen konnte, weil seine Seele im Hades schon alle möglichen Erkenntnisse geschaut hatte und sie sich wegen der Reinkarnation nur anamnetisch daran erinnern muss (vgl. Platon 1955). Diese Erklärung ist freilich in einem strengen Sinne nicht beweiskräftig; man kann sie nur für wahr halten. Aber ohne dieses Fürwahrhalten verliert pädagogisches Handeln seine eigentliche Sinngebung, nämlich Bildung zu befördern.

2. Am Ende eines Unterrichtsprozesses stehen nicht nur fachliche Einsichten und Erkenntnisse, sondern auch fachbezogene und fachüberschreitende Wertungen und Urteile. Diese Wertungsakte stellen keine Anhängsel des Unterrichts dar, etwa weil noch ein paar Minuten Zeit zu überbrücken sind, bis die Unterrichtsstunde endet. Sie sind vielmehr heute notwendige Komplettierungen fachlicher Lernprozesse, da sie den handlungsorientierenden Aspekt der Bildung thematisieren. Richtiges Zusammenhangswissen besagt heute für sich genommen noch nicht, wie man gut handeln soll. Das liegt darin begründet, dass neuzeitliches Wissen nicht mehr teleologisch gebunden und auf einen Letztzweck hin geordnet ist. Zwischen Wissen und Handeln besteht heute eine didaktische Differenz, die nur durch das eigene Werturteil aufgehoben werden kann.

Die Aufforderung zu dieser wertenden Tätigkeit wird im Rahmen einer nicht-teleologischen Form der unterrichtsmethodischen Prozessgestaltung möglich, wie sie für die Neuzeit typisch ist. Gemeint ist eine Unterrichtsform, die das anzueignende Wissen in einer nicht-verzweckten, handlungsoffenen Form präsentiert, um die damit zu verfolgenden möglichen Zwecke unverstellt beurteilen zu können. Eine solche Form des Unterrichts wurde von J. F. Herbart als »ästhetische Darstellung der Welt« bezeichnet (vgl. 1964, 110 f.), heute wird man eine solche Unterrichtsform eher als fachübergreifend-projektorientierten Unterricht bezeichnen (vgl. Rekus 1993, 232 f.). Solche Unterrichtsformen sind in methodischer, didaktischer und institutioneller Hinsicht offen für die notwendigen Wertungen und (Mit-)Entscheidungen der Schüler (vgl. Benner 1989).

Eine unterrichtsmethodische Prozessgestaltung, die auf die Verknüpfung von Erkennen und Werten im Hinblick auf ein verantwortliches Handeln abzielt, setzt beim Lernenden grundsätzlich voraus, dass er zur selbst bestimmten Synthese von Wissen und Handeln, d. h. zur Sinnstiftung fähig ist. Ohne die Annahme einer solchen Voraussetzung hätte die Aufforderung zur Selbsttätigkeit im Urteilen und Werten gar keinen Sinn. Diese Voraussetzung findet sich in allen pädagogischen Theorien in impliziter oder expliziter Form wieder. Sie trägt verschiedene Bezeichnungen, etwa Subjektivität, Menschentum, das »Ich denke«, Magisterium oder auch Bildsamkeit. Stets ist damit eine transzendentale Disposition des Subjekts gemeint, die imstande ist, die Erkenntnisgewissheit und das Werturteil zu verbinden und im konkreten Handeln »sinnfällig« werden zu lassen (vgl. Pöppel 1993, 82 f.).

Diese unbestimmte Bestimmtheit, sich im Lernen selbst bestimmen zu sollen, die als Bildsamkeit bezeichnet wird, liegt denknotwendig jedem Lernprozess voraus. Dieses Sollen kann nicht durch den Lernprozess selbst hergestellt oder von ihm verändert werden. Es ist ein Prinzip, das durch die Praxis nicht eingeholt werden kann. Es bleibt immer vorausgesetzt. Die Vorgabe bleibt stets Aufgabe. Pädagogik kann diese Voraussetzung zwar bezeichnen, aber mit den eigenen wissenschaftlichen Mitteln nicht aufklären. Sie kann darauf hinweisen, dass hier ein Aspekt für das pädagogische Handeln maßgeblich ist, der auf einen Sinnhorizont verweist, über den sie selber nicht verfügt.

3. Die Aufgabe der Bildung, die als sinnstiftende Zusammenführung von Erkennen, Werten und Handeln bezeichnet werden kann, stellt eine unabschließbare Selbstbestimmungsaufgabe dar. Denn gleich welche Wertigkeit individuelle Bildung erreicht haben mag, stets lässt sich noch etwas dazulernen und stets lässt sich das Urteil weiter differenzieren. Unbeschadet dieser Vorläufigkeit steht jeder erreichte Wissens- und Wertungsstand unter Geltungsanspruch, der nur durch Argumente, die Bezug auf die Wahrheitsidee nehmen, eingelöst werden kann. Wenn das eigene Wissen Geltung beanspruchen soll, dann muss das Gewusste so argumentiert werden können, dass jeder andere es auch für wahr halten kann. Das gilt in gleicher Weise für die eigenen Urteile und Wertungen. Auch sie sind nicht beliebig, selbst wenn sie zunächst »aus dem Bauch heraus« gefällt werden. Sie stehen in moralischer Hinsicht unter dem Anspruch von Geltung, d. h. die Werturteile müssen so begründet werden können, dass jeder andere sie akzeptieren und sich zu eigen machen kann. Die mit pädagogischem Handeln verfolgte Bildungsaufgabe besteht letztlich darin, dass das vom Lehrer Gezeigte und Argumentierte am Ende auch von den Schülern selber gezeigt und argumentiert werden kann, wie es Klaus Prange und ähnlich auch Alfred Petzelt formuliert haben (vgl. Prange 2000, 215; vgl. Petzelt 1964, 30 f.).

4. Wenn der Lernprozess von den genannten apriorischen Bedingungen abhängig ist, dann kann der Lehrer nicht die bedingende Ursache von Bildungsprozessen sein, sondern nur ihr Anlass. Es ist seine Argumentation, die den Schüler zur Selbsttätigkeit auffordert, weil dieser die Argumente noch nicht oder nicht in der Form kennt. Aber wer ist Schüler und wer ist Lehrer? War es im Experiment der Leipziger Anthropologen nicht das 12 Monate alte Kind, das den Versuchsleiter über die jeweils neu erscheinenden Spielzeuge aufgeklärt und dieser dann hingeschaut hat? Waren es im Chemieunterricht nicht die Schüler, die den Lehrer durch ihre Urteile nachdenklich gestimmt haben? Dass einer den anderen argumentativ zur Selbsttätigkeit im Denken und Urteilen auffordern kann, ist nur möglich wegen der Unterschiede zwischen den Menschen bezüglich ihres erreichten Wissens- und Urteilsstandes. Ein Lehrer-Schüler-Verhältnis ist also durch Differenz charakterisiert. Seine Legitimation liegt darin, dass Lehrer und Schüler wechselseitig Geltungsansprüche stellen können, die in Bildungsprozessen gezeigt und argumentiert werden können. Dabei

kann der Lehrer in einem technologischen Sinne nichts bewirken, sondern nur zur Erkenntnis- und Wertungsaktivität auffordern, d. h. zur vielseitigen Prüfung der geltend gemachten Argumente. Dabei stehen Lehrer und Schüler nicht in einem Ursache-Wirkungs-Verhältnis, sondern in einem dialogischen Verhältnis. Der Lehrer argumentiert, damit der Schüler argumentieren lernt; der Lehrer zeigt etwas, damit der Schüler es selber zeigen lernt. Lehrer und Schüler sind im pädagogischen Verständnis Aufgabenbestimmungen und können zwischen Personen hin- und herwechseln. Wer das überzeugendere Argument präsentiert, ist Lehrer, wer es sich zu Eigen macht, ist Schüler. Nicht die soziale Rolle oder der Beruf entscheiden darüber, ob jemand im Dialog Lehrer oder Schüler ist, sondern die Vernünftigkeit seiner Argumente. Anders formuliert: »Der Lehrer hat nicht recht, weil er Lehrer ist, sondern er ist Lehrer, weil er recht hat« (Ladenthin 1998, 29). Über dieses Rechthaben kann er allerdings nicht allein verfügen, sondern es wird ihm durch Anerkennung der Wahrhaftigkeit seiner Argumente zuerkannt. Es scheint also immer nur so, als würden Lehrer ihren Schülern etwas (über die Wahrheit) vermitteln. Was tatsächlich im pädagogischen Handeln geschieht, ist immer nur die Aufforderung, die Wahrheitsansprüche des Vermittelten selbst zu prüfen.

Ende des 12. Jahrhunderts schreibt Thomas von Aquin über den Lehrer (de Magistro) Folgendes: »Daraus, dass Wissen eine Erkenntnis mit Gewissheitscharakter ist, folgt, dass einer von demjenigen das Wissen annimmt, durch dessen Rede ihm Gewissheit verschafft wird. Letzteres ist aber nicht der Fall aufgrund der bloßen Tatsache, dass er einen Menschen sprechen hört; denn andernfalls müsste Beliebiges, was jemandem von einem anderen Menschen gesagt wird, ihm als gewiss feststehen. Es wird ihm aber allein dadurch Gewissheit verschafft, dass er in seinem Innern die Sprache der Wahrheit selber vernimmt, die er, um sich so Gewissheit zu verschaffen, auch hinsichtlich dessen befragt, was er vom Menschen hört; also kann kein Mensch lehren, sondern nur die Stimme der Wahrheit in seinem Innern, nämlich Gott« (Thomas 1988, 11,17).

5. Das durch die Aufforderung zur Selbsttätigkeit veranlasste selbstständige Denken und Urteilen führt zur Erkenntnisgewissheit, d. h. zu Fürwahrgehaltenem, aber nicht zur Wahrheit selbst. Für Thomas von Aquin ist es zwar die Stimme der Wahrheit, die man vernimmt, es ist ein Geltungsanspruch, zu dem man genötigt wird, aber nicht *die* Wahrheit. Auch für Nikolaus von Kues, Cusanus genannt, bleibt alles Lernen hinter der (letzten)Wahrheit zurück, es führt »bloß« zu einer gelehrten Unwissenheit, zu einer »docta ignorantia« (Cusanus 1964), die um die Grenzen des Gewussten weiß. Im Denken und Urteilen gewinnt das Subjekt nicht nur neue Einsichten und Perspektiven, sondern erfährt immer auch die Grenze seines Denkens und Urteilens. Es ist die Grenze zum Undenkbaren und Nicht-Beurteilbaren, die den Menschen in seiner Selbstbildungsaufgabe bindet und zugleich begrenzt (vgl. Pöppel 1993, 83).

Wenn Schülerinnen und Schüler ihren Lern- und Erkenntnisprozess der leitenden Idee der Wahrheit unterstellen und wenn sie ihre Lernleistungen kritisch auf ihren Lebenswert und Lebenssinn beziehen, dann wird die Gebundenheit dieser Aufgabe deutlich. Gemeint ist die »Bildsamkeit« des Menschen (vgl. Benner 1987, 56 ff.), seine Bestimmtheit, sich im Erkennen, Werten und Handeln selbst zu bestimmen und dadurch die eigene Freiheit durch Sinngebung zu begrenzen. Das kann als religiöser Aspekt der Selbstbildungsaufgabe ausgewiesen werden. Das Religiöse kommt – so gesehen – nicht zum pädagogischen Handeln hinzu, sondern ist ihm inhärent.

6. Der Vollzug dieser Bildungsaufgabe will gelernt sein. Wenn es so ist, dass die Sinngebung einer Lernaufgabe, etwa die Spielzeugsuche oder die Bestimmung des Nitratgehalts von Blattsalat, erst am Ende eines Lernprozesses fällig wird, so ist das Lernen doch auf einen Sinnvorschuss angewiesen, damit es überhaupt in Gang kommt. Warum sollten sich Schüler sonst auf die Lernaufgaben einlassen, wenn sie nicht zumindest einen Sinn darin vermuten würden? Das Lernen verlangt also – wenn auch nur für kurze Zeit – einen Aufschub der eigenen Sinngebung.

Dies ist nur möglich, wenn die Schüler darauf vertrauen können, dass der Lehrer einen Lernprozess einleitet, dessen Sinn sich am Ende erschließen lassen wird. Und umgekehrt: Der Lehrer erwartet von seinen Schülern, dass sie ihm dieses Vertrauen vorschießen. Das 12 Monate alte Kind im Max-Planck-Institut für Anthropologie interpretiert offenbar das Interesse des Versuchsleiters am Gezeigten als Hinweis, weiter nach Spielzeugfiguren Ausschau zu halten und die neu entdeckten ihm zu zeigen. Das Kind kommt gar nicht auf die Idee, dass das Zeigen sinnlos sein könnte oder alles nur seiner Täuschung diente. Auch bei der Lernaufgabe »Messung des Nitratgehalts von Kopfsalat« vertrauen die Schüler darauf, dass das Ergebnis am Ende der eigenen sinnvollen Lebensführung dient.

In jedem pädagogischen Handeln setzen die Schüler in ihrem Vertrauen voraus, dass der Lehrer weiß, was richtig und gut für sie ist. Dieses Vertrauen müssen sie leisten, weil sie auf seine unterrichtsmethodische Hilfe angewiesen sind, um am Ende sich die Lösung der jeweiligen Aufgaben selber zutrauen zu können und darin Selbstvertrauen zu gewinnen. Und auch der Lehrer muss darauf vertrauen, dass Schüler tatsächlich die Aufgaben in Selbsttätigkeit lösen können; das Zutrauen eines eigenständigen Lösungsweges muss jede pädagogisch gemeinte Aufforderung zur Selbsttätigkeit begleiten. Auch diese Gebundenheit kann als religiöser Aspekt bezeichnet werden. Er »meint – jedenfalls in pädagogischem Denken – nicht zunächst einen bestimmten Zusammenhang geoffenbarter Inhalte, nicht ein theologisches Lehrsystem. Unter unserer Fragestellung meint Religion vielmehr eine spezifische Bindung, einen Akt des Menschen. Seine Grundlage, sein Prinzip heißt Vertrauen bzw. Selbstvertrauen« (Pöppel 1983, 43 f.).

Zutrauen des Lehrers und Vertrauen der Schüler gelten als Bedingungen für jeden geführten Lernprozess, gleich um welchen Inhalt es sich handeln mag. Das gilt selbst für die Thematisierung von religiösen Inhalten. Wenn der Lehrer über (seine) Religion spricht, dann müssen die Schüler darauf vertrauen können, dass er das, was er als Glaubensinhalte mitteilt, selber glaubt. Nicht-Gläubige können deshalb keinen Religionsunterricht erteilen, allenfalls eine Art von Religionskunde, bei der es bloß um die Kenntnisnahme von Lehren, Regeln und Sitten der Religionsgemeinschaften, aber eben nicht um das Offenbarte geht. Allerdings müssen die Schüler im schulischen Religionsunterricht auch darauf vertrauen können, dass die Mitteilung des Glaubens eben nicht ihrer Indoktrination, sondern ihrer Orientierung dient und der eigenen Anschauung unterworfen bleibt. Der Religionsunterricht in der Schule unterliegt insofern den Grundsätzen jeden Unterrichts.

Die Analyse pädagogischen Handelns, die aus Anlass des Schulbeispiels erfolgte, kann in aller Kürze wie folgt zusammengefasst werden: *Pädagogisches Handeln ist an nicht herstellbare Voraussetzungen gebunden. Diese Gebundenheit ist konstitutiv für das pädagogische Handeln. Die Pädagogik weist diese Gebundenheit als religiösen Aspekt aus.*

3. Pädagogik als begrenzte Wissenschaft und der religiöse Aspekt

Der Pädagogik als Wissenschaft geht es nicht um die Frage, wie die Religion als bestimmte Offenbarung, als bestimmtes Bekenntnis oder als bestimmte Konfession additiv dem pädagogischen Handeln hinzugefügt werden könnte oder um die Frage, wie der inhärente religiöse Aspekt theologisch gedeutet werden könnte. Die Wissenschaft der Pädagogik hat es nur mit der Analyse pädagogischen Handelns zu tun, allerdings unter vielfältigen Aspekten. Dazu gehört auch die Betrachtung des pädagogischen Handelns unter dem Aspekt seiner Voraussetzungen und Gebundenheiten. Dieser religiöse Aspekt ist immer schon im pädagogischen Prozess enthalten und muss nicht erst hinzugefügt werden. »Religion ist in diesem Verständnis kein zufälliger Zusatz zur Bildung, sondern ihre Voraussetzung. Ohne Religion würde Bildung in fremdbestimmter Anpassung oder willkürlicher und rückhaltloser Selbstverwirklichung ausarten« (Heitger 1991, 100).

Den vorliegenden Überlegungen liegt ein Verständnis von Pädagogik zugrunde, dass das pädagogische Handeln nicht als eine bereichsspezifische, von anderen Praxisbereichen abgetrennte Praxis betrachtet, sondern davon ausgeht, dass jedes Einzelhandeln immer schon selbst eine ganzheitliche Praxis ist, die nicht in Einzelpraxen aufgelöst, gleichwohl aber unter verschiedenen Praxisaspekten betrachtet werden kann. Die von Dietrich Benner in Anlehnung an Eugen Fink herausgestellten Einzelpraxen im Rahmen einer menschlichen Gesamtpraxis (1987, 34) erweisen sich in diesem Verständnis nicht mehr als abgegrenzte Einzelpraxen, sondern als unterscheidbare Handlungsaspekte einer individuellen Gesamtpraxis. Individuelles Handeln tritt immer in situativen Kontexten auf, kontingent und gebrochen, d. h. niemals nur als ethische Praxis, politische Praxis, religiöse Praxis, ästhetische Praxis, ökonomische Praxis oder pädagogische Praxis. Wenn die Pädagogik als Wissenschaft die Bedingungen und Voraussetzungen pädagogischen Handelns aufklärt, dann bedeutet das nicht, dass sie dadurch schon alle maßgeblichen Aspekte dieser Praxis einholt. Vielmehr trifft sie in ihren Analysen auch auf andere als pädagogische Aspekte, die sie zwar ausweisen, aber mit ihrem eigenen wissenschaftlichen Instrumentarium nicht weiter analytisch erforschen kann.

Wenn die verschiedenen Wissenschaften vom Menschen jeweils einen spezifischen Aspekt menschlicher Praxis aufklären, dann stoßen sie immer wieder auf Aspekte, die sie zwar bezeichnen, aber nicht weiter verfolgen können, da sie ihren Forschungsbereich überschreiten. Das bedeutet konkret, dass etwa die Anthropologie einen religiösen Aspekt menschlichen Handelns ausweisen, aber nicht weiter aufklären kann (wie im Eingangsbeispiel deutlich wurde), oder dass etwa die Theologie einen pädagogischen Aspekt in der religiösen Praxis bestimmen, aber nicht mit den Mitteln der Religionswissenschaft bearbeiten kann usf. Es erscheint geradezu als Aufgabe der neuzeitlichen Wissenschaften, ihre Aspekthaftigkeit als Bereichsspezifika zu definieren, um damit das eigene Forschungsfeld in eindeutiger Weise zu begrenzen und zugleich für je andere Sichtweisen zu öffnen. Interdisziplinarität ist nicht das Vermengen von aspekthaften Fragestellungen, sondern die Suche nach neuen Aspekten, die sich zwischen den bisher gezogenen Grenzen eröffnen können.

4. Die praktische Bedeutung der Analyse

Welche Bedeutung hat es für das pädagogische Handeln, wenn die Pädagogik darin einen religiösen Aspekt aufzeigen kann? Man könnte geneigt sein, den Ausweis dieses Aspekts als akademische Spitzfindigkeit abzutun. Es lässt sich jedoch zeigen, dass der Verweis auf bereichsüberschreitende Aspekte, hier der religiöse, die Bestimmtheit der pädagogischen Praxis schärft. Gerade auch aus der Perspektive der religiösen Gebundenheit pädagogischer Praxis können die gegenwärtigen bildungspolitischen Entwicklungen und ihre Leitideen kritisch betrachtet werden.

Aus der Fülle der möglichen Ansatzpunkte für Kritik soll hier nur einer, für den heutigen Bildungsdiskurs aber vielleicht symptomatischer Punkt herausgegriffen werden: die gegenwärtige Dominanz der ökonomischen Betrachtungsweise aller Bildungsfragen. Bildung wird heute vorwiegend als Handelsgut betrachtet, dessen Verteilung an die Kunden nach ökonomischen Kriterien erfolgen muss.

In dieser Hinsicht lassen sich gegenwärtig viele Einzelphänomene als vorwiegend ökonomisch begründet aufzeigen: der Trend zu Verkürzung von Schul- und Studienzeiten, z. B. Abitur nach Klasse 12, die Einführung von Bachelor-Abschlüssen als Regelform nach 6 Semestern, die Fokussierung schulischer Bildungsprozesse auf standardisierte Kompetenzen, die Einführung von Schul- und Studiengebühren, die Einführung von erfolgsorientierten Gehältern für Lehrer an Schulen und Hochschulen, die Dauerevaluation der eingeworbenen Drittmittel als vermeintlicher Exzellenzausweis, Rankings nach zählbaren Fakten, die Verstärkung des Wettbewerbs um Schulabschlüsse, um Studienplätze, um die besten Studenten, die Hochbegabten- und Eliteförderung statt Breitenbildung und so weiter.

Was ist dazu im Lichte des herausgestellten religiösen Aspekts der Pädagogik zu sagen? Zumindest dieses: Auch wenn der pädagogische Diskurs nicht exklusiv zuständig für die Gestaltung der Schule ist, so bringt er gerade unter religiösem Aspekt etwas ins Spiel, was die ökonomische Bindung von Lehr- und Lernleistungen zu begrenzen vermag: die grundsätzliche Gebundenheit des Bildungsprozesses, die andere Bindungsbestrebungen nachrangig werden lässt. Die skizzierte Gebundenheit sagt nämlich in positiver Hinsicht aus, dass die Gestaltung von Schule und Unterricht stets so geartet sein muss, dass die Schülerinnen und Schüler am Ende fähig sind, selbständig und eigenverantwortlich zu handeln. Dazu gehört eine Prozessgestaltung, die nicht nur darauf schielt, was am Ende als standardisierte und evaluierbare Kompetenz herauskommt, sondern die es den Schülerinnen und Schülern ermöglicht, an der Ergänzung ihrer Wissens- und Urteilsfähigkeit selbsttätig mitzuwirken. Wenn es um Bildung und nicht bloß um Kompetenzausbildung geht, dann ist die pädagogische Prozessgestaltung nicht allein am Output und ihrer Effektivität zu messen, sondern an der Art und Weise, wie sie hilft, die Bedeutung der verschiedenen Kompetenzen vielseitig zu beurteilen und ihren Einsatz in den verschiedenen Situationen des Lebens zu entscheiden und zu verantworten lernt.

Eine Pädagogik, die um den religiösen Aspekt des pädagogischen Handelns weiß, wird deshalb den Gedanken des Wettbewerbs aus dem pädagogischen Geschäft verbannen (vgl. Rekus 2004). Denn die Gebundenheit der Bildungsaufgabe gilt für jeden in gleicher Weise und fordert deshalb von den pädagogischen Institutionen, dass jeder auf seine Weise unterstützt wird und alle in gleicher Weise die individuelle Unterstützung erfahren. Der pädagogischen Forschung kommt es deshalb zu, die Bedingungen und Bedingtheiten zu untersuchen, unter denen alle Kinder und Jugendliche ihrer Bildungsaufgabe nachkommen können. Wenn man denn schon die massive PISA-Kritik an der Schule teilt, der es heute nicht mehr gelingt, die Schere zwischen den besser und den schlechter gestellten Kindern und Jugendlichen zu schließen, dass sie in bildungspraktischer Hinsicht eher Risikogruppen erzeugt als verhindert, dann wird man nicht für (noch mehr) Wettbewerb im Bildungswesen eintreten können. Wenn man die Voraussetzungen pädagogischen Handelns als religiöse Aspekte ernst nimmt, wie sie etwa im Begriff der Bildsamkeit enthalten sind, dann sollten Bildungssysteme nicht nach dem Matthäus-Prinzip funktionieren: »Denn wer hat, dem wird gegeben, und er wird im Überfluss haben; wer aber nichts hat, dem wird auch noch weggenommen, was er hat« (Matthäus 25,29).

Vielmehr kommt es darauf an, die künftigen Schulabgänger für den unter ökonomischem Aspekt notwendigen Wettbewerb zu befähigen, d. h. das Selbstvertrauen jedes Einzelnen so zu stärken, dass er sich zunehmend größere Leistungen zutraut und kompetent wird, die Zukunft auf seine Weise mitzugestalten und ein gelingendes Leben zu führen. Bildung ist in pädagogischer Sicht kein Wirtschaftsgut, sondern ein Aufgabengeschenk, mit dem wir wertschätzend, d. h. stets vermehrend umzugehen haben.

Religionsunterricht und die Bildung des Menschen

Volker Ladenthin

Als Ziel aller Bildungsprozesse muss die Befähigung des Einzelnen zu gültiger Selbstbestimmung angesehen werden. Der Einzelne soll selbstständig Geltungsansprüche begründen können. Die Geltungsansprüche müssen allgemein sein, d. h. der Beliebigkeit entzogen. Wenn Religion zur Bildung des Menschen gehören soll, dann kann sie nicht Folge beliebiger Anwahl sein. Indem nun Religion als Verhältnis zur eigenen Endlichkeit bestimmt wird, erfährt die Religion die Legitimation als ein jedem Menschen eignendes Seinsverhältnis. Zwar kann der Einzelne über die Rezeption, Ausgestaltung und Überlieferung seines religiösen Verhältnisses entscheiden, nicht aber über seine Religiosität selbst. Sie ist mit dem Menschsein gegeben. Aus dieser bildungstheoretischen Legitimation lässt sich allerdings nicht die Notwendigkeit einer bestimmten Offenbarungsreligion ableiten; umgekehrt aber ist jedem Handeln in der Welt eine Entscheidung (= Bekenntnis) über den eigenen Umgang mit der Endlichkeit eigen. Über die Gestaltung der eigenen Religiosität kann und muss deshalb entschieden, es kann und muss deshalb gelernt werden. Die Lehre selber kann nur aus einem eigenen Bekennen heraus erfolgen, also nie nur Unterricht sein, sondern sie ist immer schon Hineinnahme in eine gelebte Glaubenspraxis.

1. Vor-Urteile

Zwei Argumente sind es, die dem Religionsunterricht in unserem Land immer wieder begegnen:
- Religion? Das muss doch jeder selbst wissen.
- Der Staat soll weltanschaulich neutral sein und man müsse deshalb staatliche Schulen und religiöse Unterweisung trennen.

Das zweite Argument vergisst, dass der Staat nur dafür sorgt, *dass* Religionsunterricht stattfinden kann. Er führt ihn aber nicht durch, sondern gewährt einen rechtlich-sittlichen Rahmen, dessen Füllung er den Religionsgemeinschaften überantwortet. Allerdings entscheidet der Staat damit darüber, dass Religion zu dem gehört, was die klassische Bildungstheorie seit etwa 200 Jahren Bildung nennt. Zu fragen ist also: Gehört Religion immer noch zur Bildung? Diejenigen, die sagen »Das muss doch jeder selbst wissen«, bestreiten dies. Sie bewerten die Konfessionalität wie die Schwärmerei für einen Schlagerstar oder eine Fußballmannschaft. Dies müsse eben jeder selbst wissen. In bestimmter Hinsicht ist diesem Argument ein wenig zuzustimmen: Natürlich muss jeder selbst denken. Denken ist Selbsttätigkeit – auch in einer Dienstleistungsgesellschaft! Allerdings gibt es Regeln dafür, wie dieses Denken stattfinden soll – und diese Regeln sind nicht beliebig. Es gibt gelten sollende Urteile darüber, wann diese gedankliche Selbsttätigkeit misslungen oder gelungen ist. Die Regeln für gelungene Selbsttätigkeit, für gelungenes Denken erwirbt man in Bildungsprozessen. Also auch hier die Frage: Gehört das Denken von Religion zur gelungenen Selbsttätigkeit, zur Bildung?

Die Besonderheit scheint nun, dass sich die Inhalte der Religion dem wissenschaftlichen Nachvollzug entziehen – kurz: sich nicht beweisen lassen. Man hört oft die Meinung, dass es eben deshalb für das Schulfach Religion keine allgemeine Begründung geben könne, weil man den Teilnehmer eines Religionskurses nicht auf einen vernünftigen Diskurs verpflichten können, der ebenso sicher zum Glauben führe wie die Analyse von Stoffen zu chemischen Formeln. Und daraus folgert man, dass das Religiöse Privatsache ist, mithin nicht Gegenstand allgemeiner Bildung, mithin nicht Angelegenheit eines sich um allgemeine Bildung bemühenden staatlich getragenen Unterrichts sein müsste. Allerdings übergeht diese Argumentation eine wichtige Unterscheidung: Die Inhalte der Religionen mögen reine Glaubenssache sein. Der *Umstand* aber, *dass* geglaubt werden kann, die *Frage* danach, *ob* geglaubt werden darf, und die *Entscheidung* darüber, *wie* geglaubt werden soll, sind rationaler Argumentation zugänglich.

Die Frage nach dem richtigen Umgang mit dem Glauben ist keine (beliebige) Glaubenssache. Denn sie ist eine Frage nach vernünftigen Gründen für die Zustimmung oder Ablehnung des Umgangs mit dem Glauben. Zugespitzt formuliert: Die Entscheidung, ob man Religion als ordentliches Schulfach ansieht oder nicht, kann nicht davon abhängen, ob man selbst gläubig ist oder nicht. Vielmehr ist – unabhängig von der eigenen Einstellung – zu fragen, ob man »Religiosität« als für den Bildungsprozess des Menschen unerlässlich hält oder nicht. Müsste aber nicht schon die kulturelle Klugheit die Zweifel zerstreuen? Schon die Alltagswelt zeigt doch: Ohne Kenntnis religiöser Gebräuche und Gebäude findet man sich auf der Landkarte unserer Gegenwart nur schwer zurecht. Man muss die Legenden dieser Landkarte schon lesen können, um auf ihr weiterzukommen. Ebenso fußt alles Sprechen – und auch das Zweifeln – auf der zweifellos vorausgesetzten Tradition einer auch religiös gesättigten Sprache: Die religiös mitbestimmte Tradition bleibt Bedingtheit der Möglichkeit, sich von ihr zu emanzipieren. Aber diese kulturelle oder transzendentalhistorische – nämlich sprachkritische – Argumentation reicht nicht sehr weit. Sie legt zudem den Schluss nahe, dass man das Fach Religion (mit den Bezugswissenschaften der konfessionellen Theologien) durch das Fach Religionskunde (mit dem Bezug zur Religionswissenschaft) ersetzen könnte.

Ich möchte also nicht kulturtheoretisch nach der Berechtigung des Religionsunterrichts fragen, sondern bildungstheoretisch.

2. Bildungstheorie

Bildung steht unter der Maßgabe von Wahrheits- und Sollensansprüchen. Bildung, also ein Handeln jenseits von körperlicher Versorgung und institutioneller Disziplinierung, … Bildung wird in einem strengen Sinne überhaupt erst notwendig, wenn Wahrheits- und Sollensforderungen erhoben werden. Wer pädagogisch handelt, erhebt Geltungsansprüche sachlicher und sittlicher Art und fragt nach Möglichkeiten, diese Ansprüche allgemein zu begründen und aufgabenbezogen in Geltung zu setzen. Diese Ansprüche sind nur durch die Vernunft selbst zu rechtfertigen. Bildung will nicht dieses oder jenes, diese oder jene Fähigkeit, diese oder jene Kultur. Bildung ist vielmehr der Anspruch der Vernunft selbst. Bildung will Vernunft in ihr Recht setzen. Vernunft – das sei im Zeitalter der Vernunftkritik nur erwähnt – ist jene Tätigkeit des Menschen, die intentional Gründe für Urteile über Welt, Zusammenleben und Selbstbestimmung aufführt, die allgemein zugänglich sind. Sollte es solch allgemeine Gründe prinzipiell nicht geben können, dann erübrigt sich jegliche Argumentation, dann erübrigen sich soziale Gesellschaften und Demokratie und Gesellschaft wird als bewusstloses, allein durch Macht und Gewalt bestimmtes Gegeneinander verstanden (Ladenthin 1993, 145-158). Eine Gesellschaft, die sich nicht auf Vernunft bezieht, braucht keine Religion, weil sie eine wert-lose Gesellschaft ist, in der nicht zwischen wahr und unwahr, gut und böse, sinnvoll und sinnlos unterschieden wird.

Die Tätigkeit der Vernunft stellt Geltungsansprüche sachlicher, sittlicher und ästhetischer Art. Geltungsanspruch meint, dass das, was der Verstand hervorbringt, nicht nur wahrhaftig, sondern wahr, nicht nur gut gemeint, sondern sittlich, nicht nur gefällig, sondern schön sein soll. Ohne genau diesen Geltungsanspruch der Vernunft – also ohne den Anspruch des Allgemeinen – gibt es keine Bildung, weil dann alles, was ist, schon wahr, gut und schön wäre. Erst die Allgemeinheit von Geltungsansprüchen macht überhaupt Bildung *möglich*. Und: Erst die Allgemeinheit von Geltungsansprüchen macht überhaupt Bildung *nötig*. Entweder beanspruchen vernünftige Aussagen allgemeine Geltung – oder man kann sie in die private Beliebigkeit versenken. Entweder gibt es Allgemeinheit in der Bildung – oder es gibt keine Bildung. Obwohl sich pädagogisches Handeln immer an den Einzelnen richtet, müssen die Ansprüche des Denkens immer allgemein zu rechtfertigen sein. Die Vernunft, wie sie sich in den Wissenschaften, in der Ethik und dem Anspruch der Künste zeigt, erhebt immer allgemeine Anspruch: Was gesagt oder gezeigt wird, soll gelten.

Die Bildungstheorie fragt nun nach dem *Menschlichen* an den unterschiedlichen Geltungsansprüchen. Und sie fordert das *Menschliche* am einzelnen Menschen heraus. Bildungstheorie enthält also immer zugleich eine allgemeine

Theorie des Menschen. Würde man diesen Anspruch der Allgemeinen Pädagogik aufkündigen, und pädagogisches Handeln an den individuellen *Bedürfnissen der einzelnen Menschen* ausrichten, dann wäre Bildung nichts anderes als *Pflege*. Würde man pädagogisches Handeln an den *Forderungen der Gesellschaft* ausrichten, dann wäre Bildung nichts als *Disziplinierung* (Benner 1985, 441 ff.) Bildung aber ist der Versuch, die Ansprüche von Wahrheit, Sittlichkeit und Schönheit so zu stellen und zu thematisieren, dass der andere diese Ansprüche auf ihre Geltung und Anerkennung hin prüfen kann, um sein Leben gelingen zu lassen. Theorie der Bildung als Denken der Vernunft selbst – Bildung als Vernunft: Das ist das Programm der klassischen europäischen Bildungstheorie seit Rousseau, Kant, Herbart oder Humboldt: (Ladenthin 2003, 237-260) Letzterer schreibt im Fragment über die Bildung des Menschen:

»Die letzte Aufgabe unseres Daseyns: dem Begriff der Menschheit in unserer Person, sowohl während der Zeit unseres Lebens, als auch noch über dasselbe hinaus (…) einen so grossen Inhalt, als möglich, zu verschaffen.« (Humboldt [3]1982, 234 ff.)

Das *Ziel* aller Bildungsprozesse ist die Befähigung des Einzelnen zu gültiger Selbstbestimmung. Er soll selbst Geltungsansprüche stellen können. Er soll sich selbst gültig, d. h. vernünftig bestimmen können. Dieses Ziel ist allgemein – selbst die postmoderne Aufkündigung dieses Zieles geschieht nur um dieses Zieles willen. Wenn nämlich Positionen der Postmodernen besagen, dass es keinen allgemeinen Begriff des Menschen gebe, der ihn bestimme, so war und ist das ja Kernstück aller modernen Bildungstheorie: Dass nämlich der Mensch als einziges Wesen der Natur dazu bestimmt sei, sich selbst zu bestimmen. Weil die Natur den Menschen zu nichts bestimmt hat, muss er sich selbst bestimmen. Diesen Vorgang nannte die klassische Pädagogik Bildung.

Die soziologistische Position sagt nun das genau Gegenteil: Der Mensch könne sich gar nicht selbst bestimmen; er sei Produkt der Geschichte, der Gesellschaft oder der Herrschaft der Begriffe. (Hermann 1996, 25-34). Wenn dem so ist (ich kann das nicht beurteilen, weil ich immer Teil dessen bin, was ich doch beurteilen soll) … wenn dem so ist, dann erübrigt sich allerdings auch die Äußerung dieses Gedankens. Wenn Aufklärung grundsätzlich nicht möglich ist, hat Aufklärung darüber, dass sie unmöglich ist, nur ästhetische Bedeutung (Rekus 1986 132-144). Freilich kann die soziologische Frage nach den *Bedingtheiten* suchen, innerhalb derer die Frage nach den *Bedingungen* der Möglichkeit zu stellen ist (Heitger 1961, 47-72). Bildungstheorie als Theorie der Vernunft selbst ist nur dann überholt, wenn die Vernunft selbst überholt ist. Dazu kann man sich dann aber auch nicht vernünftig äußern.

Was bedeutet es nun für die Rolle der Religion im Bildungsprozess, dass die Theorie der Bildung Theorie des Arbeitens der Vernunft unter dem Anspruch allgemeiner Geltung ist?

3. Religion

Es bedeutet, dass die Bildungstheorie die Frage nach dem Religiösen sehr grundsätzlich stellen muss: Entweder gehört Religion *für alle Menschen* zum Bildungsprozess oder sie ist Privatsache – wie etwa die Begeisterung für einen Schlagerstar oder eine Fußballmannschaft. Eine solche Begeisterung mag individuell wertvoll sein, lässt sich aber nicht allgemeinpädagogisch begründen: Popmusik und Fußball sind Accessoires einiger Mitbürger, nicht aber konstitutiv für den Begriff des Menschen. Wenn Bildung Arbeit der Vernunft selbst ist, dann ist die Frage, ob Religion zur Bildung gehört nur *das Praktischwerden der grundsätzlichen Frage nach dem Verhältnis von Vernunft und Glaube*. Die Frage stellt sich in doppelter Hinsicht: Einmal stellt sie sich in der Frage, ob Vernunft ohne *Glaube* auskommt. Zum anderen stellt sie sich in der Frage, ob der Glaube ohne *Vernunft* auskommt.

Kommt Vernunft ohne Glaube aus?

Zuerst zur grundsätzlichen Frage, ob Vernunft ohne Glaube auskommt: Verweist etwa das Denken selbst auf ein Glauben? Ist Denken ohne ein Glauben gar nicht möglich? Einzig dem Menschen kommt es zu, darüber nachzudenken, dass er in seinem Tun und Denken endlich ist. Wenn man versucht, einen Begriff für das Proprium des Religiösen zu finden, der von keinem Begriff substituiert werden kann, *dann findet man ihn in dem Gedanken, dass Religiosität der Umgang mit der eigenen Endlichkeit ist*. Das ist nun nicht einfach eine biologische Tatsache, auf die das Denken stößt. Es ist ein Problem des Denkens selbst.[1]

---

1.   Die Logik von Port Royal unterscheidet drei Wissensbereiche: Das sichere Wissen, das Wissen, das einmal möglich sein wird und »schließlich gibt es welche, deren gewisse Erkenntnis nahezu unmöglich ist (…) weil diese Dinge der Größenordnung unseres Geistes nicht entsprechen.« (Arnauld, Antoine; Nicole, Pierre: Die Logik oder Die Kunst des Denkens. [1685] Aus dem Französischen übersetzt und eingeleitet von Christos Axelos. Darmstadt 1994 (2. Aufl.), 286.) Erkennbar ist die Nichterkennbarkeit von Gegenständen, deren Erkenntnis aber notwendig wäre, um absolute Gewissheit zu erlangen. Nach der Transzendentalphilosophie können die Bedingungen der Möglichkeit von Erkenntnis benannt werden, aus denen sich nicht der Glaube, wohl aber die Möglichkeit des Glaubens begründen lässt. Die Differenz zwischen Erkennbarem und Unerkennbaren, Endlichkeit und Unendlichkeit ist transzendentalphilosophisch nicht zu überwinden (Glaube also transzendentalphilosophisch nicht als denknotwendig abzuleiten); wohl aber kann die Transzendentalphilosophie diese Differenz aufzeigen, die dann durch tradierte (oder kreierte) Glaubensangebote angegangen werden kann.

Das Denken erfährt an sich selbst seine radikale Endlichkeit. Es fängt an und hört auf, ohne je an ein Ende zu kommen. Es nimmt Anteil, ohne zu wissen, woran es Teil hat. Aber es hat schon immer Anteil genommen, wenn es gedacht hat.

Die Unabgeschlossenheit des Denkens ist nicht die Erfahrung von Geschichtlichkeit. Endlichkeit ist keine später einmal zu überwindende Vorgeschichte. Sondern die Endlichkeit des Denkens ist prinzipiell. Die Endlichkeit ist ebenso unüberschreitbar, wie wir wissen, dass jede Grenze zwei Seiten haben muss. Aber wir kennen die andere Seite nicht. Von der Unendlichkeit kann unser Denken nichts wissen – eben weil es der Endlichkeit verfallen ist. *Religiosität ist das Bewusstsein der eigenen Endlichkeit angesichts einer Unendlichkeit, die wir voraussetzen müssen, von der wir aber nichts wissen können.* Aber wir können an das, von dem wir nichts wissen, glauben. Dieser Glaube ist nicht zwingend – aber er ist möglich. Und auch für den, der nicht meint, glauben zu können, entsteht das Problem, mit der Unendlichkeit angesichts seiner Endlichkeit umgehen zu müssen.

Glaube liegt so im Niemandsland, im lebensbedeutsamen Niemandsland allerdings. Auf der einen Seite dieses Niemandslands liegt das Nicht-Wissen-Können, auf der anderen Seite liegt aber das Gewußt-Haben-Müssen. Wenn wir handeln, wenn wir denken, dann haben wir uns immer schon zu unserer eigenen Endlichkeit *verhalten*. Wir können uns nicht »Nicht-zur-eigenen-Endlichkeit-verhalten« – wie wir uns auch immer verhalten. Denken und Handeln sind also immer schon Ausdruck eines *Bekenntnisses* zur Endlichkeit. Auch hier gilt: Wir können nicht »Nicht-Bekennen«. Wir können allerdings auf Expressionen unseres Bekenntnisses verzichten; wir können das Bekenntnis unreflektiert halten.

Unter der Perspektive von Bildung – als gültiger Selbstbestimmung – allerdings dürfen wir dies nicht. Unter der Perspektive von Bildung muss sich das Bekenntnis, dem wir nicht ausweichen können, vernünftig gestalten. Vernünftig aber – hatten wir gesagt – ist Allgemeinheit. Unser Bekenntnis muss allgemein werden, das heißt: Das Bekenntnis muss sich vor der eigenen Vernunft mit Gründen rechtfertigen. Dieser Prozess der Rechtfertigung des Bekenntnisses findet – zumindest in unserer Kultur – innerhalb der Konfessionen statt. Konfessionen *sind* der reflektierte, allgemeine Umgang mit individuellem Bekennen. Wenn man Konfession mit institutionalisierter Bekenntnis übersetzt, dann kann es religiöses Denken außerhalb von Konfessionen nicht geben. Die beiden Folgerungen sind nahe liegend: 1. Religion gehört zum Bildungsprozess, weil jedes aufgeklärte Denken sich auch über die eigene Endlichkeit aufklären muss. 2. Religiöses Denken ist immer nur konfessionell möglich, weil jedes Denken ein »Sich-bekannt-haben« voraussetzt, das es zu reflektieren gilt, wenn das Denken gültig sein soll.

Religion ist folglich kein Additum zur Bildung. Es ist eine Bestimmung von Bildung selbst. Bildung ist die Befähigung, ein gültiges Verhältnis zur Welt, zu den Anderen und zu sich zu gestalten. Das Bewusstsein der Endlichkeit ist aber dann kein Thema, das neben den anderen Themen steht. Es ist kein neben anderen Themen *vielleicht auch mögliches* Thema von Bildung. Nein: Das Bewusstsein der eigenen Endlichkeit ist ein *Moment der Bildung selbst*. Endlichkeit ist ein Moment der Vernunft selbst – es ist in allen Denkakten immer schon enthalten: Ein Wissen, das *nicht* um die Endlichkeit seiner selbst weiß, ist kein gebildetes Wissen – wie kenntnisreich es auch immer sei. Alle vernünftigen Urteile im Verhältnis zur Welt, zu den Anderen und zu sich müssen sich daraufhin befragen lassen, ob sie die eigene Endlichkeit mitbedacht haben.

– An welchem Unendlichen hat die endliche Erkenntnis Teil? (Petzelt 1957, 237 ff.)

– Warum soll man gut handeln, wenn man das Sollen nicht wieder durch ein Sollen begründen kann? (Schilmöller 1990, Bd. 2, 160 ff.)

– Wenn ich mich selbst bestimme, … wenn ich der bin, der mich macht: Wer ist dann das Ich, das mich macht, ohne schon zu sein?

Vernunft ohne Glauben – das ist nur ein um Vernünftigkeit reduzierter Verstand. Vernunft kann ohne Glauben nicht vernünftig sein. In diesen Fragen aber, die die Vernunft an sich selbst stellt, ist die Vernunft auf Antworten verwiesen, die sie auf Grund ihrer Endlichkeit nicht selbst hervorbringen kann. Die Vernunft erkennt ihre eigene Endlichkeit. Sie muss sich dieser Frage stellen, wenn sie sich nicht über sich selbst täuschen will. Sie kann aber über das, was sie an sich entdeckt hat, *mit ihren Mitteln* nichts sagen. Sie findet in sich nur eine Fähigkeit vor, die Endlichkeit zu entgrenzen. Sie findet an ihrer Grenze das Glauben. Die Vernunft findet Traditionen, Texte, Riten, Lebensschicksale vor. Sie stößt auf Menschen, die erzählen, dass sich ihnen die Unendlichkeit offenbart hat: So gerne die Vernunft dieses Land betreten würde, so sehr sie es braucht: Wenn sie es betritt, ist sie nicht mehr nur sie selbst.

Die Bildungstheorie kann die Notwendigkeit und Möglichkeit des Glauben-Müssens begründen. Sie kann begründen, dass wir mit dem Denken der Endlichkeit gebildet, d. h. vernünftig umgehen müssen, wenn das Denken vernünftig bleiben will. Die Bildungstheorie kann Religiosität, als Wissen von der eigenen Endlichkeit, als eine dem Menschen sich unabweislich stellende Aufgabe ausweisen. Aber sie kann den Inhalt dieser Religiosität, Gott nämlich, nicht begründen.

Braucht Glaube Vernunft?

Ich möchte an dieser Stelle die andere Frage zu beantworten suchen: Braucht der Glaube die Vernunft? Kommt der Glaube ohne Vernunft aus? Wenn Bildung nicht ohne Religion sein kann, weil Vernunft immer um die eigene Endlichkeit wissen muss, will sie vernünftig mit sich umgehen, dann ist damit noch nicht gesagt, dass Religion der Bildung bedarf. Würde nämlich Religion *nur* durch Bildungsprozesse erworben, dann wäre – religiös gesprochen – Gott von den Menschen gemacht – und nicht Gott. Aber – bildungstheoretisch gesprochen – wir erwerben unsere eigene Endlichkeit nicht durch Bildungsprozesse. Insofern ist Religion nicht auf Bildung angewiesen; Gott hängt nicht von den Gnaden eines Schulmeisters ab. Würde Religion dagegen *gar nicht* durch Bildungsprozesse erworben, dann wüssten die Menschen nicht von ihr. Dann gäbe es keine Geschichte der Religion, nicht die Möglichkeit, richtig und falsch religiös zu leben. Dann wäre die Opferung von Menschen auf den aztekischen Pyramiden genau so richtig wie die Heilung der Aussätzigen in Galiläa. – Darüber aber nachzudenken, wie wir mit dem Religiösen richtig umgehen, ist eine Bildungsaufgabe, weil die Kriterien des vernünftigen Umgangs mit dem Religiösen nicht aus dem Religiösen kommen, wohl aber das Religiöse betreffen.

Wir erwerben unsere vernünftige Konfessionalität in Bildungsprozessen; aber wir können dies nur deshalb, weil wir etwas in uns haben, was weder durch Bildungsprozesse hervorgebracht noch durch sie abgeschafft werden kann: nämlich Religiosität. Allerdings wäre das Verständnis von Konfessionen als kulturelles Rationalisierungsprogramm für eine quasi »naturhafte« Anlage ein verkürztes Verständnis von Konfession. Konfessionen sind dies zwar auch: Sie regeln die Tradition des Glaubens auf vernünftige Art. Sie bestimmen die auratischen Texte; die reflektieren die vernünftige Auslegung der auratischen Texte; sie regeln den Ritus; sie reflektieren die institutionelle Verfasstheit von Glaubensgemeinschaften.[2] Aber die Konfessionen finden ihren Existenzgrund nicht in der Reflexion. Sondern sie sind zur Reflexion gekommen, weil sie einen Grund haben, der sich reflexiv nicht einholen lässt – der sich aber auch nicht wegreflektieren lässt. Es ist der jeweils eigene Glaubensakt. An genau dieser Stelle aber hört die Bildungstheorie auf. Sie kann das Glauben wohl als Problem des Denkens ausweisen, nicht aber einen Glauben selbst begründen. Die Bildungstheorie kann zwar noch *kulturelle Evidenzen* für bestimmte Konfessionen anführen: Wie kann sich eine Gesellschaft über sich verständigen, die die eigene

---

2. Der Staat sollte übrigens die Qualität der Reflexion über den vernünftigen Umgang mit dem Glauben als ein Kriterium dafür nehmen, welchen Konfessionen er einen Platz an allgemein bildenden Schulen ermöglicht.

Geschichte als quasitranszendentale Bedingung von Verständigung recht leicht-fertig opfert?

Die Bildungstheorie kann zudem noch *sozial-psychologische Gründe* anfüh-ren: Was geschieht mit einer Gesellschaft, in der nicht mehr vernünftig über Endlichkeit, über den Tod nachgedacht wird? Die Bildungstheorie kann schließlich *individualpsychologische Gründen* Geltung zu verschaffen suchen: Welche Folgen drohen, wenn Menschen ihre religiösen Bedürfnisse außerhalb vernünftiger Traditionen in Sekten befriedigen? Aber mit diesen kulturtheore-tischen, sozial-psychologischen und individualpsychologischen Erwägungen lässt sich nicht ein bestimmter Glaube rechtfertigen. Die vernünftige Begrün-dung des Religiösen als denknotwendiger Bestandteil von Bildung ist nicht bruchlos in Konfessionalität zu überführen. Und das ist auch gut so. Denn ein Gott, der von den Gnaden bildungstheoretischer Argumentation abhängig ist, wäre nur ein Idol. Gott existiert nicht, weil er bildungsnotwendig ist. Vielmehr ist mit der Tradition, dass Menschen von ihrer Erfahrung mit Gott erzählen, bildend umzugehen.

Konfessionalität meint also nicht nur den vernünftigen Umgang mit der ei-genen Endlichkeit, sondern zudem die Gemeinschaft, in der wir von Menschen hören und lesen, die von der Offenbarung Gottes und von ihrer Erfahrung mit dieser Offenbarung berichten. Die Differenz zwischen dem Religiösen und die Religion, in der der einzelne glaubt, ist der Grund dafür, dass der Staat die Pflicht hat, der Herausbildung einer vernünftigen Religiosität einen Raum zu schaffen – aber selbst diesen Raum nicht füllen darf.

4. Schluss

Ich fasse zusammen und ziehe einige bildungspolitische Konsequenzen:

Über die Gnade des Glaubens können wir Menschen nicht verfügen. Zum Glauben kann man nicht argumentativ zwingen. Nur Gott kann Gott begrün-den. An einen Gott kann man nur glauben. Wohl aber können wir über das Glauben nachdenken. Wir müssen das Glauben als Bedingung unseres Wissens verstehen. Eine Bedingung, ohne die das Wissen ein Wissen wäre, das über sich im Unklaren bliebe. Ohne Glauben ist Wissen unvernünftig. Wir können zu-dem das Nachdenken über unsere Endlichkeit überliefern und können immer wieder diese Überlieferung prüfen. Wir können also die Frage nach Gott aus der Vernunft stellen; wir müssen sie sogar vernünftig stellen, weil wir über un-ser Tun vor der Vernunft Rechenschaft ablegen müssen. Wenn Religiosität nicht nur mögliches Attribut einiger Menschen, sondern Bedingung des sich selbst verstehenden Menschen ist, dann kann man auf das Fach im Fächerkanon der

Schule nicht verzichten – wenn denn die Fächer den Anspruch erheben, unverzichtbare Zugänge zur Welt zu repräsentieren. Daraus folgt, dass das Fach Religion ordentliches Schulfach für alle allgemein bildenden Schulen bleiben muss. Religionsunterricht kann nur konfessionell sein. Jeder Mensch verhält sich in jedem Lebensakt immer schon in Beziehung zu seiner Endlichkeit. In den Riten und im Recht, in der Tradition und in der Methode dieser Reflexion konstituiert sich eine Konfession. Zur Wahl steht nur, ob man sich zu seiner eigenen Endlichkeit unreflektiert oder reflektiert verhält. Sobald man sich reflektiert zur eigenen Endlichkeit verhält – ist man in einem Ritus, in einem Recht, in einer Tradition und in einer Methode – also in einer Konfession. Aus dem Umstand, dass Religiosität sich immer nur konfessionell äußern kann, folgt, dass jeder verbindliche Religionsunterricht konfessionell sein muss.

Eine solche Konfessionalität regelt den vernünftigen Umgang mit dem Glauben, nicht den Inhalt des Glaubens. Dieser Glaube kann nicht begründet, er kann nur erfahren und ausgelegt werden. Diese Erfahrung wird in dem Satz bewahrt, dass das Glauben als Gnade gedeutet werden muss. Aus diesem Grund muss die Möglichkeit bestehen, sein Verhältnis zur eigenen Endlichkeit nicht nur subjektiv, sondern auch individuell zu klären – wenn diese Angebote den Ansprüchen von Wissenschaftlichkeit (d. h. Überprüfbarkeit), Sittlichkeit und Bildung genügen. Der Glaube selbst verbietet uns, letzte Gründe für seine Berechtigung anzuführen. Deshalb ist Religionsfreiheit ein Recht, das mit Religion selbst gegeben ist (Stobbe 1996, 98 ff.). Nur Gott kann Gott letztlich begründen.

Der Religionslehrer muss seine Konfession in der Doppeltheit von Bekenntnis und Erkenntnis repräsentieren. Wenn Religiosität als Akt des Bekennens immer schon und in jedem Akt ge*lebt* wird, dann findet dieses Bekennen auch in dem Moment statt, in dem Religion ge*lehrt* wird. Dann bekennen auch die, die gerade Religion lehren und lernen. Kein Lehrer und kein Schüler kann so tun, als ob er nicht schon beim Lernen und Lehren bekennt: Es gibt in religiösen Dingen keine Auszeit, keine Neutralität – also kann es auch keinen neutralen Religionsunterricht geben. Jedes Denken *über* Religion ist schon immer inmitten dessen, was es *erst noch* bedenken will. (Es ist wie mit der Sprache: Man kann nicht über Sprache sprechen, ohne immer schon in Sprache zu sein.)

Zur Lehrerbildung: Die besondere Verfasstheit vernünftigen Wissens, also der Umstand, dass jeder jedes Wissen prinzipiell selbst denken kann, hat nun besondere Bedeutung für die Ausbildung des Religionslehrers. Wenn Bildung das gegenstandsbezogene Anwenden von Vernunft ist, ist es die Aufgabe des Lehrers, beim Schüler die Prozesse auszulösen, die ihn selbst zur Einsicht bringen, die ihn selbst etwas einsehen lassen. Dies ist möglich, weil Wissen immer *selbst gedachtes Wissen* ist. Lernen ist also eine Art des Erkennens, das vom Lehrer nur ausgelöst und angeleitet wird. Der Erkenntnisakt selbst liegt im Schüler. Dieser Erkenntnisakt ist allgemein, weil er vernünftig ist. Allgemeine Vernunft nennen wir heute Wissenschaft. Die Religionslehrerausbildung muss also dort stattfinden, wo die Wissenschaft stattfindet.

Der Religionslehrer lehrt nun nicht das Glauben. Glaube an einen Gott ist Gnade. Der Lehrer lehrt *erstens* das Lernbare am Glauben, die Riten und Gebote, die Überlieferung und die Methode der Auslegung. Aber er lehrt nicht nur, er leitet nicht nur zum Erkennen an. Der Lehrer bekennt auch immer bei seiner Lehre. Religionsunterricht ist *zweitens* immer auch Bekennen – sonst betreibt man keine Religion, sondern Geistesgeschichte. Religionsunterricht ist also immer auch Bekenntnis. Religionsunterricht ist *drittens* aber zudem auch immer Teilnahme an der Gemeinschaft Bekennender. Erkennen und Bekennen sind im Fach Religion nicht zu trennen, weil das Lernen immer schon im Horizont eines Bekennens stattfindet. Das Kind lebt immer schon in der Perspektive seiner Endlichkeit – gleichgültig, in welcher Art die Reflexion auf diese Endlichkeit erfolgt – und ob sie explizit erfolgt.

Religionsunterricht ist ein kostbares Gut. Er ist der Garant dafür, dass unsere Vernunft vernünftig bleiben kann. Garant dafür, dass sich nicht menschliches Wissen absolut setzt. Nach einem Jahrhundert mit blutigen Versuchen, menschliches Denken als letztes Wort durchzusetzen, sollte ein Jahrtausend der Bescheidenheit beginnen: Die Bescheidenheit, die daher rührt, dass wir in unserem Handeln, Sprechen und Denken immer berücksichtigen, dass wir die letzten Begründungen nicht kennen – also nie so handeln, sprechen und denken dürfen, als würden wir sie kennen.

Begründungen für die Thematisierung des Christentums im Erziehungsraum am Beispiel des kulturtheoretischen und des moralpädagogischen Arguments

Günter R. Schmidt

Gegenwärtig scheint es immer mehr der Begründung zu bedürfen, dass sich Aufwachsende mit dem Christentum beschäftigen sollen. Für die in den Rahmen der praktischen Theologie gehörende christliche Religionspädagogik, die das Christentum aus der Innenperspektive betrachtet und sich auf christliche Grundprämissen stützt, ergibt sich eine solche Begründung schlicht aus der Universalität der christlichen Botschaft. Die säkulare allgemeine Pädagogik kann, will sie wirklich allgemein sein, nicht übersehen, dass das Christentum im Lebensraum der Aufwachsenden in Form der Kirchen, der christlichen Säkularisate und kultureller Objektivationen faktisch vorkommt. Allgemeine Pädagogik und christliche Religionspädagogik stehen unvermeidlich in Spannung zueinander: Jede der beiden Perspektiven ist global und versucht, sich die andere unterzuordnen. Die allgemeine Pädagogik betrachtet das Christentum religionstheoretisch, die christliche theologisch. Allgemeine Pädagogik will ein Verständnis des Christentums als kulturellen Faktors mit ambivalenten Wirkungen in Vergangenheit und Gegenwart fördern und es moralpädagogisch einsetzen, der christlichen Religionspädagogik kommt es in erster Linie auf die Kultivierung der Hörfähigkeit und -bereitschaft für das Evangelium an. Säkularisierung bedeutet negativ einen Rückgang des explizit christlichen Einflusses, positiv jedoch die Selbstverständlichkeit impliziten Christentums in Form der Durchdringung des westlichen Bewusstseins durch christliche Einsichten und Werte. An solche gleichsam anonym gewordene christliche Einsichten und Werte lässt sich moral- und religionspädagogisch anknüpfen.

Vorbemerkung

»Thematisierung des Christentums im Erziehungsraum« heißt, dass es für die Aufwachsenden an unterschiedlichen Orten, besonders auch in der Schule, zum Gegenstand der Aufmerksamkeit gemacht wird. Dass dies geschehen soll, scheint nicht selbstverständlich zu sein, sondern der Angabe von Gründen zu bedürfen. Aus der *Begründung* folgt die *Grundlegung* als Nennung von Kriterien dafür, wo, wann, wie und durch wen diese Thematisierung geschehen soll.

Der Ausdruck ›Christentum‹ umfasst eine solche Fülle höchst vielfältiger und gelegentlich widersprüchlicher Erscheinungen, dass er einer Definition bedarf, die diese Vielfalt zusammenhält und nach außen abgrenzt. Eine möglichst weite Begriffsbestimmung könnte lauten: Christentum ist überall da, wo Menschen die Frage nach dem letzten Sinn ihrer Existenz und den letzten Gründen ihrer moralischen Orientierungen von Jesus her beantworten und ihre Antwort als Einzelne und in Gemeinschaft kultisch ausdrücken. Christlicher Glaube ist Sinngewissheit von Jesus her und durch diese Sinngewissheit bestimmtes Denken, Fühlen, Wollen und Handeln. Christentum ist überall da, wo Jesus die maßgebliche religiös-ethische Beziehungsgröße darstellt und die letzte, alles bestimmende Wirklichkeit – Gott – an ihm erkannt wird. Er ist auf Gott hin transparent (alétheia, die Wahrheit als Offenbarung). An ihm leuchtet unüberbietbar der letzte (oder auch der erste) Seins- und Sinngrund der Wirklichkeit auf (1 Cor 4,6). Er ist nicht einfach nur eine vergangene, sondern eine gegenwärtige und künftige Größe: »Jesus ist der Christus.« »Er ist auferstanden.« Christentum ist da, wo auf die Maßgeblichkeit Christi hingewiesen und für diesen Hinweis letztgültige Wahrheit beansprucht wird. In dieser Hinsicht kann es keine innerchristliche Pluralität geben. Als Reichtum bejaht wird im Christentum dagegen Pluralität bezüglich der unzähligen kultur- und epochenbedingten, gruppenspezifischen und individuellen Interpretationen, kultischen Ausdrucksformen und sonstigen christlichen Objektivationen (Kunstwerke, Musikstücke, kirchliche Organisationsformen u.a.), in denen dieses Hinweisen jeweils konkrete Gestalt gewinnt. Ihr Wahrheitsmoment kommt von dem her, auf den sie hinweisen. Doch lässt sich stets die Frage nach der Adäquatheit ihres Hinweisens stellen. Dagegen kann nicht von Christentum die Rede sein, wo Jesus andere sinnorientierende Gestalten gleich- oder gar übergeordnet werden.

Eine letzte Vormerkung muss dem Ausdruck ›Erziehung‹ gelten. *Erziehung* findet überall da statt, wo Personen mit anderen Personen in Wechselwirkung treten, um bei diesen die Entstehung bestimmter Dispositionen des Wahrnehmens und des Verhaltens (Kenntnisse, Denkfähigkeiten, Einstellungen, Handlungsformen, Gewohnheiten u.a.) zu fördern. *Bildung* ist die Genese solcher Dispositionen. Wer Erziehung sagt, betrachtet diese Genese von der fördernden Seite her, mit dem Ausdruck ›Bildung‹ wird sie von der geförderten her gesehen. Erziehung ist Förderung von Bildung. Jede der beiden Perspektiven hat ihren Vorzug: ›Erziehung‹ betont die Verantwortung der fördernden Seite, ›Bildung‹ die Eigentätigkeit, Selbstbestimmung und Verantwortung der geförderten. Da für beide einander entsprechende pädagogisch-ethische Normen gelten, müssen sie nicht in Spannung zueinander gesehen werden.

1. Thematisierung christlicher Inhalte aus christlicher Sicht: Christliche Religionspädagogik

Für Christen ist die Frage nach der Begründung dafür, dass Aufwachsende mit dem Christentum in Berührung kommen sollen, höchst einfach zu beantworten. Sie erledigt sich fast von selbst. Sinnvoll gefragt werden kann nur nach der Art und Weise, wie dies geschehen soll. »Der Mensch soll im verstehenden Ergreifen und in der lebenspraktischen Aneignung der Glaubensbotschaft zu wahrem Leben gelangen; ja immer wird der Anspruch erhoben, dass er *nur* im Vertrauen auf den in dieser Botschaft angebotenen Sinn zur Wahrheit und zum Gelingen seines Lebens vorzustoßen vermag.« (Englert in Adam/Schweitzer 1996, 264) Die Frage ist für Christen nicht, ob Menschen mit der Botschaft in Berührung kommen sollen, sondern ob jemandem ein solcher Kontakt vorenthalten werden darf. Darauf lautet die Antwort schlicht: »Nein!« Das Christentum versteht sich als ausnahmslos an alle Menschen adressiert: »Macht zu Jüngern alle Völker und tauft sie im Namen des Vaters und des Sohnes und des Heiligen Geistes!« (Matth 28,19) Die universale Adressiertheit der christlichen Botschaft kennt keine Unterschiede der Rasse, der Kultur, der Nation, auch keinen solchen des Lebensalters. »Theologisch gehört zum christlichen Glauben untrennbar die Aufgabe, der nachfolgenden Generation die Perspektive des Evangeliums zu eröffnen. Wer erfahren hat, wie sein Leben durch die Hoffnung auf Gottes Güte nicht nur farbiger und interessanter wird, sondern auch eine neue befreiende Ausrichtung erhält, will dies gern anderen mitteilen.« (Grethlein 2005, 21) Solche Überlegungen leuchten innerhalb der Trägergruppe des Christentums, der Christenheit, der Kirche, ohne weiteres ein. Nicht das Streben nach Weitergabe des Glaubens muss hier legitimiert werden, sondern der Verzicht darauf. Die Legitimierung eines solchen Verzichts ist jedoch mit innerchristlich akzeptablen Argumenten unmöglich. Sie würde darauf hinauslaufen, dass die universale Adressiertheit der christlichen Botschaft innerhalb der Christenheit selbst bestritten würde. Die Trägergruppe geriete in Gegensatz zu dem, was sie eigentlich zu tragen vorgäbe.

Die Kirche versteht sich als Heilsgemeinschaft. In ihr wird durch Wort und Sakrament Heil real mitgeteilt und empfangen. Ihre Lebensäußerungen ›liturgia‹, ›martyria‹ und ›diaconia‹ appellieren – im Falle der diaconia mindestens implizit – an jeden, der sie wahrnimmt, die Heilsbotschaft zu bedenken und in sich einzulassen. Die in der Christenheit Aufwachsenden sollen lernen, ihre Lebensäußerungen mitzutragen.

Liturgia meint zunächst die öffentliche gottesdienstliche Feier, dann aber auch die private Andacht. In ihr wenden sich Christen Gott in absichtsloser Dankbarkeit zu und werden in ihrer Sinngewissheit und Wertorientierung gestärkt.

Martyria ist im weitesten Sinne jede Äußerung von Christen, die ihre Zugewandtheit zu Christus und ein christliches Selbstverständnis erkennen lässt, das gegenüber anderen mindestens die Frage impliziert, ob sie sich nicht auch für die christliche Botschaft interessieren sollten.

Diaconia umfasst jede christlich motivierte Bemühung, das selbstbestimmte Leben von Menschen unmittelbar oder mittelbar zu fördern. Sie reicht von der Sorge für Kranke und Behinderte im Nahbereich bis zum politischen Einsatz für die weltweite Geltung der Menschenrechte.

Innerhalb der Glaubensgemeinschaft wachsen auch junge Menschen auf. Sie stehen in Wechselwirkung mit anderen Christen, nehmen ihr Handeln in diesen drei Bereichen wahr und beteiligen sich nach ihren Neigungen und Kräften daran. Dadurch gehen solche Handlungsweisen und die ihnen zugrunde liegenden Orientierungen auf sie über (christliche Sozialisation, G. R. Schmidt 1993, 197 ff.) Neben diesen eher absichtslosen Einwirkungen auf Heranwachsende versuchen Christen, ihre Übernahme christlicher Orientierungen bewusst zu fördern (christliche Erziehung, G. R. Schmidt 1993, 213-232).

Alles Handeln ist vom Nachdenken darüber begleitet. Zu jeder Praxis gehört eine, wenn auch noch so rudimentäre, Theorie, an der sie sich orientiert und auf die sie ihrerseits zurückwirkt. Theorielose Praxis gibt es nicht. Die christlich motiviertes Handeln begleitende Theorie heißt *theologia*. Wie jedes Theoretisieren kommt sie auf unterschiedlichen Anspruchsniveaus vor. Auf dem untersten Niveau liegt etwa die Auskunft eines schlichten Christen, warum er am Gottesdienst teilnehme, auf dem höchsten die *akademische Theologie*, welche die genannten Äußerungsformen des Glaubens mit wissenschaftlichen Mitteln zu fördern sucht. Dazu ist immer wieder auch eine Distanznahme nötig, welche Theologie in die Nähe säkularer Religionswissenschaft vom Christentum rückt. Sie bleibt aber Theologie in dem Maße, wie sie die genannte Förderungsabsicht im Blick behält. Ihr Erkenntnis leitendes Interesse ist die Erhaltung, Verbesserung und Weiterverbreitung des Christentums. Theologie erforscht als *historische* den Ursprung des Christentums (Bibelwissenschaften) und seine weitere Entwicklung (Kirchengeschichte), fragt als *systematische* in Auseinandersetzung mit Philosophie und Wissenschaften nach dem rechten gegenwärtigen Verständnis seines Inhalts und erkundet als *praktische* individuelle und kollektive Glaubensäußerungen mit der Absicht ihrer Verbesserung. Der Theologe versucht, auf dem höchstmöglichen kulturellen Niveau Erkenntnisse über Christentum und Kirche zu formulieren. Er denkt als Glaubender über seinen Glauben nach, damit er für ihn selber und zur Rechenschaft gegenüber anderen verständlicher wird. »Theologie ist eine Funktion des Glaubens.« (Härle [2]2000, 10). »Die Theologie ist Selbstbesinnung des Glaubens auf seine Grundlagen, Normen und Aufgaben.« (Graß 1978, 5) Die Überzeugung von der Wahrheit des Glaubens ist nicht Ergebnis, sondern Voraussetzung von Theologie. Folglich haftet jeder theologischen Äußerung ein konfessorisches Element an. Von ihr geht immer ein kerygmatischer Impuls aus, ein Appell, ihren einladenden Verweis auf Christus wahrzunehmen. Entsprechend der theoretisierend argumentativen meist auf Detailfragen gerichteten Anlage theologischer Texte wird dieses konfessorisch-kerygmatische Element nicht immer gleich deutlich. Die »Selbstbesinnung« des Theologen erfolgt in Kommunikation mit anderen Christen, die – auf unterschiedlichen Niveaus und in unterschiedlichen Lebenszusammenhängen – ebenfalls über den christlichen Glauben nachdenken, und zielt auf stets neue Gemeinsamkeit des Verstehens. Insofern ist Theologie nicht nur Selbstbesinnung des einzelnen Theologen und Funktion seines Glaubens, sondern »Funktion der Kirche«. Der Glaube des Theologen, auf den er sich besinnt, ist in der Kirche, d.h. durch Interaktion mit Christen entstanden. Theologie drückt durch innerkirchliche Kommunikation gewonnene Glaubenseinsicht aus und dient ihrer Fortsetzung und Vertiefung sowie der Erhaltung. Weiterentwicklung und Ausweitung dieses Kommunikationsraumes.

P. Tillich beginnt seine dreibändige »Systematic Theology« mit dem Satz: »Theology, as a function of the Christian church, must serve the needs of the church.« Der Theologe hat seinen existentiellen und methodischen Standort innerhalb der Kirche und »arbeitet … bewusst aus der *Innenperspektive* heraus« Härle 2000, 10). Dies schließt nicht aus, dass er auch immer wieder einmal methodisch die religionswissenschaftliche Außenperspektive einnimmt. Deshalb sind nicht alle auf Christentum und Kirche bezogenen Aussagen, deren Autor sich als »Theologe« bezeichnet, auch im eigentlichen Sinne »theologische Aussagen«. Das gelegentliche methodische Heraustreten aus der Innenperspektive ist für den Theologen nicht nur heuristisch fruchtbar, sondern auch zur Auseinandersetzung mit Nichtchristen und den methodisch atheistischen, säkularen Wissenschaften notwendig. Denn jeder geistige Austausch erfordert die Bereitschaft und die Fähigkeit sich probeweise in die Perspektive des Gesprächspartners zu versetzen. Umgekehrt erfordert auch die säkulare religionswissenschaftliche Betrachtung von Erscheinungsformen des Christlichen immer wieder auch die methodische Übernahme seiner Innenperspektive.

Bei der theologischen Selbstbetrachtung der Kirche kommt auch die christliche Erziehung in den Blick. Die sie begleitende kritisch-konstruktive Theorie ist die »christliche Pädagogik«, »christliche Religionspädagogik« oder auch kürzer »Religionspädagogik«. Um sie einer sich aus nichtchristlichen (»Nichtchristlich« ist hier nicht peiorativ, sondern privativ gemeint. Es bedeutet nicht »unchristlich« oder gar antichristlich!) pädagogischen Theoriezusammenhängen ergebenden Religionspädagogik gegenüber zu stellen, bezeichne ich sie im Folgenden stets als »christliche Religionspädagogik« oder auch einfach »christliche Pädagogik« und ihr nichtchristliches Pendant, insofern es von einem (methodischen) Standort in der Gesellschaft im Allgemeinen entwickelt wird als

»säkulare« oder als »allgemeine Religionspädagogik«. Diese hat ihren Ort innerhalb der allgemeinen Pädagogik, die auf in der Gesellschaft unabhängig vom Christentum oder anderen religiös-weltanschaulichen Positionen konsensfähige Aussagen über Erziehung zielt.

Kommt es der historischen und der systematischen Theologie hauptsächlich auf den Inhalt christlicher Lebensäußerungen an, bei der praktischen hingegen auf ihre Form und ihre Wirksamkeit, dann ist die christliche Religionspädagogik »der praktischen Theologie zuzuordnen, insofern diese die lebenspraktische Umsetzung der christlichen Glaubenssymbole erforscht« (H. Schmidt 1991, 91) Wie für die Theologie insgesamt gilt auch für die christliche Religionspädagogik der Grundsatz der »Kirchenbindung«. Gemeint ist damit nicht Weisungsgebundenheit des christlichen Religionspädagogen gegenüber amtskirchlichen Personen oder Gremien, sondern sein Standort *in der Kirche* und seine Arbeit *für die Kirche*. Grundsätzlich nimmt er alle Äußerungen zu Erziehungsfragen einschließlich amtskirchlicher Verlautbarungen kritisch und selbstkritisch zur Kenntnis. Kirchenbindung schließt nicht aus, sondern gerade ein, dass der christliche Religionspädagoge im Sinne von diaconia auch die Förderlichkeit christlicher Erziehung über die Kirche hinaus für die Gesamtgesellschaft und das Leben des Aufwachsenden in ihr in den Blick nimmt. Kirchenbindung wird in letzter Zeit wieder deutlicher hervorgehoben (vgl. etwa die Beiträge von Nipkow, Frank, Schröder, Bubmann und Knauth in Schweitzer/Schlag 2004).

2. Thematisierung christlicher Inhalte aus säkularer Sicht: Allgemeine Religionspädagogik

Aufgabe des allgemeinen Pädagogen ist es, zum Thema Erziehung – Bildung allgemein konsensfähige Aussagen zu formulieren. Deshalb muss er – wo immer er persönlich stehen mag – seinen methodischen Standort in der Gesellschaft im Allgemeinen, nicht in einer ihrer weltanschaulich-religiösen oder politischen Gruppierungen einnehmen. Dies schließt nicht aus, dass er Erziehung – Bildung aus wechselnden Perspektiven betrachtet, um sich zu vergewissern, ob seine Aussagen aus der Sicht aller relevanten Gruppierungen noch akzeptabel scheinen. Konsensfähige Kriterien kann er dabei den Wissenschaften, philosophischer Erkenntniskritik und dem Ethos der Menschenrechte entnehmen: Als wahr soll (bis auf weiteres) angesehen werden, was offensichtlicher Wahrnehmung oder dem Stand der einschlägigen Wissenschaften entspricht. Unter Experten Strittiges darf nicht als unstrittig wahr behauptet werden. Seine fachlichen Behauptungen dürfen den Rahmen des der menschlichen Erkenntnis allgemein Zugänglichen nicht überschreiten. Wo im Erziehungsfeld diese Grenze überschreitende Behauptungen auftreten, muss er sich auf erkenntniskritische Hinweise beschränken und sich im Übrigen eines Wahrheitsurteils enthalten (epoché). Pädagogische Ziele und Maßnahmen müssen der Menschenwürde des Aufwachsenden und seiner Entwicklung zu freier Selbstbestimmung und seiner Achtung vor der gleichen Freiheit anderer förderlich sein.

Der Allgemeinpädagoge hat zwar seinen methodischen Standort außerhalb von Christentum und Kirche, doch kann er sie, will er wirklich den Gesamtrahmen von Erziehung thematisieren, nicht aus seiner Aufmerksamkeit ausschließen. Solches Ignorieren ginge zu Lasten des Allgemeinheitsanspruchs, weil Christentum und Kirche in weiteren und engeren Wahrnehmungshorizonten, innerhalb deren Aufwachsende durch Bildung orientierungsfähig werden sollen, faktisch vorkommen. Zwar hat das Christentum »in den (...) westlichen Ländern an normierender Kraft für das öffentliche und private Leben eingebüßt« (Ziebertz in Bitter et al. 2002, 23). Doch ist es bei weitem die verbreitetste Weltreligion. Die Zahl seiner Nominalanhänger wird gegenwärtig auf 33 % der Weltbevölkerung geschätzt. (www.adherents.com) In der BRD waren im Jahre 2002 65,7 % der Bevölkerung formell Mitglied einer christlichen Kirche, 63,8 % sind je zur Hälfte Angehörige der römisch-katholischen Kirche und der Evangelischen Kirche in Deutschland – EKD. Die Präsenz der Kirche ist unübersehbar. In der Silhouette vieler Städte fallen sofort die Kirchengebäude mit ihren Türmen auf, in den Medien kommen die Kirchen selbst zu Wort, und es werden Nachrichten aus dem kirchlichen Leben verbreitet. Fast jeder kommt, auch wenn er selbst nicht kirchlich aktiv ist, mit aktiven Kirchenmitgliedern in Berührung und nimmt mindestens gelegentlich an Gottesdiensten teil – so aus Anlass von Taufen, Erstkommunionen, Konfirmationen, Hochzeiten u. a. Auf viele Aufwachsende richten sich von ihrer Kirche und oft auch von mehr oder weniger kirchlich gesonnenen Angehörigen her bestimmte Erwartungen. Wenn sie sich mit Sinn- und Wertfragen beschäftigen kommt immer auch christlicher Einfluss ins Spiel. »Individuelle religiöse Semantiken bleiben, auch wenn sie sich in Distanz zu den Kirchen beschreiben, immer noch verbunden mit der Semantik der Institutionen, die traditionell ›Religion‹ vertreten.« (Ziebertz in Schweitzer et al. 2002, 59)

Dieses Zitat leitet zur zweiten Form christlicher Präsenz in westlichen Gesellschaften über, zu den so genannten *Säkularisaten*. Säkularisation bezeichnet ursprünglich die Überführung kirchlicher Besitztümer und Territorien in die Herrschaft weltlicher Potentaten. Jedoch lassen viele Gebäude, beispielsweise von Klöstern, noch ihren christlichen Ursprung erkennen. Sie tragen noch die Spuren ihrer christlichen Vergangenheit. Ähnlich verhält es sich mit mancherlei wichtigen Vorstellungen, Denkformen und Werthaltungen. Vielfach sind sie dem westlichen Menschen so selbstverständlich geworden, dass nur noch Kulturhistoriker ihre christliche Herkunft erkennen. Solche anonym gewordene christliche Spuren finden sich in der westlichen Geisteshaltung unabhängig von jeder bewussten Einstellung zum Christentum. Es sind hauptsächlich, aber nicht nur »Werte und Normen, die vom Christentum maßgeblich geprägt, auch weiterhin zum Gemeingut des abendländischen Kulturkreises geworden sind.« (BVerfGE 41,65, zitiert nach Nipkow II 1998, 172).

Besonders unübersehbar ist das Christentum für jeden, der sich der europäischen Vergangenheit zuwendet. Bis heute klingen in Literatur, Musik, darstellender Kunst, Philosophie und Wissenschaften christliche Themen an. Naturgemäß springt die »Christlichkeit« Europas in den drei genannten Formen ›Kirche‹, ›Säkularisate‹ und ›Kulturschaffen‹ Besuchern etwa aus dem fernen Osten eher ins Auge als Europäern, die daran gewöhnt sind.

Kommt einem im Umfeld der Aufwachsenden so präsenten Gegenstand wie dem Christentum nicht auch die Aufmerksamkeit der allgemeinen Pädagogik zu? Würde seine Vernachlässigung oder gar völlige Ausblendung nicht ihren Anspruch auf Allgemeinheit schmälern? (Schweitzer 2003, 28) Bis ins dritte Viertel des vergangenen Jahrhunderts war es für führende Vertreter der allgemeinen Pädagogik selbstverständlich, aus ihrer Fachperspektive auch das Christentum in den Blick zu nehmen. Doch »seit den 6oiger Jahren ist die religiöse Frage der neueren Pädagogik immer mehr aus dem Blick entglitten« (Nipkow II 1998, 97; ähnlich Schweitzer in Schweitzer et al. 2002, 144f.). Man kann dies auf mancherlei Weise erklären: »Die *Autoritäts- und Institutionenkritik* der 68iger Generation ... traf voll die Kirchen und mit ihnen den Religionsunterricht. Er wurde das Angriffsziel einer zum Teil rücksichtslosen *Religions- und Kirchenkritik*. Im Anschluss an Marx und Engels war für den neomarxistischen Flügel der neuen emanzipatorischen Pädagogik Religion zum Absterben verurteilt.« (Nipkow II 1998, 99) In der an Hochschulen verbreiteten Stimmung war Christliches weithin emotional negativ besetzt, und gar mancher Allgemeinpädagoge scheute es, sich durch seine Thematisierung zu exponieren. Gelegentlich mochte auch bis heute die Selbstbeurteilung eine Rolle spielen, bei der Thematisierung von Christlichem nicht sein sonstiges Niveau halten zu können und eventueller theologischer Kritik nicht gewachsen zu sein. Zudem fördert die fortschreitende fachliche Differenzierung eine Mentalität der Parzellierung. Jeder Fachvertreter steckt seinen Claim ab (»mein Gebiet«) und hütet sich vor Übergriffen auf andere ebenso, wie er solche auf sein eigenes Terrain abwehrt. Nicht umsonst muss gegenwärtig ständig Interdisziplinarität angemahnt werden. In dem Fall Allgemeinpädagogik – Theologie scheint sie seit Jahrzehnten besonders defizitär, und zwar von der pädagogischen Seite aus.

Wenn man Vermutungen dazu anstellt, warum sich Allgemeinpädagogen in Sachen Christentum so sehr zurückhalten, sollte man biographische Faktoren nicht übersehen. Auch bei Intellektuellen ist die Einstellung zum Christentum in den wenigsten Fällen durch rein theoretische Erwägungen bedingt. Vielmehr bestimmen in hohem Maße prärational erworbene Haltungen, inwieweit man sich überhaupt auf eine ernsthafte Beschäftigung mit dem Christentum einlässt und zu welchem Urteil man dabei kommt. Solche Urteile – positiver und negativer Art – sind nie ganz frei von nachträglicher Rationalisierung. Nicht selten kann man auch beobachten, dass das Niveau eines Gespräches absinkt, sobald christliche Themen berührt werden. Oft kann man es nicht halten, oft will man nicht und weicht ins Humoristische aus. Wie bei sonstigen Intellektuellen kann man auch bei Erziehungstheoretikern ganz grob etwa folgende verbreitetere Haltungen gegenüber dem Christentum unterscheiden:

– Kritische Zustimmung: Man lebt innerhalb der angestammten Konfession, teilt kritisch deren Grundtendenzen, nimmt allerdings hie und da Abstriche etwa im Bereich der Christologie, der Ekklesiologie, der Sakramentenlehre oder der Ethik vor. Vorzugsweise hält man sich in einem Bereich auf, der im weitesten Sinne der natürlichen Theologie zuzurechnen ist.

– Allgemein-religiöse Sinn- und Wertbejahung – Kulturchristentum: Man bejaht die Sinnhaftigkeit der Wirklichkeit (»Die Welt ist nicht einfach nur so da!«) und die Nicht-Beliebigkeit allgemeinerer ethischer Grundwerte. Im Christentum sieht man das für die westliche Welt spezifische Symbolsystem, das auf diese Sinnhaftigkeit und auf die Verankerung ethischer Werte im Grunde der Wirklichkeit selbst, nicht nur im Willen von Menschen, verweist. Dazu kommt die Wertschätzung des Ursprungs europäischer Geistigkeit aus der griechisch-römischen Antike und dem Christentum sowie der christlichen Durchdringung weiter Kulturbereiche. (anti-nihilistischer Traditionalismus)

– Ratlosigkeit: Man findet das Christentum in seiner Umstrittenheit vor, kennt Argumente traditioneller Christentumskritik ebenso wie solche christlicher Apologetik und findet zu keiner begründeten eigenen Stellungnahme. Sämtliche Wertungen scheinen sich die Waage zu halten, und man kommt über die Wahrnehmung der Ambivalenz des Christentums nicht hinaus.

– Ablehnung: In der Tradition radikaler Kritik des Christentums sieht man es als Hindernis rationaler Erkenntnis und Weltbemächtigung. Seine sozialkulturellen Wirkungen beurteilt man als überwiegend schädlich. Es stellt eine absterbende Illusion dar, die sich im Zuge der weiteren Kulturentwicklung von selbst erledigt. Polemik dagegen lohnt sich entweder kaum mehr oder kann kontraproduktiv wirken, weil sie dazu beitrüge, ihm eine Aufmerksamkeit zu verschaffen, die es nicht mehr verdient. Wo es noch zu stark ist und zu »Übergriffen« besonders in den pädagogischen Bereich neigt, muss man Aufwachsende vor ihm schützen. Positive Grundlage dieser Haltung ist meist ein philosophischer Materialismus bzw. eine Erkenntnistheorie, die nur methodisch-empirisch gewonnenes Wissen zulässt.

Während Vertreter der ersten drei Positionen meist auch eine Nuance durch erkenntniskritische Erwägungen bedingter Zurückhaltung erkennen lassen, äußert sich die vierte, wenn es geschieht, mit erstaunlicher Selbstgewissheit. Jede der vier Haltungen wirkt sich in erheblichem Maße darauf aus, inwieweit jemand die Thematisierung des Christentums gegenüber Aufwachsenden für sinnvoll hält und wie er mit Begründungen dafür umgeht. Begründungen für diese Thematisierung sind gegenüber der ersten Gruppe unproblematisch, an der vierten werden sie mehr oder weniger abprallen. Sie wird allenfalls eine Grundlegung akzeptieren, die darauf hinausläuft, den illusionären Charakter des Christentums und seine schädlichen Wirkungen herauszustellen. Adressaten solcher Begründungsversuche sind also im Wesentlichen die zweite und die dritte Gruppe, die zusammen zahlenmäßig am stärksten sein dürften. Zwischen diesen Gruppen gibt es fließende Übergänge. Vermutlich wird mancher zwischen diesen Gruppen schwanken und sich in einzelnen Lebensabschnitten an verschiedenen Stellen dieser Skala finden. In den letzten Jahren gibt es auch Anzeichen dafür, dass sich Allgemeinpädagogen dem Zusammenhang von Religion und Bildung wieder mehr zuwenden. (Nipkow II, 1998, 100 ff.; Biehl in Biehl/Nipkow 2003, 147) Vielleicht gewinnt auf diesem Umweg auch das Christentum in der allgemeinen Pädagogik wieder mehr Aufmerksamkeit.

3. Christliche Religionspädagogik – Allgemeine Religionspädagogik

Die theologische Perspektive, die auch die christliche Religionspädagogik bestimmt, ist global. Ausnahmslos wird alles sub specie Evangelii, d. h. von der Voraussetzung her betrachtet, dass der Kerngehalt der christlichen Botschaft wahr sei und die ausschlaggebende Bewertungsgrundlage für alle Erscheinungen unseres Daseins darstelle: für Religionen und Weltanschauungen, für moralische, politische, ökonomische, wissenschaftliche und kulturelle Bestrebungen, besonders auch für die Erziehung. Auch wo einzelnen Lebensgebieten eine »Eigengesetzlichkeit« zugestanden wird, geschieht dies aus theologischer Perspektive mit dem Anspruch, Grenzen dieser Eigengesetzlichkeit aufzuzeigen. Wo der Christ sich säkularer Argumentationen bedient, tut er dies in theologischer Verantwortung. Seine letzte Bezugsgröße ist stets Gott in Christus.

Auch die allgemeinpädagogische Perspektive ist global. Aus ihr wird die gesamte Wirklichkeit sub specie educationis betrachtet. Es werden Teilbereiche unterschieden, und jedem wird seine pädagogische Relevanz zugewiesen. Die Kirche erscheint als gesellschaftlicher Teilbereich in Wechselwirkung mit anderen, das Christentum als Religion unter Religionen. Welchen pädagogischen Stellenwert ihm der einzelne Pädagoge zuweist, hängt von seiner persönlichen

Einstellung und seiner Abschätzung der Möglichkeiten ab, die Thematisierung des Christentums für seine pädagogischen Ziele und Bildungsvorstellungen fruchtbar zu machen. Die Perspektive der allgemeinen Pädagogik, innerhalb deren auch Christliches thematisiert werden kann, ist religionstheoretisch: Sie betrachtet das Christentum als Religion unter Religionen, Religionen als sozial-kulturelle Gegebenheiten und Religiosität, individuelle Teilhabe an einer Religion, als psychisches Phänomen. Über den Anspruch von Religion, zu dem hin zu vermitteln, was größer ist als der Mensch und seine Denk- und Handlungsmöglichkeiten überschreitet, lässt sich religionstheoretisch nicht urteilen. Aus dieser Urteilsenthaltung könnte allgemeine Pädagogik nur um den Preis heraustreten, sich selber weltanschaulich-religiös zu positionieren und damit den Anspruch auf Allgemeinheit zu verlieren.

Die Perspektive der christlichen Religionspädagogik ist dagegen, wie bereits dargelegt, theologisch. Träte sie aus dem theologischen Zirkel heraus und gäbe sie es auf, von der Grundannahme der Wahrheit der christlichen Botschaft her zu denken, dann würde sie zu allgemeiner Religionspädagogik. Von diesen Überlegungen her ergibt sich die Einsicht, dass zwischen christlicher und allgemeiner Religionspädagogik eine unaufhebbare Grundspannung besteht: Entweder man betrachtet das Christentum religionstheoretisch oder eben theologisch. Tertium non datur. Folglich sind die Behauptung einer »Konvergenz« von Pädagogik und Theologie und die Meinung, es sei »möglich, im Verhältnis von Theologie und Pädagogik die Bevormundung der einen Seite oder der anderen Seite zu verhindern« (Nipkow 1981) und die Religionspädagogik gehöre »*vollständig zur Theologie*, zugleich aber auch *ebenso* vollständig zur Pädagogik« (Nipkow in Schweitzer/Schlag 2004, 56) höchst kritisch zu sehen. In Wirklichkeit gibt es »die Religionspädagogik« gar nicht, sondern zwei Religionspädagogiken. Die eine gehört in die (praktische) Theologie, die andere in die allgemeine Pädagogik. Beim gleichen Autor kann zwar auch innerhalb des gleichen Textes die Perspektive wechseln, stets gehört jedoch eine bei ihm zu findende Aussage entweder in die christliche oder in die allgemeine Religionspädagogik. Wo »die pädagogische Verantwortung der Religionspädagogik streng an die theologische Prüfung gebunden« (Nipkow in Biehl/Nipkow 2003, 168) wird, wird der allgemeinpädagogische Rahmen ebenso gesprengt, wie die theologische Perspektive ausgeblendet wird, wo man Christentum auf ein – moralpädagogisch auswertbares – Kulturgut reduziert. Theologie und Pädagogik suchen einander zu subordinieren und zu instrumentalisieren. Eine in theologischer Verantwortung entworfene Religionspädagogik integriert sich Wissen aus der säkularen Pädagogik, die damit unweigerlich auf den Status einer Hilfswissenschaft absinkt. Mehr als subsidiäre Bedeutung kann ihr Theologie allenfalls rhetorisch zubilligen. Wo umgekehrt Christentum nur als Kulturgut und faktisch einflussreiche religiöse Tradition in den Blick kommt, kann durchaus die Einsicht gegeben sein, dass es nur unter Berücksichtigung seiner (theologischen) Selbstinterpretation angemessen verstanden wird und deshalb auf theologisches Wissen zurückzugreifen ist. »Rückgriff« bedeutet aber Subordination und Instrumentalisierung. Allgemeine Pädagogik fragt nach dem möglichen Beitrag einer Thematisierung des Christentums zu einer säkular verstandenen Mündigkeit. Christliche Pädagogik zeigt auf, wie Mündigkeit erst im Glauben zu sich selbst kommt. Allgemeine Pädagogik ist dem demokratischen Ethos der Gesellschaft verpflichtet, christliche Pädagogik den Grundgehalten des Christentums. Die erstere versucht, christliches Kulturgut für die Erziehung zu einem demokratischen Ethos fruchtbar zu machen, die letztere zeigt auf, wie sich aus dem Glauben auch eine aktive Bejahung der demokratischen Lebensform ergibt. Für die allgemeine Pädagogik kann das Christentum eines von vielen Mitteln zur Förderung des demokratischen Ethos sein. Aus theologischer Sicht stellt dies eine Instrumentalisierung des Glaubens dar, die ihn nur einseitig beleuchtet. Denn für den Theologen trägt der Glaube seinen höchsten Sinn in sich selbst und ist bei Christen nur nebenbei auch Motivationsgrundlage eines demokratischen Ethos.

Problematisch ist für den Allgemeinpädagogen auch die Kirchenbindung von christlicher Religionspädagogik und konfessionellem Religionsunterricht, ist sie doch der Gesamtgesellschaft verpflichtet, und stellt doch die Kirche nur eine gesellschaftliche Teilgruppe dar. Zwar wird kirchlicherseits beteuert, der schulische Religionsunterricht sei »kein Instrument kirchlicher Bestandssicherung« (EKD 1994, 11), sondern kirchliche Diakonie für die Gesamtgesellschaft. Mindestens als Wirkung fällt jedoch auch eine kirchliche Bestandssicherung ab. Denn wer durch den Religionsunterricht zu einer Wertschätzung des Christentums und Kenntnissen darüber kommt, wird auch am Weiterbestehen seiner Trägergruppe, der Kirche, interessiert sein.

Allgemeine und christliche Religionspädagogik richten aneinander Minimalforderungen. Von der allgemeinen Pädagogik her ergibt sich als Forderung, dass auch die Thematisierung des Christentums auf das pädagogische Ziel der Fähigkeit und Bereitschaft zur Selbstbestimmung auf Grund eigener Einsicht, d. h. auf Mündigkeit, hin auszurichten sei. Mündigkeit meint dabei nicht nur selbstverantwortliche Orientierung innerhalb des christlichen Rahmens, sondern auch angesichts seiner. Manche Allgemeinpädagogen können gegenüber Veranstaltungen wie dem konfessionellen Religionsunterricht den Verdacht indoktrinatorischer Absichten und/oder Wirkungen nicht ganz unterdrücken. Indoktrination gibt es in unterschiedlicher Intensität und vielerlei Formen. Das zentrale semantische Element dieses Begriffs ist die Absicht, bei einer Mitteilung das selbstständige Urteil des Adressaten zu umgehen und seine kritischen Äußerungen einzuschränken.

Zweifellos wies christliche Unterweisung in der Vergangenheit vielfach indoktrinierende Züge auf. Auch gegenwärtig dürfte die religionspädagogische Praxis nicht überall völlig frei davon sein. Klar ist aber, dass das theologische Verständnis christlichen Glaubens Indoktrinationsabsichten ausschließt. Jeder Versuch, eine positive Einstellung zu Christlichem durch Täuschung oder Zwang zu erzeugen, widerspricht dem christlichen Ethos.

Umgekehrt muss aber auch christliche Religionspädagogik auf der Minimalforderung insistieren, dass bei einer Thematisierung von Christlichem sein kerygmatischer Impuls nicht neutralisiert werden darf. Dann würde nämlich nicht mehr Christliches thematisiert, sondern nur etwas, was äußerlich so aussähe. Jede Äußerung christlichen Glaubens, mag sie nun am Handeln von Menschen in Erscheinung treten oder objektiviert in Riten, Altären, Taufsteinen, Bildern, Texten, Musikstücken u. a. gegeben sein, partizipiert an der Grundvoraussetzung des Christentums, Gott bringe durch Christus Menschen aus der Verstrickung in Leid, Schuld, Sinnlosigkeit und Tod heraus auf ein erfülltes, heiles Leben hin in Bewegung. Wenn Christliches angemessen thematisiert wird, lässt sich auch der Appell vernehmen, sich auf diese Grundvoraussetzung einzulassen. Werden dagegen Erscheinungsformen des Christlichen ausschließlich als kulturelle Gegebenheiten dargestellt, dann trägt dies dazu bei, dass Menschen gegenüber diesem Appell ertauben. Eine museale Einstellung gegenüber Christlichem lässt keinen Sinn für sein Eigentliches aufkommen. Bei einer solchen Thematisierung des Christentums würde das Gegenteil von dem bewirkt, worauf christliche Religionspädagogik in der Hauptsache abzielt, nämlich die Hörfähigkeit für den Anruf des Evangeliums zu kultivieren.

Betrachtet man Texte gegenwärtiger evangelischer und katholischer Religionspädagogen, dann fällt auf, dass umfangreiche Textanteile nach der oben entwickelten Unterscheidung eher in das Gebiet der allgemeinen Pädagogik gehören. Bei nicht wenigen überwiegen diese Textanteile in einem Ausmaß, dass sich der Eindruck aufdrängt, christliche Religionspädagogik sei völlig aus der praktischen Theologie emigriert und damit zu allgemeiner Pädagogik geworden. (z. B. Lott 1992). Ad bonam partem interpretiert, hängt dies weithin damit zusammen, dass hauptsächlich von einer Veranstaltung her gedacht wird, in der sich staatliche und kirchliche Verantwortung überschneiden: dem schulischen Religionsunterricht. Mehr als andere kirchlich-pädagogische Bereiche unterliegt der konfessionelle Religionsunterricht in der öffentlichen Schule einem gewissen Legitimationsdruck und Ideologieverdacht. Er erscheint als Interessenvertretung einer gesellschaftlichen Teilgruppe innerhalb der Schule für alle, als letzter Brückenkopf der geistlichen Schulaufsicht. Es gibt ihn in dieser Form in Ländern wie Frankreich und den USA nicht. Interessenvertretung läuft auf Ideologisierung und Indoktrination zum Nutzen einer Teilgruppe, der Kirche, hinaus. Die langen allgemeinpädagogischen Textpassagen bei konfessionellen Religionspädagogen erklären sich durch ihr apologetisches Interesse. Mit von christlichen Voraussetzungen unabhängigen Argumenten soll die allgemeinpädagogische Legitimität des christlichen Religionsunterrichts nachgewiesen werden. Dafür scheint ein allgemeiner Religionsbegriff geeignet, dessen Beliebtheit sich nicht zuletzt aus diesem apologetischen Interesse erklärt. Dabei zeigen sich aber auch die Aporien jeglicher christlicher Apologetik: Die religionstheoretischen Argumente machen sich nicht nur quantitativ auf Kosten der spezifisch theologischen breit, sondern deformieren auch das theologische Verständnis des Glaubens selbst. Insgesamt drängt sich der Eindruck auf, dass der Legitimationsdruck von etlichen Religionspädagogen als stärker wahrgenommen wird, als er in Wirklichkeit ist. Zweifel an der Berechtigung des schulischen Religionsunterrichts werden fast häufiger in religionspädagogischen Texten geäußert als sonst wo. Ein zweiter Grund für den hohen allgemeinpädagogischen Textanteil in Schriften konfessionell-christlicher Religionspädagogen liegt in der Vernachlässigung des Christentums in allgemeinpädagogischen und schultheoretischen Abhandlungen. Sie zwingt christliche Religionspädagogen, welche die christliche Mitverantwortung für die Gesamtgesellschaft anerkennen und folglich auf die Vereinbarkeit christlich-pädagogischer Vorstellungen mit allgemeinpädagogischen achten, den allgemeinpädagogischen Part mit zu übernehmen. An die Stelle der interdisziplinären Verständigung zwischen allgemeinen und christlichen Religionspädagogen tritt das Selbstgespräch christlicher Religionspädagogik innerhalb der Fachgruppe und innerhalb des einzelnen christlichen Religionspädagogen selbst. Die von der Sache her keineswegs gebotene Konzentration auf den schulischen Religionsunterricht bedingt nicht nur das starke allgemeinpädagogische Interesse christlicher Religionspädagogen, sondern umgekehrt auch die Zurückhaltung in der Allgemeinpädagogik: Sie nimmt christliche Religionspädagogik hauptsächlich als bloße Fachdidaktik eines durchschnittlich mit zwei Wochenstunden vertretenen Unterrichtsfaches wahr, von dem nicht viel Aufhebens zu machen ist. Dies legt allerdings zwei kritische Fragen nahe: Müsste nicht das Problem eines für die Bildung des Einzelnen und den kommunikativen Zusammenhalt der Gesellschaft nötigen inhaltlichen Bildungskanons mehr Aufmerksamkeit finden, statt mit ständigen Hinweisen auf seine Unmöglichkeit abgetan zu werden? Und müsste Allgemeine Pädagogik/Schultheorie/Allgemeine Didaktik nicht für sämtliche Fachdidaktiken die allgemeinen Grundlagen liefern, damit die Integration schulischen Wissens zu allgemeiner Orientierungsfähigkeit nicht ausschließlich dem Schüler überlassen bleibt?

4. Aufgaben und Ziele einer Thematisierung des Christentums aus der Sicht der beiden religionspädagogischen Perspektiven

Aus der Sicht einer allgemeinen Religionspädagogik geht es darum, dass Aufwachsende das Christentum als einen in Vergangenheit und Gegenwart wirksamen kulturellen Faktor kennen lernen und durch die Auseinandersetzung damit das Nachdenken über Sinn- und Wertfragen einüben. Entsprechend den oben genannten die Formen christlicher Präsenz in westlichen Gesellschaften ergibt sich daraus für Heranwachsende die Aufgabe, die Lehren, Denkweisen, Riten und Organisationsformen der verbreitetsten Kirchentümer einschließlich ihrer normativen Grundlagen verstehen zu lernen und Einblick in die christliche Durchdringung der westlichen Kultur zu gewinnen (Säkularisate). Verstehen meint dabei nicht nur oberflächliche Kenntnis von außen, sondern auch die Fähigkeit, sich ernsthaft in Menschen zu versetzen, die ihr Leben christlich deuten und aus christlicher Motivation handeln. Dabei wird die christliche Lebensauffassung zur Anfrage an die eigene. Der Aufwachsende setzt sich von ihr ab, nähert sich ihr an oder lässt seine Stellungnahme vorläufig in der Schwebe. In jedem Falle wird er für sich selber transparenter und zum Nachdenken über Sinn- und Wertfragen herausgefordert. Der Pädagoge bietet ihm dabei ein Modell von gebildeter Teilhabe an der westlichen Kultur und von Nachdenklichkeit über Sinn- und Wertfragen in den Bahnen ihrer prägenden Traditionen. So eröffnet er auch Lernenden Möglichkeiten des Umgangs mit christlichem Kulturgut.

Aus der Sicht christlicher Religionspädagogik steht an erster Stelle die Kultivierung der Hörfähigkeit für die Anrede Gottes. Bei der Arbeit an christlichen Inhalten kommt es stets darauf an, dass ihr kerygmatisches Potential zum Tragen kommt, das Glauben weckt und stärkt. Die Aufwachsenden sollen das Christsein und seine Äußerungsformen lernen, d. h. fähig und bereit werden, die liturgia, martyria und diaconia der Kirche jeweils auf ihre Weise und an ihrem Ort mit zu tragen. Was die Weise und der Ort eines jeden ist, kann er nur selbst herausfinden. Daraus ergibt sich nicht notwendig eine andere Auswahl christlicher Einzelinhalte als bei der ersten Perspektive. Denn bei beiden kommt es auf solche an, die das Selbstverständnis christlicher Individuen besonders bestimmen und auf diese Weise wirksam werden.

Die Rede vom »kerygmatischen Potential« bezieht sich ausdrücklich auf die thematisierten Inhalte, nicht auf den Pädagogen. Es geht nicht darum, dass dieser sich in eine Predigerrolle begibt. Gemeint ist vielmehr, dass er ebenso absichtslos und unaufdringlich wie selbstverständlich als Modell von Hörfähigkeit und Hörbereitschaft gegenüber der in christlichen Inhalten mitgegebenen Ermutigung zum Glauben dient. Seine eigene Hörbereitschaft zeigt sich meist eher nonverbal atmosphärisch, beispielsweise an seiner Stimmführung und seiner Körperhaltung beim Vorlesen eines biblischen Textes, als eine Art indirekter martyria.

Die pädagogische Intentionalität verläuft bei der allgemeinen Pädagogik und bei der christlichen umgekehrt. Die erstere nähert sich christlichen Inhalten als Kulturgütern, versucht, ihr ethisches Potential zum Tragen zu bringen und setzt, wo sie echtes Verstehen fördern will, auch ihr kerygmatisches Potential frei. Christliche Pädagogik richtet ihre Aufmerksamkeit zuerst auf den in christlichen Inhalten eingeschlossenen Appell zum Glauben und will die Wahrnehmungsfähigkeit und -bereitschaft der Aufwachsenden diesem Appell gegenüber fördern. Glaube ist im christlichen Sinne immer sich liturgisch, konfessorisch und ethisch äußernder Glaube. So kommt auch die ethische Aufgabe christlicher Erziehung in den Blick. Als Arsenal kultureller Objektivationen stellt das Christentum eine Vielzahl von Inhalten bereit, aus denen zum Zwecke der Sensibilisierung für die christliche Sinn- und Wertorientierung ausgewählt werden kann. Auf kurze Formeln gebracht lautet die Rangordnung der Aufgaben aus allgemeinpädagogischer Perspektive: ›kulturelle Dimension des Christentums – Wertdimension – Sinndimension‹, aus christlich-pädagogischer ›Sinndimension – Wertdimension – kulturelle Dimension‹. Um mögliche Missverständnisse auszuschließen, ist anzumerken, dass Rangordnung Dringlichkeitsstufen meint, nicht chronologische Abfolge bei der Thematisierung.

Ein Beispiel macht das Gemeinte deutlicher: Bei der Besichtigung einer Kirche legt ein säkularer Kirchenführer den größten Wert auf die Ausdruckskraft und die künstlerischen Stilformen einzelner Kunstwerke und berichtet auch über ihren Inhalt sowie über das Selbstverständnis einzelner dargestellter Gestalten und über ihre Leitvorstellungen für ihr Leben. Ein christlicher Kirchenführer wird dagegen bei der Besichtigung etwa eines Baptisteriums den Sinn der Taufe herausstellen und aufzeigen, wie versucht wird, diesen Sinn künstlerisch auszudrücken. Ein Hörer kann sich dabei durchaus auch zu einer Besinnung über seine eigene Taufe bzw. Ungetauftheit oder über seine Motive für die Taufe seiner Kinder bzw. ihre Unterlassung kommen. Das bedeutet nicht, ein Kirchenführer solle unvermittelt in eine Predigerrolle schlüpfen. Es geht vielmehr darum, dass er die zentralen Sinngehalte der künstlerischen Darstellung nicht nur nicht übergeht, sondern ihrer Bedeutung entsprechend hervorhebt. Sonst besteht die Gefahr, dass manche Kirchenbesucher die Kunstwerke als bloße Kuriositäten wahrnehmen.

5. Christliche Säkularisate und ihre moralpädagogische Bedeutung

Immer wieder begegnet man dem Hinweis auf das hohe Maß, in dem »unsere westliche Kultur inhaltlich von säkularisierten Vorstellungen aus der christlich-abendländischen Tradition abstammt« (Zinzer in Lott 1992, 445). Der moderne demokratische Gesellschaften tragende Wertkonsens ist größtenteils gleichsam anonym gewordenes Christentum. In Form seiner Säkularisate bestimmt es das gegenwärtige Leben weit mehr als in Form seiner explizit kirchlichen Präsenz. Säkularisierung bedeutet, dass implizites Christentum weithin sogar die Geisteshaltung derjenigen westlichen Menschen bestimmt, die sich selbst nicht mehr als Christen bezeichnen. Diese These ist hier durch einleuchtende Beispiele so zu belegen, dass sich gleichzeitig Ansatzpunkte für eine Thematisierung des Christentums in allgemeinpädagogischer Absicht zeigen.

Leben heißt sein Leben deuten. Jede Lebensführung impliziert eine Selbstdeutung. Vollzug und Deutung des eigenen Lebens stehen in Wechselwirkung (Macmurray 1957,24). Dabei leiten uns tief in unser Inneres eingravierte Bilder über unser eigenes Wesen und das menschliche Wesen allgemein, die aus der kulturellen Überlieferung stammen und uns nicht immer voll bewusst werden. In der westlichen Welt sind sie stark durch die christliche Auffassung vom Menschen (Litt 1961,11) als Gottes geliebtem Geschöpf bestimmt, das aus seiner Vollkommenheit und harmonischen Beziehung zu seinem Schöpfer herausgefallen ist, aber von ihm gerettet wird, um zu einem noch vollkommeneren herrlicheren Status erhöht zu werden. Die säkulare Entsprechung dieser christlichen Sicht ist das Verständnis des Menschen als individueller Person. Individualismus, Subjektivismus und Autonomismus sind Säkularisierungen der personalen Struktur der menschlichen Gottesbeziehung. Jede Person repräsentiert nicht nur die Species, sondern ist einzigartig. Ihre wesentliche Würde ist unabhängig von jedem gesellschaftlich zugewiesenen Status. Sie ist an ihr eigenes Gewissen gewiesen und keine menschliche Autorität kann sie von ihrer Verantwortung entlasten (Brinton 1951, 533). Ganz offensichtlich hängt dieses Personverständnis mit der christlichen Vorstellung von der letztlichen Alleinverantwortung vor Gott zusammen.

Eine weitere wichtige Vorstellung ist die von der Einheit der Menschheit. Sie weist zurück auf den Glauben an den einen Schöpfer und Erlöser, welcher der Menschheit insgesamt gegenüber steht und alle gleichermaßen in sein Wirken einschließt. So entspringt dem Christentum ein Impuls zu globaler Verantwortung.

Der Einheit der Menschheit entspricht die prinzipielle Gleichheit vor Gott. Darauf insistiert besonders klar Comenius zu Beginn seiner Pampaedia (II, 11): »In dem, was das menschliche Wesen ausmacht, gibt es von Gott her keinerlei

Unterschied zwischen den Menschen.« Sie stammen alle von den gleichen Ureltern ab (materia una). »Sie haben alle an dem gleichen göttlichen Bild teil« (forma una). »Sie sind alle Gebilde des gleichen Konstrukteurs« (efficiens unus). »Sie sind alle Erben der gleichen Ewigkeit« (finis unus).

Zentrum des westlichen Wertsystems ist die Menschenwürde, die jedem in jedem zu achten aufgegeben ist. Sie ist die säkulare Entsprechung dessen, was Christen mit »Gottesebenbildlichkeit« und »Gotteskindschaft« meinen. Sie konkretisiert sich in den Menschenrechten, die sie ihrerseits interpretieren. Den Zusammenhang zwischen Menschenrechten und Christentum, oder mindestens christlichem Theismus, macht die Einleitung zur amerikanischen Unabhängigkeitserklärung von 1776 deutlich: »We hold these truths to be self-evident, that all men are created equal, that they are endowed by their creator with certain unalienable rights, that among these are Life, Liberty and the Pursuit of happiness.«Auf diese Aussagen verweist noch das Grundgesetz der Bundesrepublik Deutschland, wenn es im Vorspruch von »Verantwortung vor Gott« spricht und dann in seinen ersten Artikeln von Menschenwürde und Menschenrechten.

Menschenwürde und Menschenrechte werden der einzelnen Person nicht von einer menschlichen Instanz verliehen, sondern sie liegen jedem menschlichen Willensakt voraus. Der Gesetzgeber teilt sie nicht zu, sondern findet sie vor. Sie haften der menschlichen Person unablösbar an und sind allen menschlichen Entscheidungen vorgegeben. Sie können durch keine menschliche Instanz aberkannt werden; auch kann niemand für sich selbst darauf verzichten. Sie sind »unalienable«. Das Grundgesetz bezeichnet die Menschenwürde als »unantastbar« und die daraus fließenden Menschenrechte als »unverletzlich« und »unveräußerlich«, weil ihnen ihre Geltung aus einem letzten Seins- und Sinngrund zukommt, über den der Mensch nicht verfügt.

Auf das christliche Symbol der Erbsünde weist die Vorstellung von der prinzipiellen Fragwürdigkeit des Menschen. Nicht dieser oder jeder Mensch ist fragwürdig, sondern der Mensch als solcher. Seine Authentizität und Integrität sind immer schon beschädigt und müssen erst erlangt werden. Er muss mit der Möglichkeit rechnen, dass sein Leben endgültig scheitert und mit Ernst nach dem Sinn seines Lebens fragen.

An der Fragwürdigkeit des Menschen haben gerade auch Machthaber teil. Macht kann missbraucht und muss begrenzt werden, was der historischen Erfahrung nach kaum anders als durch das komplizierte Institutionengefüge eines demokratischen Staates möglich ist. So ist das christliche Symbol der Erbsünde eine der Wurzeln der modernen Demokratie (Litt 1962, 134).

Politische Machthaber sind nicht einfach deshalb anzuerkennen, weil sie faktisch die Macht haben, sondern bedürfen der Legitimation. Gegenüber ihren Maßnahmen – einschließlich der Gesetzgebung – kann die Quo-iure-Frage gestellt werden. Legalität und Legitimität sind zu unterscheiden. Jede menschliche Autorität lässt sich auf eine letzte Autorität hin hinterfragen.

»Wenn ... die Welt Schöpfung Gottes ist, dann ist alles, was ist, als Schöpfung Gottes auch wissenswert ... Erkennen ist dann wie ein Nachdenken der Gedanken Gottes.« (Jaspers 1956, 91) Erkenntnis der geschaffenen Wirklichkeit ist mittelbare Erkenntnis des Schöpfers. Der Schöpfungsglauben hat zur Naturwissenschaft motiviert und ihre beiden Voraussetzungen der Regelhaftigkeit der Gesamtwirklichkeit und der Entsprechung zwischen den Strukturen der Wirklichkeit und denen der menschlichen Vernunft gestützt. Das Christentum ist eine der Wurzeln des wissenschaftlichen Erkenntnisoptimismus.

Im Christentum stehen sich Schöpfer und Schöpfung, Gott und Welt gegenüber. Die Welt ist selber nicht göttlich. Das Christentum entsakralisiert und entmythologisiert sie, um sie ausnahmslos der Verantwortung des Menschen als Betätigungsfeld seiner Arbeit und Forschung zuzuweisen. (Weber 1924, 307)

Den Erben der antiken Kultur brachte das Christentum auch eine andere Wertung körperlicher Arbeit. Hand an mechanische Geräte zu legen, war nicht mehr fast ausschließlich Domäne von Sklaven und Unfreien, sondern durchaus eines freien Mannes würdig. (Ellul 1954,22)

Sieht man in Wissenschaft, Technik und Demokratie die wesentlichen Merkmale der westlichen Welt, die sich von ihr aus immer mehr ausbreiten, dann ist die Behauptung nicht übertrieben, das Christentum sei mindestens durch seine Säkularisate überall präsent. »... our Western civilization could not have come to birth without the aid of the Christian Church.« (Toynbee 1958, 67) »In verkleideter oder gedämpfter Form durchzieht der Einfluss des Christentums alle schöpferischen Prozesse der letzten fünfzehn Jahrhunderte. Fast nebenbei hat es Europa entscheidend bestimmt. Wir sind, was wir heute sind, weil eine Handvoll Juden Zeugen der Kreuzigung ihres Anführers wurde und glaubte, er sei von den Toten auferstanden.« (Roberts 1990, 255) »Wir Abendländer alle sind Christen, weil in diesem Raum geprägt, durch die Herkunft in unserer Seele bewegt, in unsern Entschlüssen und Zielsetzungen bestimmt und mit Bildern und Vorstellungen erfüllt, die auf die Bibel zurückgehen.« (Jaspers 1963, 52) Das Christentum schuf eine Art Wertklima, das eine günstige Voraussetzung für die Entstehung von Demokratie, Wissenschaft und Technik darstellte. Damit wird nicht behauptet, dass kirchliche Amtsträger oder weltliche Potentaten, die sich als von Gott legitimiert verstanden, immer im Sinne dieses Wertklimas gehandelt hätten, sondern dass es sich auch gegen Widerstände durchgesetzt hat. Man mache einmal die Gegenprobe: Warum sind Demokratie, Wissenschaft und Technik nicht in Kulturkreisen wie Japan, China, Indien, Altamerika entstanden? Offensichtlich hat ihre Entstehung in Europa etwas mit »the permeation of man's cultural life and social ideals by Christian insights and values« (Rust 1963, 353) zu tun.

Können diese »Christian insights and values« die Grundlage der ethischen Erziehung in westlichen Gesellschaften abgeben? Menschenwürde und Menschenrechte sind bei uns sowohl im Verfassungsrecht als auch im allgemeinen Bewusstsein fest verankert. Über die in ihnen enthaltenen ethischen Höchstwerte besteht ein weit reichender von weltanschaulich-religiösen Voraussetzungen unabhängiger Konsens. Konflikte brechen zwar immer bei seiner Konkretisierung zu gesetzlichen Einzelnormen und Handlungsanweisungen auf. Solcher Dissens entsteht dadurch, dass sich von allgemeinen Werten wie »Gleichheit«, »freie Entfaltung« ohne Beeinträchtigung anderer, Freiheit der Meinungsäußerung u. a. bis hin zu konkreten Situationen kein stringentes Deduktionsverhältnis herstellen lässt, und betrifft eher die konkretisierende Applikation der Grundwerte als die Geltung der Grundwerte selbst. Diese enthalten vielmehr ein ethisches Programm, das weit über den politischen Raum hinaus bis in den Alltag der Individuen reicht. So »hält das Verfassungsrecht Angebote für ethische Erziehung bereit …, ein Potential, dessen Nutzung im Schulunterricht sich geradezu aufdrängt« (Kunig 1996, 311).

Ethische Erziehung thematisiert den Inhalt ethischer Leitvorstellungen (Werte), ihre situative Applikation und ihre Begründung. Begründung meint die Antwort auf zwei Fragen: (1) Warum sollen gerade diese Werte gelten und nicht andere (beispielsweise das Recht des Stärkeren, der Vorrang der eigenen nationalen oder religiösen Gruppe, »right or wrong, my country«, die Aufteilung der Gesellschaft in Kasten etc.)? (2) Warum soll man überhaupt moralisch handeln und die Rechte anderer achten, wenn es doch oft vorteilhafter wäre, dies nicht zutun? Wie lässt sich die *Verbindlichkeit* ethischer Werte begründen?

Es leuchtet ein, dass die Beantwortung der zweiten Frage auf die Beantwortung der ersten zurückwirkt. Die zweite Frage setzt voraus, dass der Verweis auf einen bloß faktischen Konsens in der Gesellschaft nicht ausreicht. Sie zielt auf ein Woher der Geltung dieser Werte, das vor menschlichen Entscheidungen – oder auch jenseits ihrer – liegt und an dem sie sich ausnahmslos zu orientieren haben. Nur so kann moralisches Handeln mehr sein als bloße Unterordnung unter den Willen anderer, und nur so werden fremde Forderungen mit Anstand kritisierbar. Die Frage nach Verbindlichkeit (Nicht-Beliebigkeit) und Geltung (nicht nur faktischer Akzeptanz durch Mehrheiten) weist von der Wert- auf die Sinnebene. *Sinn* meint die Antwort auf die Frage nach dem letzten Woher, Worumwillen und Wohin der Gesamtwirklichkeit und des eigenen Lebens darin, sowie nach dem Warum der (von menschlichen Meinungen und Entschlüssen unabhängigen) Geltung von ethischen Höchstwerten (Unantastbarkeit der Menschenwürde, Gerechtigkeit, Wahrheit etc.). In der westlichen Welt herrscht auf der Ebene der allgemeinen Grund- oder auch Höchstwerte beträchtlicher Konsens, auf der Sinnebene dagegen Divergenz. Neben den verschiedenen Spielarten des Christentums sind auf der Sinnebene humanistische Traditionen, Agnostizismus und Atheismus vertreten. Das Christentum verfügt zwar über die größte Zahl von Nominalanhängern und ist in der Form der Kirchen am besten organisiert, hat jedoch sein Quasi-Monopol verloren. Zum Wertkonsens in unseren Gesellschaften gehört auch die Religionsfreiheit, die jedem freistellt, ob er sich zu einer Religion oder Weltanschauung bekennt und zu welcher oder ob er seine Sinnannahmen für sich behält. Teilhabern am demokratischen Wertkonsens ist jedoch ebenso wie dem Grundgesetz eine »Präferenz für solche Sinnsysteme« zu unterstellen, »die seine Wertbasis stützen« und eine »Ablehnung solcher, die sie zersetzen« (G. R. Schmidt 2004, 97).Auf die Tatsache, dass das Christentum ein diese Wertbasis stützendes Sinnsystem darstellt, weisen schon die oben aufgezeigten historischen Zusammenhänge. Der verbreiteten Einsicht, dass es für die Förderung des demokratischen Wertkonsenses ein erhebliches moralpädagogisches Potential bietet, verdankt es seine verfassungsrechtliche Stellung und seine weit reichende gesellschaftliche Akzeptanz. Ein Christ, der sich richtig versteht, wird nicht umhin können, sich für die durchgehende Achtung der Menschenwürde in allen Bereichen einzusetzen. Wer die allgemeinen Höchstwerte unserer Verfassung und unserer Gesellschaft als begründet ansieht, wird motivierter sein, sich an ihnen zu orientieren als jemand, der sie für bloß menschliche Setzungen hält, die genauso gut auch anders hätten ausfallen können. Das Christentum liefert eine Begründung für den Inhalt der Höchstwerte, ihre Verbindlichkeit und nicht zuletzt auch dafür, warum ethische Verbindlichkeit überhaupt ein sinnvoller Begriff ist.

Aus solchen Überlegungen kann sich eine Tendenz zur Instrumentalisierung des Christentums ergeben. Es soll dann im Erziehungsraum thematisiert werden, damit moralische Motive freigesetzt werden. Dazu lässt sich zweierlei sagen:

Eine solche Instrumentalisierung des Christentums, die es primär als moralpädagogisches Motivationspotential erscheinen lässt, widerspricht seinem Selbstverständnis. Denn im Christentum geht es primär um die Beziehung Gott – Mensch. Sekundär wirkt sich diese Beziehung dann auch auf das Selbstverhältnis der Person und ihr Verhältnis zu anderen Personen, zu Dingen und zur Welt insgesamt aus. Wo Christliches mit primär moralpädagogischer Absicht thematisiert wird, muss christliche Religionspädagogik darauf bestehen, dass das Nachdenken darüber bis zur Beziehung Gott – Mensch vorstößt. Ethische Fragen bilden zwar einen vielleicht besonders geeigneten Zugang zum Christentum, doch bringt er die Gefahr mit sich, dass man im ethischen Bereich stehen bleibt. Wo dies geschieht, hebt sich allerdings die Instrumentalisierungsabsicht selbst auf. Denn ethisch motivierend und Moral begründend wirkt das Christentum nur, wo sein Angebot eines erneuerten Gottesverhältnisses angenommen wird. Folglich ist auch in moralpädagogischer Absicht bis zu der Mitte vorzudringen, wo kerygmatische Impulse frei werden.

Instrumentalisierung ist ethisch besonders bedenklich, wenn sie von Nichtchristen oder religiös Gleichgültigen beabsichtigt wird. Denn wenn bei der Thematisierung der Wertdimension des Christentums immer auch seine Sinndimension in den Blick kommt und kerygmatische Impulse frei werden, dann kann jemand, der das Christentum in seinem Kern für unwahr hält, nicht befürworten, dass Heranwachsende auf einladende Weise mit ihm konfrontiert werden. Im Klartext wäre dann nämlich das Programm: ›moralische Erziehung mit Hilfe einer Illusion‹.

6. Schluss

Abschließend seien die aus allgemein-pädagogischer und aus christlich-pädagogischer Sicht resultierenden Überlegungen zur Thematisierung des Christentums zusammengefasst.

Aus der Sicht allgemeiner Pädagogik ergibt sich:

Das Christentum kommt im sozial-kulturellen Raum der Aufwachsenden faktisch vor. Das Ziel, ihre selbstverantwortliche Orientierungsfähigkeit darin zu fördern, schließt die Aufgabe ein, ihnen Gelegenheiten anzubieten, dass sie mit Christlichem verstehend und einfühlsam umgehen lernen.

Das Ethos der Menschenrechte ist historisch in einem vom Christentum maßgeblich geprägten Wertklima entstanden. Im Inhalt der Menschenrechte stimmen säkulare Humanisten und Christen weitgehend überein. Durch Thematisierung christlicher Inhalte können das Verständnis und die Verinnerlichung dieses Ethos gefördert werden sowie ethische Denkfähigkeit und Sensibilität insgesamt.

Am Christentum wird verständlich, was Nichtbeliebigkeit und Verbindlichkeit der Grundwerte bedeuten. Mit der Einsicht in die Allgemeingültigkeit von Menschenwürde und Menschenrechten ist in der Kulturentwicklung ein Bewusstseinsstand erreicht worden, hinter den es für die westlichen Völker keinen Weg zurück gibt. Heranwachsende können das Christentum als Hinweis auf diese von menschlicher Willkür unabhängige Allgemeingültigkeit verstehen und schätzen lernen.

Christlicher Religionspädagogik geht es etwa um folgende Anliegen:

Das Christentum kommt im Umfeld der Aufwachsenden nicht nur faktisch vor, sondern es soll auch darin vorkommen. Heranwachsende sollen seinen Kern als ausnahmslos an alle Menschen adressiertes Heilsangebot verstehen und zu einer eigenen Stellungnahme ihm gegenüber fähig und bereit werden.

Bei der Thematisierung christlicher Inhalte kommt es stets darauf an, bis zu ihrem tragenden Grund, der allen Menschen in Christus angebotenen neuen

Beziehung zu Gott, so vorzustoßen, dass Educator und Educandus dieses Angebot auch als ein an sie selbst gerichtetes erfahren.

Aus der Gabe der neuen Gottesbeziehung folgen Gabe und Aufgabe, Liturgia, Martyria und Diaconia der Glaubensgemeinschaft den eigenen Möglichkeiten gemäß mit zu tragen. Diaconia bedeutet einen Umgang mit anderen, der die Achtung ihrer Menschenwürde ausdrückt. So schlägt Diaconia die Brücke zur ethischen Erziehung im Sinne säkularer Pädagogik.

Teil III:
Religion als alternative Konfessionalität

Natürliche Religion
Ein pluralismustaugliches Unterrichtsfach?

Lutz Koch

Ist ein gemeinsamer Religionsunterricht für Schüler unterschiedlicher Religions- und Konfessionszugehörigkeit denkbar? Diese Frage wird in Anlehnung an die Religionsphilosophie Kants bejahend beantwortet. Kants Konzept einer »natürlichen Religion« bahnt einen allgemein nachvollziehbaren Übergang von autonomer Moral zur Religion. Der Zugang zu ihr ist unabhängig von empirischen Kultur- und Sozialisationsbedingungen, also pluralismustauglich; er beruht lediglich auf Gedanken, die aus den Köpfen der Lernenden heraus »sokratisch« entwickelt werden können. Da solche Vernunft-Religion nach Kant »das Wesentliche« aller Religion ausmacht, lassen sich auch die »empirischen« Religionen damit hermeneutisch verbinden, modisch ausgedrückt: das Konzept ist anschlussfähig.

1. Einleitung

Kann es einen gemeinsamen Religionsunterricht für Schülerinnen und Schüler unterschiedlicher Religions- und Konfessionszugehörigkeit geben, vielleicht auch für solche, die gar keiner Religionsgemeinschaft angehören und für die der Begriff der Religion ein Fremdwort ist? Der Frage nach der Möglichkeit eines solchen »Faches« wird die Frage vorhergehen müssen, ob und weshalb es überhaupt ein Schulfach »Religion« geben solle, wenn man einmal von gewachsenen Traditionen und verfestigten Interessenlagen absieht, die solchen Unterricht faktisch erzwingen. Auf beide Fragen wollen die folgenden Überlegungen im Anschluss an Kants Religionsphilosophie und Religionspädagogik nach Antworten suchen (vgl. Abschn. 3 u. 6). Das setzt allerdings einige grundsätzliche Überlegungen voraus, die unumgänglich sind, wenn man sich auf diesem heiklen Boden mit Argumenten bewegen will (Abschn. 2, 4 u. 5).

Kant hat das traditionelle Verhältnis zwischen Religion und Moral umgedreht und insofern auch auf dem Boden der Religionsphilosophie eine Revolution vollzogen, wie er sie ähnlich in der »Kritik der reinen Vernunft« (»Kopernikanische Revolution«) vorgeschlagen hatte. Er hat als Prinzip der Sittlichkeit die *Autonomie*, die Selbstgesetzgebung herausgestellt und damit implizit die theonome Moral als Heteronomie zurückgewiesen.[1] Moral folgt nicht aus

---

1.   Vgl. »Kritik der praktischen Vernunft«, § 8. Kants Werke werden im Folgenden,

Theologie, sondern Theologie ergibt sich aus der Moral; Religion ist nicht das Fundament der Ethik, sondern umgekehrt enthält die Ethik die Grundlagen der Religion. Sittliche Vernunft ist kein Ausfluss des Glaubens, sondern der religiöse Glaube ist abhängig von der moralisch-praktischen Vernunft.

Die pädagogische Konsequenz dieser Umdrehung besteht nach Kant darin, dass der Religionsunterricht auf den Ethikunterricht folgt und nicht umgekehrt: »Zuerst muss man bei dem Kinde von dem Gesetze, das es in sich hat, anfangen. Der Mensch ist sich selbst verachtenswürdig, wenn er lasterhaft ist. Dieses ist in ihm selbst gegründet, und er ist es nicht deswegen erst, weil Gott das Böse verboten hat« (PV, VI, 756). Ferner heißt es in der Pädagogikvorlesung: »Man muss aber nicht von der Theologie anfangen. Die Religion, die bloß auf Theologie gebaut ist, kann niemals etwas Moralisches enthalten. Man wird bei ihr nur Furcht auf der einen und lohnsüchtige Absichten und Gesinnungen auf der andern Seite haben, und dies gibt dann bloß einen abergläubischen Kultus ab« (a. a. O.). Von der Religion führt also nach Kant kein Weg zur Sittlichkeit; der Religionsunterricht kann nicht als Propädeutik des Moralunterrichts herangezogen werden. Das Verfahren muss vielmehr genau umgekehrt sein: »Moralität muss [...] vorhergehen, die Theologie ihr dann folgen, und das heißt Religion« (a. a. O., 756).

Diese Umkehrung des pädagogischen Verfahrens beruht auf Kants revolutionärer Umänderung des generellen Verhältnisses zwischen Moral und Religion, der zufolge die Moral vorhergeht, und zwar so, dass aus ihr selbst ein Weg zur Religion eröffnet wird, ein Weg, der zugleich auch ein Bildungsweg ist. Diesen Weg können selbst diejenigen gehen, die von Religion überhaupt nichts halten. Er führt allerdings zu einer Religion, die so kulturunspezifisch und allgemein ist wie ihr Ausgangspunkt, die allgemeine Moral. Diese *allgemeine Religion* trägt den traditionellen Namen der *natürlichen Religion*, die in der Kantischen Deutung eine *Vernunftreligion* darstellt. Im Anschluss an diese Titulatur könnte man auch von einem *natürlichen Religionsunterricht* sprechen, dessen Charakteristikum die Ableitung der Religion aus der reinen Vernunftmoral ist. Kant

wenn nicht anders angegeben, nach der von Wilhelm Weischedel hrsg. 6-bändigen Ausgabe, Darmstadt 1956 ff., zitiert. Nachweise erfolgen nach den Zitaten in Klammern unter Angabe des Bandes mit römischer Ziffer und der Seitenzahl in arabischen Ziffern. Die zusätzlichen Abkürzungen bedeuten: KpV = Kritik der praktischen Vernunft (1788), MS = Metaphysik der Sitten (1797), R = Die Religion innerhalb der Grenzen der bloßen Vernunft (1793), SF = Der Streit der Fakultäten (1798), PV = Vorlesung über Pädagogik (1803). Die »Kritik der reinen Vernunft« wird nach dem Neudruck der zweiten, von Raymund Schmidt besorgten Ausgabe der »Philosophischen Bibliothek« des Meiner-Verlages, Hamburg 1967, zitiert, und zwar nach der Originalpaginierung entweder der 1. Aufl. von 1781 (= A) oder der 2. Aufl. von 1787 (= B).

war nämlich der Ansicht, dass von der (Vernunft-) Moral ein Weg zur (Vernunft-) Religion führt, die ihrerseits wiederum die Grundlagen der pluralen empirischen Religionen enthält und insofern eine allgemeine bzw. universale Religion ausmacht. Dem entspricht Kants *pädagogischer* Vorschlag, in der Erziehung genau diesen Weg von der allgemeinen Moral zur allgemeinen Religion einzuschlagen, in der sich dann auch die verschiedenen empirischen Religionen (Offenbarungsreligionen) wieder finden können. Kants pädagogischer Vorschlag hat in Zeiten einer pluralistischen Kultur den Vorzug, für jedermann gangbar zu sein und in wesentlichen Grundzügen unterhalb der Religionsdiversität so etwas wie eine religiöse Gemeinsamkeit stiften zu können. Und er hat in solchen Zeiten zugleich eine Realisierungschance, weil sich die Widerstände der etablierten, um Macht und Einfluss besorgten Religionsgemeinschaften und Kirchen mehr und mehr gegenseitig neutralisieren.

2. Die ethische Begründung der Religion

Wenn man sich das angedeutete Fundierungsverhältnis von Religion und Moral sowie den pädagogischen Übergang von der moralischen Bildung zum allgemeinen Religionsunterricht in den Hauptschritten vergegenwärtigen will, dann empfiehlt es sich, wenigstens das folgende Minimalprogramm zu erwägen, in dessen Mittelpunkt Kants Übergang von der Moral zur Religion und zur Theologie stehen muss. Denn obgleich Kants kritische Ethik den Weg von der Religion zur Moral versperrt hat, weil Moral sowohl Autonomie des sittlichen Bewusstseins als auch selbständige Urteilskraft voraussetzt, so hat Kant doch auch gezeigt, dass umgekehrt Moral »unausbleiblich zur Religion führt« (R, IV, 655). Der Hauptgedanke, der dieses Resultat herbeiführt, ist – reduziert auf seine vier wesentlichen Schritte (1-4) – der folgende:

1. Das moralisch entscheidende Moment am Handeln ist ohne Rücksicht auf Inhalt (Zweck) und Resultat (Erfolg) des Handelns einzig und allein die formale Bedingung der Gesetzlichkeit der Handlungsmaxime.

2. Gleichwohl ist Moral nicht inhaltslos bzw. zwecklos und auch nicht folgenlos, weil nach Kant aus der Moral selbst ein Zweck hervorgeht (R, IV, 651). Dieser Zweck ist die Idee des »höchsten Guts in der Welt«, die »beste Welt« (KpV, IV, 256), d. h. die Idee der proportionalen Vereinigung von (moralischer) Glückswürdigkeit mit der von uns allen kraft unserer Natur erstrebten Glückseligkeit nach dem Maß der ersteren. Diesen Zweck zu dem seinen zu machen, ist nach Kant selbst Pflicht, wir *sollen* das höchste Gut zu befördern suchen (KpV, IV, 255). Weil alles, was wir sollen, d. h. was praktisch *notwendig* ist, auch *möglich* sein muss, so muss es auch möglich sein, dass unser nach *Freiheitsgeset-*

zen bestimmtes moralisches Handeln, worauf die Glückswürdigkeit beruht, mit der von uns erstrebten und nur nach Naturgesetzen möglichen Glückseligkeit (dass uns alles nach Wunsch und Willen glückt) übereinstimmt.

3. Die Möglichkeit dieser postulierten Vereinigung von Natur und Freiheit setzt eine Ursache der gesamten Natur voraus, die für die Übereinstimmung von Natur/Glückseligkeit mit Freiheit/Sittlichkeit sorgt. Da diese Ursache die Sittlichkeit der Gesinnung zum Maß der Glückseligkeit macht, ist eben diese Gesinnung auch für sie selbst ein charakteristisches Prinzip. Also handelt diese Ursache nach der *Vorstellung* von Gesetzen, weshalb sie *Intelligenz* besitzen muss; und da ihre *Wirksamkeit* nach der Vorstellung von Gesetzen erfolgt, muss sie einen *Willen* haben (Wille = Wirksamkeit nach der Vorstellung von Gesetzen).»Also ist die oberste Ursache der Natur, so fern sie zum höchsten Gute vorausgesetzt werden muss, ein Wesen, das durch *Verstand* und *Willen* die Ursache (folglich der Urheber) der Natur ist, das ist *Gott*« (KpV, IV, 256). Was dieser Beweis aufdeckt, ist die moralische Notwendigkeit, das Dasein Gottes anzunehmen; denn es ist – noch einmal wiederholt – Pflicht, das höchste Gut in der Welt zu befördern, was nur unter der Bedingung des Daseins Gottes möglich ist, so dass die Annahme der Existenz Gottes selbst auch Pflicht ist, »d. h. es ist moralisch notwendig, das Dasein Gottes anzunehmen« (a. a. O.). Diese Annahme ist für die theoretische Welterklärung nur eine Hypothese, für das praktische Bewusstsein jedoch ein *Glaube*, und zwar, wie Kant hervorhebt, ein reiner *Vernunftglaube* (KpV, IV, 257), der aus reiner praktischer Vernunft entspringt (kritisch dazu aus der Sicht der Pädagogik: Fischer 1994).

4. Da die sittlichen Gesetze zugleich auch als Gesetze des göttlichen Willens aufgefasst werden müssen, so führt das moralische Gesetz über den Endzweck des höchsten endlichen Guts und über das Dasein Gottes als Möglichkeitsbedingung des Endzwecks zur »Erkenntnis aller Pflichten als göttlicher Gebote«, d. h. zur *Religion* (KpV, IV, 261).»Moral also führt unumgänglich zur Religion« (R, IV, 652; vgl. auch 655).

Religion, das ist also nichts anderes als die bereits genannte Erkenntnis aller Pflichten als göttlicher Gebote (vgl. auch R, IV, 628, 763, 771, 822). Dieser Religionsbegriff legt freilich ein Missverständnis nahe, das behoben werden muss, wie überhaupt der Kantische Religionsbegriff noch erläutert und hinsichtlich seiner Konsequenzen entfaltet werden muss. Zunächst aber sei darauf hingewiesen, dass wir mit dem in seinen Hauptschritten rekapitulierten moralischen Gottesbeweis und seiner Konsequenz eines notwendigen Übergangs von der Moral zur Religion das Zentralresultat nicht nur für die Kantische Religionslehre, sondern auch für Absicht und Intention dieses Beitrages erreicht haben.

Nun zu dem erwähnten Missverständnis. Die Rede von Religion als der Erkenntnis unserer Pflichten als göttlicher Gebote scheint dem Autonomieprinzip der Moral zu widersprechen, das nach Lehrsatz IV der »Kritik der praktischen Vernunft« den Wortlaut hat: »Die *Autonomie* des Willens ist das alleinige Prinzip aller moralischen Gesetze und der ihnen gemäßen Pflichten, alle Heteronomie der Willkür gründet dagegen nicht allein gar keine Verbindlichkeit, sondern ist vielmehr dem Prinzip derselben und der Sittlichkeit des Willens entgegen« (KpV, IV, 144). Der Wortlaut dieses Prinzips stellt ja die Emanzipationsurkunde der Moral nicht nur von Staat und Gesellschaft, sondern auch von Religion, Theologie und Kirche dar. Jetzt aber soll sich aus der Moral eine Religion ergeben, die – scheinbar umgekehrt – die Moral aus den Geboten des höchsten Wesens herleitet, also auf theonomer Heteronomie gründet, die nach dem Autonomieprinzip der Sittlichkeit des Willens *entgegen* ist. Indessen läge ein Widerspruch nur dann vor, wenn der Gehorsam gegen die göttlichen Gebote zugleich der Verpflichtungsgrund zu ihrer Einhaltung wäre. Das ist jedoch nicht der Fall. Denn es handelt sich bei den moralischen Pflichten um Gesetze, die jeder freie Wille *sich selbst* gibt, so dass der menschliche Wille frei (autonom) bleibt, auch wenn er die sittlichen Pflichten *zugleich* als Gesetze Gottes anerkennt. Denn da es sich um *allgemeine* Gesetze für jedes vernünftige Wesen handelt, so können und müssen sie zugleich als individuelle Selbstbestimmungen *und* als göttliche Gebote aufgefasst werden, die aber nicht aus diesem Grunde befolgt werden sollen, sondern einzig und allein deshalb, weil sie aus der Vernunft des Einzelnen selbst hervorgehen. »Auch hier bleibt daher alles uneigennützig und bloß auf Pflicht gegründet; ohne dass Furcht oder Hoffnung als Triebfedern zum Grunde gelegt werden dürften, die, wenn sie zu Prinzipien werden, den ganzen moralischen Wert der Handlung vernichten« (KpV, IV, 261). Diese Grenzziehung bewahrt die Moral vor theonomer Heteronomie und lässt den Übergang zur Religion – zu einer *freien* Religion – möglich werden. Für die Pädagogik folgt daraus, dass Religion weder auf Furcht noch auf Hoffnung (worüber sogleich noch etwas mehr zu sagen ist) gegründet werden darf, sondern eben auf Moral.

Kant hat sich gelegentlich für die Auflösung des scheinbaren Widerspruchs zwischen dem moralischen Autonomieprinzip und dem moralischen Religionsbegriff (Erkenntnis unserer Pflichten als göttlicher Gebote) einer juridischen Unterscheidung bedient, die er sogar in sein Konzept des Religionsunterrichts übernommen hat. Er hat nämlich zwischen dem *Gesetzgeber* und dem *Urheber* des Gesetzes unterschieden, so wie ein Landesfürst als Gesetzgeber das Stehlen gesetzlich verbieten kann, ohne jedoch auch Urheber des Verbotsgesetzes zu sein (PV, VI, 756). Analog können wir Gott durchaus als *Gesetzgeber* der sittlichen Pflichten ansehen, ohne uns darin irre machen zu lassen, dass jeder für sich selbst deren *Urheber* ist, so dass wir, indem wir unserer eigenen sittlichen Einsicht folgen, eben dadurch zugleich den Willen Gottes erfüllen, aber eben nicht aus Furcht oder Hoffnung, sondern »aus Pflicht«, wie Kant zu sagen pflegt. Auf der anderen Seite »belohnt« uns das religiöse Bewusstsein, aus autonomer Vernunft zugleich dem Willen Gottes gemäß zu sein, mit einer ganz anders gearteten *Hoffnung*, und zwar mit der kosmopolitischen Hoffnung auf eine bessere Welt, in der das rechte Handeln zuletzt den Ausschlag gibt und erfolgreich ist. Eigentlich ist das die Hoffnung auf Gerechtigkeit, welche den Rechtschaffenen nach dem Maße seiner Rechtschaffenheit mit »Glückseligkeit« belohnt und dem unrechten Handeln den Lohn versagt. So schützt Religion gegen die Verzweiflung am Weltenlauf, ein Schutz, der dem Rechthandelnden Zuversicht und Kraft gibt. »Religion ist das Gesetz in uns, in so ferne es durch einen Gesetzgeber und Richter über uns Nachdruck erhält; sie ist eine auf die Erkenntnis Gottes angewandte Moral«, heißt es in der Pädagogikvorlesung (PV, VI, 755 f.).

3. Die Notwendigkeit des Religionsunterrichts

Von dem jetzt erreichten Resultat aus lässt sich auf die erste der beiden anfangs gestellten Fragen eine Antwort geben. Die Frage war, ob und weshalb es überhaupt ein Schulfach »Religion« geben solle. Die Antwort fällt bejahend aus, sofern man nicht dem herrschenden PISA-Pragmatismus folgt und nur das ins schulische Programm aufnimmt, was in irgendeiner Weise als gesellschaftlich nützlich erscheint oder deklariert wird, sondern insofern man allem voran zum Thema bzw. zum »Fach« von Schule macht, was für uns Menschen *notwendig* zu wissen und zu können ist und daher die Bedingung alles übrigen Wissens und Könnens (aller übrigen »Kompetenzen«) darstellt. Die notwendigste Bildungsaufgabe ist, wenigstens im Kontext der Kantischen Pädagogik, zweifellos die Kultur unserer Moralität, alles andere erscheint, daran gemessen, als zweitrangig. Das gilt selbst von der Alphabetisierung, was man leicht zeigen kann, worauf hier jedoch der Kürze halber verzichtet werden muss. Wenn aber die Entwicklung (Bildung) des moralisch-praktischen Bewusstseins das »Kerngeschäft« der Bildung ist (um den Jargon der Evaluations- und Standardisierungsexperten ironisch zu benutzen), dann ergibt sich als Konsequenz die Notwendigkeit einer Unterweisung, die uns über die Bedingung aufklärt, von der die Möglichkeit der Realisierung jenes Zweckes abhängt, der dem moralischen Handeln selbst immanent ist und der auf die Beförderung der »besten Welt« hinausläuft. Das aber bedeutet: Religionsunterricht ist notwendig.

Es ist allerdings die Frage, in welcher Form und Gestalt er notwendig ist. Auf diese Frage sollen die folgenden Überlegungen eine Antwort ermöglichen, und zwar in Gestalt einer Erläuterung des moralischen Religionsbegriffes. Auch diese zweite Aufgabe beschränkt sich auf den argumentativen Kern, ohne die besonders hier äußerst verzweigten Bezüge auch nur halbwegs befriedigend entwickeln zu können. Zur Sprache kommen kann nur das Minimum der mit dem moralischen Religionsbegriff notwendig verbundenen Momente. Dabei handelt es sich um zwei Aspekte: um einen kritischen und einen integrativen.

4. Natürliche Religion als kritisches Prinzip

Der moralische Religionsbegriff *verbindet* das moralische Bewusstsein mit der Gottesidee, aber nicht auf theoretische, sondern auf praktische Weise (zur Religion – *religio* – als Verbindlichkeit vgl. R, IV, 825). Es handelt sich dabei nicht um untätige und folgenlose Frömmigkeit, sondern um ein *Handeln*, das seiner Form nach autonom und seinem Inhalt nach an der »besten Welt« interessiert ist. Kant hat diese tätige Religion als »Religion des guten Lebenswandels« bezeichnet (R, IV, 847, vgl. Koch 2003, 339 ff.). Deren in sich bereits *kritischer* Grundsatz lautet: »alles, was, außer dem guten Lebenswandel, der Mensch noch tun zu können vermeint, um Gott wohlgefällig zu werden, ist bloßer Religionswahn und Afterdienst Gottes« (R, IV, 8424). Jene Religion des guten Lebenswandels trägt nun mehrere Namen: den einer rein moralischen Religion (R, IV, 766), einer reinen Vernunftreligion (R, IV, 821), einer natürlichen Religion (R, IV, 822), vor allem aber den einer »allgemeinen Menschenreligion«, die universal mitgeteilt werden kann (R, IV, 824) und von der man jeden Menschen »praktisch hinreichend überzeugen« kann (R, IV, 826), also eine Religion, welche die »Qualifikation zur Allgemeinheit in sich« trägt (a. a. O.) und sich insofern zur »Weltreligion« qualifiziert (a. a. O.). Es ist nun genau diese Religion, von der man mit guten Gründen erwarten kann, dass sowohl die Angehörigen der verschiedenen Bekenntnisse als auch die Bekenntnislosen darin unterrichtet werden können, und zwar eben deshalb, weil es möglich ist, ihre wesentlichen Gesichtspunkte aus der Vernunft von jedermann heraus zu entwickeln. Darauf beruht ihre oben erwähnte integrative Funktion, auf die zum Schluss dieses Abschnittes noch einmal zurückzukommen ist.

Zuvor ist aber die *kritische* Funktion der Moralreligion hervorzuheben, deren Bedeutung kaum überschätzt werden kann, auch nicht und gerade nicht in der heutigen Situation. Diese kritische Funktion ergibt sich nahezu von selbst aus der Unterscheidung der natürlichen bzw. moralischen Vernunftreligion von den Offenbarungsreligionen. Ein wesentlicher und nur selten erörterter Unterschied besteht in der erkenntnistheoretischen Differenz zwischen reiner praktischer Vernunft als Quelle der allgemeinen natürlichen Religion und (empirischer) Offenbarung als Ursprung der besonderen Religionen (heilige Schriften, Propheten), so dass wir es in den Offenbarungsreligionen im Gegensatz zur Vernunftreligion mit »nur empirisch erkennbarer Religion« (MS, IV, 628) und

»empirischem Glauben« (R, IV, 771) bzw. »historischem Glauben« (R, IV, 770) zu tun haben, den Kant auch als »Kirchenglauben« (R, IV, 770) bezeichnet hat und der im Gegensatz zum rein moralischen Vernunftglauben ein bloß *zufälliger* Glaube ist (R, IV, 838).

Entscheidend ist nun für den religionskritischen Gesichtspunkt das *Verhältnis* beider, das unter Umständen zu scharfer Kritik der empirisch gegebenen Religion herausfordert. Das ist immer dann der Fall, wenn die Offenbarungsreligion *nicht* in der moralischen Vernunftreligion fundiert ist, sondern sich mit ihrem Kultus verselbständigt hat. Dann streben beide Seiten auseinander und geraten in einen Gegensatz; der »Religion des guten Lebenswandels« steht dann die »Religion der Gunstbewerbung«, die Religion des bloßen Kultus, entgegen (R, IV, 703). Sie ist wegen ihrer Absonderung von der natürlichen Religion »des guten Lebenswandels« und ihrem Gegensatz gegen diese eine *bloß* empirische Religion, so dass man auch im Bereich der Religion so etwas wie einen Religionsempirismus oder gar Religionspositivismus vorfinden kann. Diesen Positivismus unterzieht Kant einer rigorosen Kritik. Insofern ist Kants Religionslehre eine kritische Theorie und seine natürliche Theologie eine kritische Theologie. Sie gehört ganz zentral ins Programm der Aufklärung. Unser Zeitalter, so hieß es schon in der »Kritik der reinen Vernunft«, »ist das eigentliche Zeitalter der Kritik, der sich alles unterwerfen muss. Religion, durch ihre Heiligkeit, und Gesetzgebung durch ihre Majestät, wollen sich gemeiniglich derselben entziehen, aber alsdann erregen sie gerechten Verdacht wider sich und können auf unverstellte Achtung nicht Anspruch machen, die die Vernunft nur demjenigen bewilligt, was ihre freie und öffentliche Prüfung hat aushalten können« (A XII). Die *Kritik der Gesetzgebung*, von der in diesem Zitat anfangs die Rede war, findet sich in Kants Rechtsphilosophie aus der »Metaphysik der Sitten«, in der Abhandlung über den »Gemeinspruch« und in der Schrift über den »Ewigen Frieden«, die in den gegenwärtigen Debatten über gerechten Krieg, humanitäre Intervention und andere Völkerrechtsfragen wie die eines internationalen Gerichtshofs fast überall die Grundlage bildet. Kants *Religionskritik* finden wir vor allem im vierten Stück der Religionsschrift. Das Prinzip dieser Kritik lässt sich, wie oben schon einmal zitiert, auf die Formel bringen: »Alles, was außer dem guten Lebenswandel, der Mensch noch tun zu können vermeint, um Gott wohlgefällig zu werden, ist bloßer Religionswahn und Afterdienst Gottes« (R, IV, 842). Was nach diesem Prinzip kritisiert wird, ist außer dem erwähnten »Religionswahn« und dem »Afterdienst« Gottes drittens noch das »Pfaffentum«. Das alles kann hier zugunsten der zentralen Gedanken nur gestreift werden.

Der wichtigste Punkt überhaupt ist eine Grundunterscheidung, von der es heißt, dass in ihr die »wahre Aufklärung« bestehe (R, IV, 852), nämlich die Unterscheidung zwischen dem Geschichtsglauben auf der einen Seite und der »Bestrebung zum guten Lebenswandel« auf der anderen. Von zentraler Bedeutung ist, wie oben schon angedeutet, das *Verhältnis* beider. Dieses Verhältnis ist in Ordnung, wenn der Geschichtsglaube sich nach dem Vernunftglauben richtet und nicht umgekehrt. Wo jedoch das Umgekehrte stattfindet, da wird der wahre Dienst Gottes in »Fetischmachen« und bloßen »Afterdienst« durch Anrufungsformeln, kirchliche Observanzen usw. verwandelt, von denen man wünscht, sie mögen statt der moralischen Gesinnung »an die himmlische Behörde« gebracht (R, IV, 845) und von dieser anstelle der moralischen Gesinnung »in Zahlung genommen werden« (a. a. O., 844). Der in solch »mechanischem« Dienst verborgene »Religionswahn«, durch religiöse Kulthandlungen etwas vor Gott ausrichten und auf diese Weise durch *natürliche* Mittel *übernatürliche* Wirkungen gleichsam »hervorzuzaubern« zu können (vgl. R, IV, 851), ist nach Kant der »religiöse Aberglaube« (a. a. O., 846). Und so lesen wir auch in der Pädagogikvorlesung: »Religion, ohne moralische Gewissenhaftigkeit, ist ein abergläubischer Dienst« (PV, VI, 756). Eine Kirche, deren ganze Verfassung so angelegt ist, dass nicht Prinzipien der Sittlichkeit, sondern statutarische Gebote, Glaubensregeln und Observanzen die Grundlage bilden, bezeichnet Kant als »Pfaffentum« (R, IV, 852), als »Herrschaft der Werkleute des Kirchenglaubens« (SF, VI, 329).

Zusammengefasst kann man sagen, dass die natürliche und universale Moralreligion als kritische Beurteilungsnorm der empirischen Offenbarungsreligionen bzw. als Aufklärungsprinzip gegen den religiösen Aberglauben in den Offenbarungsreligionen gelesen werden kann und muss. Das scheint für die Gegenwart nicht weniger zu gelten als für die Zeit, in der Kant gelebt und gewirkt hat. Gerade in Zeiten »unnachhaltiger« Aufklärung und durch Überrationalisierung bedingter Irrationalismen ist das religiöse Aufklärungsprinzip von größter Bedeutung. Wo es missachtet wird, da wird Religiosität als Freibrief betrachtet, um unser kritisches Denkvermögen zur Ruhe zu legen, gleichsam als »Opiat für das Gewissen« und als ein »Polster, auf dem es ruhig schlafen soll«, wie es in verwandtem Zusammenhang in der Pädagogikvorlesung heißt (PV, VI, 757). Nicht nur die Formen pseudoreligiöser Spiritualismen, sondern auch die großen Religionen wie das Christentum oder der Islam bedürfen der Religionskritik. Davon ist, wie gezeigt werden sollte, nicht nur die Verfassung der Kirchen, sondern in kosmopolitischer Hinsicht auch das »Weltbeste« (aktuell vielleicht das »Projekt Weltethos«; vgl. Küng 1993) abhängig.

5. Natürliche Religion als Deutungskriterium des Geschichtsglaubens

Die natürliche Religion, von der wir ausgegangen sind, kann, wie sich soeben gezeigt hat, als Prinzip der Religions- und Kirchenkritik dienen, die zur Aufdeckung des innerkirchlichen und innerreligiösen Aberglaubens nötig ist. Sie kann aber auch eine Norm der religiösen Selbstkorrektur und der religiösen Reformen darstellen. Es liegt in diesem Zusammenhang natürlich nahe, Kant mit dem Reformator Luther zu vergleichen, wobei aber ein erheblicher Unterschied nicht eingeebnet werden darf, insofern Luther ein Anhänger *theonomer* Moral war und von daher durch eine unüberbrückbare Kluft von Kant und der natürlichen Religion, die sich aus der *autonomen* Moral ergibt, getrennt ist (vgl. Ebbinghaus 1927/1990, 43).

Aber noch in einer dritten Hinsicht erweist sich die prinzipielle Bedeutung der natürlichen und universalen Religion. Sie stellt nämlich auch ein *Interpretationskriterium* der Offenbarungsreligion und ihres Geschichtsglaubens dar. Sie ist nicht nur kritische Norm und Reformprinzip, sondern auch Deutungskriterium. Als ein solches hat Kant sie ebenfalls beansprucht, und zwar im Rahmen eines eigenen hermeneutischen Unternehmens, das die natürliche Religion zum Leitfaden einer Hermeneutik des Christentums nimmt und die Heilige Schrift als anschauliche Darstellung ihres Gehaltes deutet. Denn unbeschadet der Kritik an Afterdienst, Religionswahn und Klerusherrschaft (Pfaffentum) kann es ja immer möglich sein, dass der *innere Gehalt* der auf Offenbarung beruhenden empirischen Religion davon gar nicht berührt ist. Nur der verselbständigte Kult verfällt der Kritik, die bei Kant gelegentlich die Züge einer verbitterten Polemik annimmt. Es bleibt daher noch die Frage, ob und inwiefern der spezifische *Inhalt* des besonderen empirischen Offenbarungsglaubens mit der allgemeinen *Form* der Religion übereinstimmt. Dieses Problem kann nur in Gestalt einer Auslegung des Kirchenglaubens am Maßstab der natürlichen Religion erfolgen. Kant hat diese Religionshermeneutik 1793 im dritten Stück, Abschnitt VI, seiner Religionsschrift und 1798 im I. Abschnitt des »Streits der Fakultäten« entwickelt. Es handelt sich dabei um eine eigene Hermeneutik der Schriftauslegung. Das ist erstaunlicherweise relativ unbekannt, obgleich Dilthey im »Leben Schleiermachers« ausdrücklich darauf hingewiesen und Kant in der Geschichte der Hermeneutik eine »epochemachende Stellung« eingeräumt hatte (Dilthey, Gesammelte Schriften XIV, 2, 651 f.).

Das Prinzip dieser Hermeneutik liegt nach allem, was wir bereits wissen, auf der Hand: »Und da das letztere, nämlich die moralische Besserung des Menschen, den eigentlichen Zweck aller Vernunftreligion ausmacht, so wird diese auch das oberste Prinzip aller Schriftauslegung enthalten« (R, IV, 773). Nach diesem Prinzip interpretiert Kant die christliche Offenbarungslehre, und zwar mit dem Resultat, dass das Christentum unter allen Formen »der sinnlichen Vorstellungsart des göttlichen Willens« die schicklichste sei, nur durch den Zusatz relativiert, »soviel wir wissen« (SF, VI, 301). Dieser relativierende Zusatz deutet die Möglichkeit an, auch die anderen Religionen der moralischen Hermeneutik zu unterziehen. Jede so gedeutete empirische Religion ist dann »Religion in den Grenzen der bloßen Vernunft«. In ihr finden wir die Verbindung zwischen Vernunftreligion und Offenbarungsreligion, zwischen Vernunft-glaube und Offenbarungsglaube, die die strikte Entgegensetzung und damit die Perversion des Offenbarungsglaubens in den Aberglauben vermeidet. Und umgekehrt findet in dieser Verbindung mit dem Offenbarungsglauben die Vernunftreligion ihre anschauliche Darstellung. Während wir es bei der Offenbarungsreligion mit einer Vielfalt zu tun haben, ist die moralische Religion nur *eine*, die einzig wahre und wesentliche Religion (vgl. R, IV, 764). Es gibt also nach Kant nur eine einzige Religion; die faktische Diversität hingegen betrifft diverse Glaubensformen, sowie wie wir ja auch zu sagen pflegen (Kant bemerkt das ausdrücklich), ein bestimmter Mensch sei von diesem oder jenem *Glauben*, nicht aber von dieser oder jener Religion (R, IV, 768). Es ist daher nicht auszuschließen, dass jemand, der nicht eines bestimmten Glaubens ist, dennoch Religion haben kann. Umgekehrt ist es durchaus möglich, dass Anhänger einer bestimmten Religion zugleich an der allgemeinen Religion partizipieren.

6. Natürliche Religion als Grundlage integrativen Religionsunterrichts

Hier finden wir das bereits erwähnte integrative Moment wieder. Was ist damit gemeint? Die Erläuterung soll in Rücksicht auf den Schulunterricht gegeben werden. Natürliche Religion kann man als Universalreligion eines allgemein bildenden Unterrichtsfaches für Schüler verschiedenen Glaubens und verschiedener Konfessionen, aber auch für konfessions- und glaubenslose Schüler darstellen, aber so, dass die verschiedenen Glaubenszugehörigkeiten nicht vernachlässigt werden müssen. Denn an ihnen kann sich die hermeneutische Kraft der natürlichen und universellen Religion konkretisierend erweisen. Im multikulturellen Zeitalter braucht der Glaubenspluralismus kein Hindernis eines allgemein bildenden Religionsunterrichts zu sein; im Grunde genommen kann er dies gar nicht sein, wenn man unter Religion nicht nur die rivalisierenden empirischen Religionen mit ihrem jeweiligen und dann auch stets absolut gesetzten Geschichtsglauben versteht, sondern allem voran die *eine* Weltreligion, die sich aus dem moralischen Bewusstsein ergibt. Eben das wird durch Kants Explikation des Religionsbegriffes deutlich und auch nahe gelegt. Vielfalt der Glaubensarten bis hin zum Sektenwahn und Aberglauben braucht kein Hindernis zu sein, weil es eine gemeinsame Menschheitsreligion gibt, auf die jeder, sofern er nur *Mensch* ist, aufmerksam gemacht werden kann; und diese Vielfalt *darf* kein Hindernis sein, sofern wir in unseren Schulen neben allem Fitnesstraining für den Arbeitsmarkt bzw. für das, was dafür gehalten wird, noch immer am Ideal der Menschenbildung festhalten wollen. Tun wir das – und nach meiner Meinung ist das nicht nur Berufspflicht der praktischen Pädagogen, sondern auch Kernthema der wissenschaftlichen Pädagogik –, dann müssen wir die Kultur der Sprache, des Denkens und Wissens mit der Kultur des moralischen Bewusstseins, und das heißt auch der Religion, unterlegen.

Aber Religion bedeutet dann vorrangig: natürliche Religion oder Menschheitsreligion. An einem Unterricht, der diese Universalreligion zum Inhalt hat, kann jeder ungeachtet seines besonderen Glaubens teilnehmen. Er wird sogar in Bezug auf seinen Glauben davon profitieren können, teils weil ihm dadurch ein Kriterium der Glaubenskritik (das allerdings nicht von allen gerne gesehen wird), teils weil ihm dadurch der höchste Gesichtspunkt für das wahre Verständnis seines Kirchenglaubens eröffnet wird, der sich damit erst zur »Religion in den Grenzen der bloßen Vernunft« verwandelt. Eine Schule, in der so etwas geschieht, wäre wirklich Menschheitsschule. Sie würde unangesehen der Glaubensdiversität für die Ausbreitung der einen und einzig wahren Religion sorgen, in der sich die Menschen wie in einer *unsichtbaren Kirche* unter den Gesetzen Gottes, die sie aber in ihrer eigenen Vernunft finden, miteinander vereinigen.

Abschließend kann nun auch die zweite der oben gestellten Fragen beantwortet werden. Es handelte sich um die Frage nach der Möglichkeit eines allgemeinen und überkonfessionellen, gleichsam pluralistischen Religionsunterrichts. Die Antwort wird nach allem nur lauten können: Ein solcher Unterricht ist durchaus möglich, und zwar deswegen, weil die natürliche Religion das »Wesentliche aller Religion« enthält (R, IV, 771). Diese Religion ist nur *eine*, weshalb auch Anhänger der verschiedenen Glaubensarten daran teilnehmen können. Eine solche »allgemeine Weltreligion« (R, IV, 839) kann uns trotz der vielfältigen Religionspluralität doch auch die Gemeinsamkeit der Menschen als praktischer Vernunft fähiger Wesen zu Gesicht bringen.

Die Betonung des Gemeinsamen und Verbindenden braucht indes nicht an der Besonderheit der empirischen Religionen vorbeizugehen. Man kann und sollte diese sogar einbeziehen, was in concreto freilich vom Kenntnisstand der jeweiligen Lehrer abhängt. Denn die allgemeine Religion vermag sich sowohl in kritischer als auch in hermeneutischer Absicht den besonderen Religionen zuzuwenden, um einerseits auf die Gefahren des Aberglaubens aufmerksam zu machen und um andererseits das Wesentliche ihres Gehalts vor Augen zu stellen, wie Kant das in seiner Religionsschrift mit der christlichen Religion getan hat, was hier der Kürze halber übergangen wurde. Ein Unterricht in der »Religion in den Grenzen der bloßen Vernunft« kann und sollte also beides enthalten: nicht nur Unterweisung in der allgemeinen Religion, sondern auch in einer oder mehreren besonderen Religionen, soweit sie jener angemessen sind. Dass ein derartiger Unterricht zur Allgemeinbildung *notwendig* ist, ist im Vorigen als Antwort auf die anfangs gestellte erste Frage bereits deutlich gemacht worden. Jetzt hat sich gezeigt, in welcher *Form* das geschehen kann: in Gestalt eines Unterrichts, der in die allgemeine Religion einführt und deren kritisches sowie hermeneutisches Potential durch Anwendung auf Offenbarungsreligion und Geschichtsglauben wirksam macht.

Das Reale und das Religiöse in Pragmatismus und Konstruktivismus

Kersten Reich

Die Frage nach dem Glauben erscheint immer wieder als Anrufung des Göttlichen in der Not. Aber die Offenbarung bleibt ein Wunder. (1) Sie benötigt Glauben, der in der Moderne bis zur Postmoderne immer mehr eine Ambivalenz zeigt, die den Konstruktionen Wissen und Glauben anhaftet. Hierzu werden Aspekte beschrieben. (2) Am Beispiel von John Dewey wird dann ein pragmatistisches Verständnis des Religiösen auf der Basis seiner Schrift »A Common Faith« erörtert. Dewey kann als ein Vertreter eines »dritten Weges« angesehen werden, der das Wissen anerkennt, aber den Glauben nicht gänzlich verlieren will. Dazu unterscheidet er das Religiöse von den Religionen. (3) Eine klarere Fassung wird in dem Verhältnis von Realem und Realität gesehen, wie es der interaktionistische Konstruktivismus unterscheidet. Hier bleibt Raum dafür, zuzugeben, dass Menschen nicht alles erschaffen haben und nicht über alles verfügen können. Dies erscheint als ihre Endlichkeit. Aber diese Anerkennung erzwingt nicht das Religiöse; sie macht es jedoch verständlich. (4) Vor diesem Horizont erscheinen Möglichkeiten im Umgang mit Wissen und Glauben, auch wenn es grundsätzliche Probleme eines erkenntniskritischen Ansatzes mit dem Religiösen gibt. (5) Abgeschlossen wird der Beitrag mit kurzen Bemerkungen zur Bedeutung einer Religionspädagogik vor dem Hintergrund der gemachten Analyse.

1. Prolog

In einer existenziellen Situation, in der mir als Kind niemand aus der Welt der Erwachsenen helfen konnte, weil diese das Problem und nicht die Lösung stellten, rief ich nach Gott, in einer verzweifelten und zugleich trotzigen Geste, die sich bereits unsicher war, ob denn ein solcher Gott überhaupt wird helfen können. Als personifizierter Ersatz für einen Vater, der damals unerreichbar war, sollte Gott mir helfen und nach einer erhofften Hilfe dann auch mit einer Gegenleistung belohnt werden. »Wenn du mir das gibst, was ich mir in diesem Moment in meiner Not so sehnlich wünsche, dann werde ich dir den Glauben zurückgeben, an dem ich zu zweifeln schon als Kind mehr als einen Anlass gefunden hatte.« So stand »mein« Gott vor einer Entscheidung.

In meiner kindlichen Fantasie war die Wunscherwartung noch direkter und ungebrochener, als sie es später sein konnte, und die logische Wahrscheinlichkeit richtete sich auf ein Urteil, das von außen kommend, mir die eigene Unsicherheit abnehmen sollte. Wie in einem animistischen Weltbild erwartete ich die Lösung von außen, sie sollte sich in der Lösung offenbaren, für die eine Offenbarung mir allein zu stehen schien: Wenn es denn Gott »wirklich« gäbe, so die logische Folgerung, dann würde er einsehen, dass hier eine Not gegeben ist, und er würde ein Zeichen setzen, um mir aus der Not zu helfen und zugleich zu offenbaren, dass es ihn gibt. Dies erschien mir als ein gerechter Tausch: Hilfst du mir, so glaube ich dir. Und, so setzte die kindliche Logik hinzu: »Wozu denn sonst sollte ein Glaube gut sein, wenn er nicht dieses Mindestmaß an Gegenseitigkeit erreichte?«

Später erfuhr ich, dass viele Menschen ein solch erzwungenes Glaubensbekenntnis ihres Gottes in Kindheit und Jugend, mitunter auch später, nicht nur in extremen Situationen verlangt hatten. Und ich musste erkennen, dass nicht jeder den Weg gegangen ist, der sich mir erschlossen hat. Im logischen Kalkül hatte ich mir ein Bild von Gott gemacht, ein Bild, dass aus gutem Grund im Christentum verboten ist, weil es Erwartungen wecken könnte, die diese Religion zwar indirekt versprechen mag, aber nie direkt erfüllen kann. Der Tausch funktioniert nicht, die Vorstellung eines Gebens und Nehmens ist allzu menschlich. Gott jedoch ist ein Konstrukt, das keinen Tausch zulassen könnte, weil es ihm um wichtigere Dinge zu gehen scheint. Dies zumindest kann man von jenen immer wieder hören, die an ihn – in den unterschiedlichen Formen des Religiösen – glauben. Und gewiss werden sich religiöse Menschen sofort an der Aussage stoßen, dass ich Gott überhaupt als ein Konstrukt sehen könnte, weil er für sie lebendig, ihnen innewohnend und stets in der Welt präsent erscheinen mag. Ich kann dagegen allerdings bereits meine damals noch unbegriffene und weit nachwirkende Geste setzen, dass es offenbar auch dazu gehört, von Gott, Religionen und dem Religiösen in lebenspraktischen Situationen zu lernen, wobei meine grundlegende Lernerfahrung für mich so negativ war, dass ich mich in der Überwindung meiner damaligen und aller späteren Lebenskrisen lieber auf mich und mein soziales Umfeld statt auf Gott verlassen habe. So spreche ich seither aus einem atheistischen Hintergrund, aber zugleich von und in einem sozialen Umfeld und in Interaktionen mit mir wichtigen Menschen, die teilweise religiös sind. Ist dies nicht schon widersprüchlich? Ich will nachfolgend von möglichen Widersprüchen reden und Stellen herausfinden, an denen unterschiedliche Auffassungen hierüber entstehen und Anlass werden können, grundsätzlich über die Grenzen des Wissens und Glaubens in der Bestimmung des Religiösen nachzudenken. Dabei konzentriere ich mich auf exemplarisch ausgewählte Gesichtspunkte, die für den Pragmatismus und Konstruktivismus als Erkenntniskritiken, zu deren Ansätzen ich mich hingezogen fühle und an deren Weiterentwicklung ich mitzuwirken versuche, wesentlich sind.

2. Die Unterscheidung von Wissen und Glauben

Heute erscheint eine Trennung von Wissen und Glauben wie ein Fakt, auch wenn es immer wieder Versuche des Übergriffs gibt. Aber die Wissenschaften haben sich von den Religionen soweit emanzipiert, dass die unheilvolle Klammer eines normativen Dogmas, was gedacht und was tabuisiert werden muss, wie es im Fall Galilei noch prototypisch erschien, aufgelöst wurde. Max Weber hat die Entwicklung der modernen Lebenswelt als einen Prozess der Entzauberung bezeichnet. Dazu gehört auch die Entzauberung der religiösen Mythen, die in Formen z. B. der katholischen oder protestantischen Ethik als Einflussgrößen auf wirtschaftliches Handeln erschienen. Würde man Webers Untersuchungen heute wiederholen, so würde man erkennen müssen, dass die Entzauberung immer weiter fortgeschritten ist, denn von religiöser Ethik scheinen die meisten Unternehmen mittlerweile völlig frei zu sein. Dabei gibt es jedoch immer noch lokale Rückfälle und Eigentümlichkeiten. Wenn z. B. der Kreationismus in den USA gegenwärtig versucht, den Unterricht der Evolutionstheorie nach Darwin in den Schulen zu verbieten und damit die alte Klammer wieder herzustellen, so scheint der moderne Zeitgeist noch einmal aufgehalten zu werden. Doch bewirken wird dies auf längere Zeit gesehen nichts, denn die Evolutionstheorie als viables Konstrukt wird so lange wissenschaftlich Bestand haben, bis ein anderes, plausibleres Konstrukt mit wissenschaftlicher Begründung an seine Stelle treten mag. Die Wissenschaft hat sich so weit vom Glauben emanzipiert, dass dieser sie nur noch lokal begrenzen mag, was einer aufgeklärten Welt aber insgesamt als lächerlicher Rückfall gilt. Aus der Unterscheidung von Wissen und Glauben ist in den letzten Jahrhunderten mehr und mehr eine Trennung geworden. Trennung bedeutet, dass es zu einer Eskalation der Unterscheidungsansprüche gekommen ist, in denen die wissenschaftliche Seite mit einer auf Experiment, Untersuchungen und mehr oder minder faktischer Nachweisbarkeit von Behauptungen gründenden Wahrheitstheorie ihre Geltungsansprüche als empirisch und theoretisch fundiert entwickelt, was zu einer strikten Ablehnung des Übernatürlichen führt. Gerade an dieser Rigidität zweifelt die Seite des Glaubens, die z. B. einen Verlust an höheren Einsichten, an menschlichen Umgangsformen der Nächstenliebe sieht, die sich Begrenzungen der beschleunigten Hatz nach immer Neuem als Auslieferung an blanken Materialismus wünschen würde, die sich bemüht, mit spekulativem Geist und einer Besinnung auf bewährte religiöse Werte und oft durch eine Anrufung des Übernatürlichen der rasenden Verweltlichung und damit verbundener Oberflächlichkeit zu begegnen.

Zwischen diesen vereinfachend skizzierten Positionen gibt es allerdings viele Möglichkeiten. Die Postmoderne, wie sie Zygmunt Bauman (z. B. 1995, 1999) beschreibt, weist eine enorme Ambivalenz auf, die selbst solche Unterscheidungen wie die von Wissen und Glauben schon wieder hinfällig werden lässt. So gibt es Wissenschaftler, die in ihrem engeren Feld allein den Methoden der exakten Wissenschaften vertrauen, aber ungeachtet dessen eine tiefe Religiosität im Bereich des Glaubens zu entwickeln verstehen, die sozusagen in einer Parallelwelt aus Wissen und Glauben existieren, ohne hieran zu verzweifeln. Aber die Anzahl solcher Menschen scheint in den Wissenschaften mehr und mehr abzunehmen. Und ich kenne Theologen, deren negative Theologie und deren aufgeklärtes Wissen kaum noch Platz für einen Glauben lässt, der sie einst motiviert hatte, ein solches Studium zu ergreifen.

Wissen und Glauben sind zwei Konstruktbereiche, die uns in der Gegenwart viel mehr Spielraum als in vergangenen Zeiten lassen. Dies ist nicht ohne Folgen für Fragen einer Bestimmung von Religiosität, wie man sie heute aus der Sicht der Erkenntniskritik sehen mag. Bereits zu Beginn meines Beitrags will ich darauf aufmerksam machen, dass die Unterscheidung bzw. Trennung als Ekstase von Unterscheidungen ihrerseits kein Abbild von Wirklichkeit ist, mithin keiner Vorschrift folgen kann, dass dies schon immer so war oder immer so sein wird. Es handelt sich um ein historisch-kulturelles Konstrukt, das der Lebensweise der Moderne bis in ihre gegenwärtigen Übergänge in eine Postmoderne jedoch tief eingeschrieben scheint. Menschen als Beobachter, Teilnehmer und Akteure der Veränderungsprozesse bis hin in unsere Zeit haben den Umgang mit der Trennung von Wissen und Glauben schon lange und über Generationen hinweg gelernt, und jeder gebildete Mensch muss sich heute relativ sicher im Umgang mit Fragen einer Zuordnung eher zum Wissens- oder Glaubensbereich bewegen, wenn er nicht in peinlichen Situationen landen will.

Für die Wissenschaften scheint die Sache klar: Es lässt sich im Kampf der Aufklärung und Wissenschaften gegen die Religionen erkennen, dass der heutige Stand der Wissenschaft in großen Teilen bereits auf einer Vorverständigung von Wissenschaftlern der Vergangenheit basiert, die sich einen Freiraum gegen Übergriffe von Kirchen haben schaffen müssen, um die Wissenschaft passend zur Entwicklung der Moderne und ihrer Industrien zu entwickeln. Die darin steckende Verweltlichung zeigt vor allem im materiellen Zuwachs und den Idealen der westlichen Welt eine Erfolgsgeschichte, die heute sehr viele Menschen als passend, d. h. als viabel für Kulturen und Zeitgeist, empfinden. Aus dieser Sicht sind die Religionen in einer langen Kette von Argumentationen und Nachweisen diskreditiert worden, weil ihr Hang zum Übernatürlichen, ihre Verbindung mit Mythen und Legenden, ihre Weigerung, die eigenen Narrationen kritisch zu hinterfragen und ihre eigenen Machtansprüche im Blick auf ihre Grundannahmen als Ausdruck von Interessen und bestimmten Zeitgeistkonstellationen zu begreifen, wie eine Verweigerung erscheinen, sich der Freiheit des Denkens und der Demokratie als Emanzipation von einseitiger Unterdrückung zu stellen. Insbesondere für den aufgeklärten Feminismus sind z. B. heute Religionen in ihrer monotheistischen Variante mehr als ein Blick in eine Vergangenheit, sie sind eine andauernde Bedrohung mit immer noch existenziellen Folgen, die konkret bekämpft werden sollte, weil insbesondere das Frauenbild in den von männlichen Führern und Propheten bevölkerten Religionen in sehr vielen Bereichen und Ansichten als äußerst diskriminierend empfunden werden muss.

Für die Seite des Glaubens ist es schwierig in einem solchen Umfeld geworden: Dies mag ungerecht erscheinen, wenn man weiß, dass es in der wissenschaftlichen Theologie durchaus Forscher gab und gibt, die sich den kritischen Fragen der Wissenschaften intensiv widmeten und widmen. Allerdings ist solche Widmung nicht ungefährlich, wie ich am Entzug der kirchlichen Lehrbefugnis bei einem Kollegen in Köln anschaulich erfahren durfte. Gleichwohl hat die wissenschaftliche Theologie sich bis hin zu einer negativen Theologie entfaltet, deren Argumente manch einem Atheisten erst die fundierten Ideen liefern könnten, weshalb er den Glauben an eine bestimmte Religion aufgegeben hat. Gegen solche Aufweichungen steht eine (immer kleiner werdende?) Schar von Traditionalisten in allen Religionen bereit, die das Übernatürliche retten und den »wahren« Weg weisen wollen, wobei sie in einer globalisierten Welt allerdings auch zusätzlich mit der Schwierigkeit der Religionen im Plural zu kämpfen haben, d. h. sich dem Phänomen stellen müssen, dass es dabei sehr unterschiedliche und fundamental gegensätzliche Auffassungen des richtigen Weges und der Art des Übernatürlichen selbst gibt. Hier ist es für den Außenstehenden interessant zu sehen, inwieweit die Rechthaberei des eigenen Weges sich auf Zeit mit einem brüchigen Allgemeinverständnis des Religiösen über eine Religion hinweg zumindest dem Worte nach verbinden kann, um dann in der Realität des Alltags doch immer wieder an der Besserwisserei der eigenen Religion und ihrer besonderen Auslegung zu zerschellen, wie man es z. B. am Umgang von Katholiken und Protestanten bis heute beobachten kann.

Aus dem vereinfachend von mir konstruierten Gegensatz zwischen wissenschaftlichen Aufklärern und Religionsanhängern bestimmter Kirchen oder Sekten aber fällt eigentümlich eine dritte Gruppe heraus, die zahlenmäßig zumindest in den westlichen Industrieländern ständig zu steigen scheint: Es sind dies Menschen, die von sich behaupten, religiös zu sein oder zumindest teilweise religiöse Überzeugungen zu haben, die aber keineswegs mehr sich in den Traditionen der Religionen oder Kirchen wieder finden. Sie entsprechen scheinbar einem eher postmodernen Habitus, der die Freiheit der eigenen Wahlen betont, ohne ganz von den kulturellen Ansprüchen lassen zu wollen, die im Religiösen ihnen eine gewisse Viabilität auf eigenes Hoffen, ein projizierbares Bild auf höhere Werte oder Wünsche usw. erhalten.

3. Die Unterscheidung von Religion und Religiösem im Pragmatismus bei John Dewey

Die eben gegebene vereinfachende Beschreibung war für John Dewey 1934 ein wesentlicher Ausgangspunkt, als er mit seinem Essay »A Common Faith« (LW 9, 1 ff.) sein pragmatistisches Verständnis von Religion und Religiösem zur Diskussion stellte. Seine Arbeit steht, so denke ich, paradigmatisch für jene dritte Gruppe, die aus dem Gegensatz von alleiniger Beanspruchung des Wissenschaftlichen oder der religiösen Tradition heraustreten will, die für sich eine Erfahrung des Religiösen reklamiert, ohne sich damit zugleich auf eine bestimmte Praxis einer bestimmten und sie bestimmenden Religion einlassen zu wollen. Ich will kurz seine Argumentation in mir wichtig erscheinenden Punkten systematisch rekonstruieren:

1. Zunächst unterscheidet Dewey die Religion und das Religiöse. Nimmt man die Religionen, so argumentiert Dewey (LW 9, 5 ff.), dann erkennt man deutliche Unterschiede von den Ursprüngen bis zu den großen monotheistischen Religionen im Blick z.B. auf die unsichtbaren Kräfte, die angebeteten Gottheiten oder Referenzen, denen man sich unterwirft, und die moralischen Motive, die damit im Zusammenhang stehen. Alle historischen Religionen »sind relativ zu den Bedingungen der sozialen Kultur, in der die Menschen lebten« (LW 9, 6).[1] Dabei haben alle Religionen das Problem, eine Herkunft aus einer vergangenen Zeit zu erkennen und zugleich die Erneuerung ihrer Überzeugungen und des Glaubens im Blick auf eine Gegenwart miteinander zu verbinden. Hier entsteht die Frage nach der Wahl *einer* Religion. Aber wir wissen, so hält Dewey dagegen, zugleich von der Vielzahl der Religionen. Und wir wissen auch, dass die je eine, d.h. die erwählte Religion, nie zu einem Ende kommen kann, weil sie das Alte mit dem Neuen in jeder Generation neu verbinden muss. Damit ist eine Wahl nicht nur erschwert, sondern sie stellt uns vor ein unlösbares Problem: »Denn wir sind gedrängt anzuerkennen, dass es nicht nur eine Religion im Singular gibt. Es gibt nur eine Vielfalt von Religionen.« (LW 9, 7)

Erkennen wir die Vielfalt an, und es gibt in historisch kultureller Betrachtung, die nicht kolonialistisch einer Kultur den Vorzug über alle anderen geben will, hier gar keinen Ausweg, dann ist der Begriff Religion in striktem Sinne ein kollektiver Begriff, der sich logisch nicht auf eine Klasse des zugelassenen Religiösen beschränken lässt. Religionen schreiben sich im Plural, Religion lässt sich nicht aus einer Sicht heraus universalisieren, sondern ist von vornherein ein zwischen den und – angesichts wachsender Multikulturalität in den Gesell-

---

1.   Die Übersetzungen aus dem Englischen sind vom Autor.

schaften – auch innerhalb der Kulturen unterschiedlich gestalteter Wahlvorgang. Eine solche Wahl schränkt uns immer schon ein. Und hier müssen wir erkennen, dass diese Einschränkungen in der Geschichte der Religionen oft dazu geführt haben, dass die Religionen missbraucht wurden, um bestimmte Machtinteressen durchzusetzen.

Wie Ludwig Feuerbach geht auch Dewey davon aus, dass die Ideale der Menschen ihren Ursprung in den »natürlichen« Erfahrungen des Guten und Schönen haben, die sie erleben können, und dass sie dazu neigen, solche Ideale durch Projektionen auf einen transzendentalen Gott zu überhöhen und zu verklären, um sich Sicherheit für ihr Leben und seine Erklärung zu verschaffen. Aber er denkt, dass sich Projektionen dann mit der Wissenschaft sinnvoll verbinden lassen, wenn wissenschaftliche Untersuchungen, Experimente, kontrollierte Reflexionen mit den Visionen und Idealen zusammenfallen, ihnen einen hinreichenden Grund gewähren, und wenn die Visionen und Ideale in Realität überführt werden können. »Es gibt nur eine sichere Zufahrtsstraße zur Wahrheit – die Straße der geduldigen, kooperativen Untersuchung mit den Mitteln der Beobachtung, des Experiments, der Aufzeichnung und kontrollierten Reflexion.« (LW 9, 23)

In seinen Gifford Lectures, die als »The Quest for Certainty« veröffentlicht wurden, erklärt Dewey, dass eine Religion mit dem Naturalismus, wie er ihn versteht, der Demokratie und dem Experimentalismus dann vereinbar wäre, wenn »sie sich der Inspiration und Kultivierung des Sinns der idealen Möglichkeiten im Gegenwärtigen widmen würde« (LW 4, 244). Aber dies, so wird ihm später in »A Common Faith« klar, kann nicht für die *eine* Religion gelten, sondern muss sich auf das beziehen, was er offener und weiter als »religiös« bezeichnet.

2. Die Grundfrage, die Dewey nun stellt, lautet, ob das Religiöse tatsächlich immer an etwas Übernatürliches gebunden sei. Wäre dies so, dann gäbe es keinen Zugang zur religiösen Wahrheit, denn ein solcher Zugang ist für Dewey, wie er in seinen Werken immer wieder betont hat, an Beobachtungen, Experimente, Aufzeichnungen hierüber und kontrollierte Reflexionen gebunden. Das Religiöse als eine wahre Erfahrung muss nach Dewey aus seiner übernatürlichen Beanspruchung herausgelöst werden, sein Begriff des Religiösen hebt sich deshalb entschieden von jeglicher übernatürlicher Deutung ab. Er spricht im Übrigen vom Religiösen gerne in der Form des Adjektivs. Dieser Sprachgebrauch wird verständlich, wenn beachtet wird, dass er mit dem Begriff auf keinen Fall mehr ein Objekt oder eine Person meint, auf die man sich aus übernatürlichen Gründen projizierend beziehen könnte. Damit kann das Religiöse auf einmal zu einer Offenheit auch gegenüber der Religionswahl werden. Das Religiöse bei Dewey, wenn ich es in meine Terminologie übersetze, ist eine offene Teilnahmeposition, in der ich mich nicht entschieden auf die Glaubens-

aspekte und Praktiken *einer* Religion zurückziehe und diese gegenüber anderen bevorzuge, sondern eine Art Metabeobachterstandpunkt, der sich von allen Bezügen und Lasten befreit, die ein partikularer Blick der Religion immer schon erzwingt. Das Religiöse wird so weiter und offener: »Um es irgendwie expliziter auszudrücken, so kennzeichnet eine Religion (und wie ich gerade gesagt habe, gibt es keine Religion im Allgemeinen) eine spezielle Menge des Glaubens und von Praktiken, die eine bestimmte offenere oder festere institutionelle Organisation haben. Im Gegensatz dazu bezeichnet das Adjektiv »religiös« nichts im Sinne einer spezifizierbaren Entität, sei es in institutioneller oder glaubensmäßiger Hinsicht. Es bezeichnet nichts, auf das jemand spezifisch zeigen könnte, so wie man auf dieses oder jenes in der historischen Religion oder existierenden Kirchen zeigen könnte. Denn es bezeichnet nichts, das nur durch sich selbst existiert oder das innerhalb einer partikularen oder abgrenzbaren Form der Existenz organisiert werden könnte. Es bezeichnet Erwartungen, die in Bezug auf jedes Objekt oder jedes vorgeschlagene Ziel oder Ideal eingenommen werden können.« (LW 9, 8)

Dewey will das Religiöse insgesamt von seinem Religionshintergrund befreien und strikt jegliche Verbindung zum Übernatürlichen unterbinden. Dabei spekuliert er nicht wie William James in »The Varieties of Religious Experience« (1902) über die Außergewöhnlichkeit mystischer Erfahrungen, sondern konzentriert sich auf die religiöse Erfahrung und hierbei entstehende Werte, die innerhalb natürlicher und alltäglicher Erfahrungen vorkommen und von jedermann auch erfahren werden können – und zwar gleichgültig, ob sich dieser Mensch zu einer Religion bekennt oder nicht.

3. Mit dieser ungewöhnlichen Grundlegung, so gibt Dewey zu (LW 9, 4), hat er zwei Lager gegen sich: (a) Alle traditionellen Religionen, die zu ihrer Legitimation Wunder und übernatürliche Ereignisse heranziehen, um die Glaubwürdigkeit des eigenen Ansatzes zu untermauern. Deweys Sicht »wird ihnen so erscheinen, dass der religiöse Lebensnerv durchgeschnitten wird und sie der Basis, auf der alle traditionellen Religionen und Institutionen gegründet wurden, beraubt werden.« (Ebd.) (b) Den wissenschaftlichen Aufklärern hingegen, so vermutet Dewey, werden seine Ansichten als halbherzig und wenig durchdacht erscheinen, als emotionale Bindungen an Wünsche aus der Kindheit vielleicht, wo einem das Religiöse eingeredet wurde, als eine unaufgeklärte Sicht oder sogar als ein Wunsch nach unreflektierter Anpassung an eine kulturell erwartete Verhaltensweise in einer immer noch christlich geprägten Gesellschaft.

Dewey akzeptiert dieses Dazwischen-Stehen, weil er für sich entschieden hat, dass es so etwas wie eine religiöse Erfahrung gibt, aber er ist sich der Konsequenzen bewusst, die es hätte, wenn er diese Erfahrung nur *einer* Religion als gerechtfertigte Behauptbarkeit zuschreiben würde. Eine gerechtfertigte Behauptbarkeit (warranted assertibility), die für Dewey Wahrheit begründet, kann in seinem wissenschaftlichen Weltbild nicht an eine Religion gebunden sein, sie bedarf der Untersuchung (inquiry), und auch das Religiöse muss sich diesem Anspruch stellen. Doch kann es das im gleichen Maße wie wissenschaftliche oder ästhetische, wie moralische oder politische Untersuchungen?

Dewey will bewusst gegen beide Lager denken. Seine Intention ist es, das Religiöse von dem Übernatürlichen zu trennen, um der wissenschaftlichen Sicht ihr aufgeklärtes Recht zu erhalten, aber auch die religiöse Erfahrung (experience) zu respektieren, die nicht in Naivität eines Wunderglaubens und auch nicht in den Deutungen der stets schon festlegenden und festgelegten Religionen allein aufgeht. Er versucht daher das Religiöse als eine Erfahrung zu sehen, die nicht spezifisch ist, die sich eben nicht loslösen lässt von ästhetischen, wissenschaftlichen, moralischen oder politischen Erfahrungen. Wenn Milton R. Konvitz in seiner »Introduction« zu »A Common Faith« Dewey kritisch fragt (LW 9, XXVI), warum er nicht erkennen konnte, dass die religiöse Erfahrung auch unabhängig von anderen Erfahrungen existieren könne, dann verfehlt allein diese Frage schon das, was Dewey intendiert: Religiöse Erfahrung kann für ihn nur etwas bezeichnen, was in all diesen anderen Erfahrungen vorkommen kann, sie kann nach Dewey nie nur für sich existieren. Würde er dies nämlich zugeben, dann würde seine Unterscheidung von Religion und Religiösem ihren Sinn verlieren. Seine Vorstellungen des Religiösen sind frei von übernatürlichen Gottheiten oder einer Reklamation des Numinosen. In jeder Erfahrung kann ein Effekt, eine Wirkung eingeschlossen sein, so behauptet Dewey, der die Funktion oder Kraft hat, etwas Religiöses hervorzubringen. Eine solche Erfahrung bringt eine »bessere, tiefere und anhaltende Anpassung (adjustment) im Leben« (LW 9, 11), was gar nicht so selten im Leben vorkommt, wie es scheint. »Adjustment« ist ein aktiver Vorgang, eine Einheitserfahrung des Selbst mit sich und der äußeren Welt, wie er es für die Kunst in »Art as Experience« auch festgehalten hat. Es ist ein Ausdruck des Willens, der sich einer eigenen Erfahrung und Erwartung gegenüber sieht, für die alles in Eins zu fallen scheint. Dewey nennt die Beispiele einer hingebungsvollen Beschäftigung, was wir heute vielleicht neutraler als *flow* bezeichnen würden, die Zeilen eines Gedichtes, die neue Perspektiven eröffnen, oder auch eine philosophische Reflexion, die eine ungeahnte Tür in eine neue Welt aufzustoßen vermag. (Ebd.) Aus solchen und anderen unterschiedlichen Aspekten und Perspektiven können sich für ihn religiöse Erfahrungen zusammensetzen. Wir erfahren sie im Hier und Jetzt, es sind Wirkungen unserer Erfahrungen selbst und keine Gründe, die in übernatürlichen Ursachen wurzeln.

4. Die von Dewey gegebenen Beispiele kann ich nur schwer dem Religiösen zuordnen. Es scheint ein Religiöses zu sein, dem jegliche Religion als Hintergrund fehlt. Genau dies ist die Intention, die Dewey hat. Aber erscheint darin

nicht zu sehr eine Position, die für sein Denken nach strategischen Bündnispartnern sucht? Zumindest entwickelt Dewey sein ganz eigenes, nur schwer auf bekannte Alltagsvorstellungen zu übertragendes Verständnis des Religiösen. Dabei steht er unter dem Anspruch, den Dualismus von Wissenschaft und Religiösem aufzuheben, indem er dem Religiösen einen recht intellektualistisch geprägten Platz zuweist (Dewey ist sich dieses Umstandes durchaus bewusst, vgl. LW 9, 38), der von dem Wunsch getragen ist, das Selbst als ein Ganzes zu interpretieren, das seine Ideale in einer imaginativen Projektion gewinnt und handelnd umsetzt. Diese Imagination soll nicht den Illusionen des Übernatürlichen folgen, sondern den Visionen einer gelebten Demokratie, eines sozial Guten, eines Fortschritts durch Wissenschaft und Kunst, und diese Visionen, diese Hoffnungen auf eine bessere Welt, diese Forderungen an ein glückliches menschliches Miteinander ersetzen ein zuvor übernatürlich geprägtes Religiöses. Menschliches Begehren und Wünschen hatte immer schon einen enormen Einfluss auf den intellektuellen Glauben und alle Werte. Hier erscheint das Religiöse Dewey als ein »Moralisches berührt vom Emotionalen« (LW 9, 16). Ein dermaßen moralisch ergriffenes Selbst, in dem eine Einheit aus Begehren und Wünschen, Emotionen, Visionen und zugleich ein ideales Streben nach einem Guten, und d. h. für Dewey immer ein Streben nach einer besseren, gerechteren Gesellschaft, entsteht, wird nicht mehr von unsichtbaren Kräften kontrolliert, die die Gefahr des Machtmissbrauches durch Kirchen oder Sekten hervorbringen. Hier kann nach Dewey ein bewusster und freier, ein offener Mensch erscheinen, der Wissenschaft und Religiosität nicht mehr als Gegensatz erleben muss (LW 9, 17). Dies wäre dann für Dewey ein natürlicher Vorgang – er würde dem Wesen der Natur entsprechen – und er bindet den Sinn der menschlichen Würde an die Natur. Der Naturalismus bei Dewey ist schwierig, weil er nie bloß einen Rückzug auf natürliche Grundlagen meint, sondern immer den aktiven, sozial handelnden und seine Welt selbst erschließenden Menschen einschließt. Solche Natürlichkeit – und diese schließt bei Dewey immer das Streben nach einer sozial gerechten Gesellschaft ein – ist die Basis des Religiösen. »Eine Menge von Glaubenssätzen und Praktiken, die getrennt von gemeinsamen und natürlichen Beziehungen der Menschen sind, müssen … die Kraft der Möglichkeiten, die in solchen Beziehungen liegen, schwächen und verwässern.« (LW 9, 19) Aktivitäten hingegen, die sich für ein positives Ideal des menschlichen Zusammenlebens in konkreten Handlungszusammenhängen und Erfahrungen einsetzen, tragen einen Wert, der eine religiöse Qualität tragen kann. Unklar bleibt allerdings die inhaltliche Füllung dieses Religiösen im Sinne einer Verständigungsgemeinschaft, denn das Religiöse scheint sehr vielen individuellen Zuständen zu entsprechen, die allein das Subjekt in seinen persönlichen Erfahrungen als religiös oder anders beanspruchen kann.

5. Mit seinem Verständnis des Religiösen hat Dewey einen ganz eigenen Ansatz entwickelt, der vielleicht am ehesten mit Gedanken Viktor Frankls und Martin Bubers zu vergleichen ist (vgl. Rockefeller 1998, 140). Allen drei ist gemeinsam, dass sie das Religiöse nicht von außen auf die Welt projiziert sehen, sondern es aus dem Dialog entstehen lassen, einem tiefen Eindringen in die Beziehung von Personen, ihrem Verhältnis zur Natur, ihren sozialen Aktionen und hierbei entwickelten Werten, künstlerischer Kreativität und einer steten Suche nach neuem Wissen. Obwohl in Deweys Werken der Begriff Gott äußerst selten gebraucht wird, so reflektiert er in »A Common Faith« darauf, dass für ihn dieser Begriff dann Sinn machen kann, wenn er nicht mehr für eine Personifizierung steht, wenn er hingegen für einen menschlichen Zusammenhang und ein Ideal gesetzt wird, das uns alle in unseren Wünschen und Aktionen einigt. In dieser Einigung unterwerfen wir uns dann nicht einem äußeren Willen, sondern haben bewusst unseren Willen für unsere Vision entdeckt und diese als Ziel gewählt. Dann könnte der Name Gott eine neue, eine ideale Bedeutung annehmen (vgl. LW 9, 29). Zwar besteht Dewey nicht darauf, dass einem solchen Vorgang der Name Gott oder Göttliches (divine) gegeben werden müsste, aber er kann sich vorstellen, dass ein solcher Name eine Erhöhung der Einigung von Menschen unter einer gemeinsamen Perspektive und damit eine Verbesserung der Wirkung erzielen lässt. »Eine klare und intensive Konzeption einer Vereinigung von idealen Zwecken mit aktuellen Bedingungen ist fähig, eine anhaltende emotionale Bereitschaft zu erzielen.« (LW 9, 35) Und Gott könnte grundsätzlich hierfür ein Name sein, insbesondere weil, so argumentiert Dewey, es zu Gott wenig Alternativen gibt. Denn der »aggressive Atheismus«, wie er ihn nennt, erscheint ihm ganz ähnlich wie der Glaube an die Übernatürlichkeit. Zumindest in seinen militanten Formen zeigt dieser Atheismus uns den Menschen in einer Isolation, ohne Heimat, jenseits seiner natürlichen Basis, es mangelt ihm an einer natürlichen Pietät. Die Verbindungen zur Natur, die Dichter so ausdrucksstark thematisiert haben, werden von ihm leichtfertig missachtet. Daraus resultiert dann schnell Hoffnungslosigkeit und Verzweiflung, bloßer Skeptizismus und Isolation. Eine Einigung unter einem Namen hingegen könnte helfen, zu einer Einheit zurückzufinden, ohne zugleich zu übernatürlichen Ressourcen greifen zu müssen (vgl. LW 9, 36).

Deweys Deutungen des Religiösen und insbesondere sein Verständnis des Gebrauchs des Begriffes Gott haben auch im Pragmatismus eine strittige Diskussion erfahren. Sidney Hook, der ansonsten die Werke Deweys grundlegend verteidigt, hält die Unterscheidungen für irreführend und missverständlich (vgl. Rockefeller 1998, 145). Alan Ryan (1995) bezweifelt grundsätzlich, ob es sinnvoll möglich ist, den Begriff des Religiösen überhaupt ohne einen Bezug zum Übernatürlichen zu beanspruchen. Ich möchte beiden Kritikern zustimmen und zugleich auf einige weitere Problemlagen aufmerksam machen, die ich auf die Reihenfolge der oben genannten Punkte thesenhaft beziehe:

(Zu 1) Die gemachte Unterscheidung zwischen Religion und Religiösem ist problematisch. Der spezifische Gehalt des Religiösen wird immer nur in einer Religion erfahren, dies zumindest scheint mir das sprachliche und kulturelle Verständnis zu sein, mit dem diese Begriffe üblicherweise reflektiert werden. Da Dewey eine völlig andere Redeweise einführt, fällt es sehr schwer zu verstehen, was der übertragbare Gehalt des herkömmlichen Religiösen auf sein Religiöses sein soll. Gleichwohl hat Dewey Recht, dass es Religionen nur im Plural gibt. Aber es wäre für mich einleuchtender, auch die Formen des Religiösen zu pluralisieren.

(Zu 2) Wenn das Religiöse säkularisiert wird, wie es Dewey unternimmt, dann versucht er den Dualismus zwischen dem Heiligen und dem Profanen aufzulösen. Dagegen lässt sich allerdings einwenden, dass dieser Dualismus im kulturellen Verständnis das Religiöse erst spezifisch als einen Verständigungsbereich mit spezifischen Normen und Werten erscheinen lässt. Was Dewey versucht ist allerdings deshalb so interessant, weil es der zunehmenden Gruppe von Menschen entspricht, die sich ihre mehr oder minder eigene, private Religion schaffen. Auch sie beanspruchen das Religiöse ohne direkten Bezug zu einer dominierenden Religion, der sie sich zu unterwerfen hätten. Das Spezifikum der Lösung Deweys ist, dass er aber keine private, sondern eine soziale und demokratische Theorie auf der Basis eines naturalistischen Empirismus diesem Religiösen zugrunde legt. Damit stellt er sich gegen bloß privatisierende Auffassungen des Religiösen und bindet dieses an eine grundlegende Solidarität unter den Menschen.

(Zu 3) Damit erscheint Deweys Lösung in der Tat sowohl dem Lager der Religionen als auch dem der Atheisten als widersprüchlich. Seine Lösung, das Religiöse bloß als ein mögliches Moment in alle anderen möglichen Erfahrungen einzuschreiben, relativiert es sehr stark. Nunmehr kommt es zu einer unscharfen Generalisierung des Religiösen, denn vieles kann als religiös von jemandem erlebt werden, der es noch irgendwie mit Gott oder Göttlichem verbindet (aber unklar bleibt hier, wie weit reichend die Bezugstheorie dazu entwickelt werden muss), es kann aber auch von jemandem erfahren werden, der es unter ganz anderen Begriffen und völlig weltlich erlebt. Dewey gesteht ja zu, dass es nur um die Erfahrung, nicht aber die Fixierung einer einseitigen Wahl mit Blick auf Religion geht. Dann aber wäre es günstiger, nicht den Begriff des Religiösen zu verwenden, was nur Missverständnisse produziert, sondern einen weniger belasteten oder neuen Begriff zu benutzen.

(Zu 4) Es wäre sehr schädlich für die Rezeption von Dewey Wissenschaftstheorie, seiner Demokratiekonzeption, seinem Verständnis von Kultur und Erziehung, wenn diese differenziert entwickelten und begründeten Theorien allein aus dem Fokus betrachtet würden, dass sie zugleich auch eine Vision als idealen Anspruch enthalten, der religiös genannt werden könnte. Dies wäre allzu missverständlich und irreführend und würde der eher als Gelegenheitsarbeit anzusehenden Schrift »A Common Faith« eine gewiss zu große Bedeutung beimessen. In seiner Schrift geht Dewey ja auch umgekehrt vor. Er stellt sich erst spät und isoliert von seinen Hauptwerken die Frage, inwieweit in seiner Biografie der Zusammenhang von Analyse und Vision in einer Einheit zusammengeführt werden könnte, die neben den zuvor wesentlichen Fragen der wissenschaftlichen, ästhetischen, moralischen und politischen Begründungen, *auch* religiöse enthalten. Für sich persönlich bejaht dies Dewey, und dies sollte und kann man als persönliche Ansicht respektieren, wie es Richard Rorty aufgrund des ohnehin durchgehend liberalen Anspruches des Pragmatismus interpretiert (Rorty 1996 a, b). Allerdings würde ich aus konstruktivistischer Sicht und Kritik hinzusetzen, dass der im Pragmatismus Deweys verborgene Naturalismus eben auch Anlass ist, hier Missverständlichkeiten zu erzeugen, weil er mit den Begriffen Religiöses und Gott ein neues Maß an Universalismus konstruiert, obwohl er bereits viele Argumente der Relativierung von Universalismen im Detail in seinen anderen Arbeiten entwickelt hat (vgl. ausführlich Hickman/ Neubert/Reich 2004).

(Zu 5) Deweys Bild vom aggressiven oder militanten Atheismus erscheint als ein unnötiges Feindbild, das weit hinter seine sonst üblichen Differenzierungen zurückfällt. Vor allem sein Vergleich mit Theorien der Übernatürlichkeit scheint an den Haaren herbeigezogen, denn es waren ja gerade Atheisten, die Argumente gegen die Übernatürlichkeit des Religiösen sammelten, die auch Dewey in seinem Essay ausführlich benutzt und zitiert. Erklärlich scheint Deweys Ablehnung daher eher als eine Abwehr von Tendenzen, die er dem Atheismus zuschreibt (er erzeuge leicht Verzweiflung, Skeptizismus, Handlungsunfähigkeit, keinen Gemeinsinn usw.), wobei diese Zuschreibung auf der Ebene eines Vorurteils verharrt, da Dewey keinerlei Belege für seine Hypothesen anführt. Es gibt letztlich nur ein strategisches Argument bei Dewey in seinem Essay, um Gott als möglichen Begriff gegen den Atheismus auszuspielen: Um Deweys eigener Sicht auf die gesellschaftliche und menschliche Entwicklung im Sinne des pragmatischen Ansatzes zu helfen, wird eine Vereinheitlichung der Sichtweisen, eine Strategie des Zusammengehens vieler Menschen notwendig, und ein möglicher, vertrauter und dennoch neu zu organisierender Ansatzpunkt könnte hierbei *auch* das Religiöse oder Göttliche sein. Dies ist aus heutiger Zeit vielleicht unverständlich. Aber in Deweys Generation gab es sehr viele aufgeklärte Köpfe, die selbst stark religiös erzogen waren, dann religionskritisch durch die Wissenschaften wurden, um in einer Synthese beider Perspektiven auf sehr unterschiedliche Weise eine neue Einheit zu erhoffen. Das Missverständliche an einer solchen Suche ist jedoch, dass die alten Begriffe, das Religiöse, längst für die Mehrheit der Verständigungsgemeinschaften in jene Gebilde und Ideologien eingebunden waren, die Dewey oder andere aufgeklärte Wissenschaftler kritisierten und verlassen hatten. Insoweit war der Versuch, den Dewey unternommen hatte, gerade diesen Begriff mit einer radikal neuen Bedeutung zu versehen, von vornherein zum Scheitern in den westlichen Verständigungsgemeinschaften verurteilt. Einen Begriff, der so tief im Alltag, den Praktiken, kulturellen Riten und Erfahrungen verankert ist, kann man nicht einfach mit neuen Bedeutungen erfinden.

4. Die Unterscheidung von Realität und Realem im Interaktionistischen Konstruktivismus

Der Konstruktivismus geht vor dem Hintergrund dieser kritischen Einschätzung einen gänzlich anderen Weg als Dewey, wenn es um das Verständnis von Religion oder Religiosität geht. Aber er ist andererseits auch nicht so weit von Dewey entfernt, wie es nach meinen kritischen Anmerkungen erscheinen mag. Dies liegt daran, dass es eine grundsätzliche Gemeinsamkeit in der Begründung von Wahrheit zwischen beiden Ansätzen gibt. Wahrheit ist für Pragmatismus und Konstruktivismus kein Abbild- oder Widerspiegelungsphänomen, und beide Theorien lehnen strikt eine Korrespondenztheorie der Wahrheit ab. Beide Ansätze kritisieren Ontologien und etablieren eine nachmetaphysische Sicht. (vgl. z.B. aus pragmatischer Sicht erweiternd auch Putnam 1993, Rorty 1991, 1992, 2003, aus konstruktivistischer Sicht Reich 1998 a; von einem anderen Standpunkt her, aber mit ähnlichen Argumenten Habermas 1992.) Wahrheiten werden nach Dewey und anderen Pragmatisten durch Untersuchungen (inquiry) hergestellt, sie werden in einer Realität überprüft, mit erfahrenen Ereignissen verbunden, in Handlungen umgesetzt und dann nach Erfolg oder Misserfolg, nach Nutzen oder Schaden, nach ihrem Sinn für Kommunikation, menschliche Beziehungen oder andere für Menschen relevante Gesichtspunkte beurteilt. In solchen Zusammenhängen gebraucht auch Dewey schon oft den Begriff der Konstruktion, auch wenn er erst im Konstruktivismus explizit zur Begründung der Erkenntniskritik herangezogen wird. Nehmen wir dies für die von Dewey analysierten Religionen, dann können wir konstruktivistisch gesehen sagen, dass es sich bei den Religionen um unterschiedliche Versionen von Wirklichkeitserzeugung handelt, die jeweils in unterschiedlichen Kulturkreisen oder für bestimmte Verständigungsgemeinschaften in historischen Situationen als wahr gelten und für diejenigen, die diese Wahrheit teilen, viabel sind.

Der interaktionistische Konstruktivismus rekonstruiert die erkenntniskritische Kränkung des Wissens und Glaubens dadurch, dass er das Konstrukt eines

Soseins von Dingen ohne Beziehungen zu anderen überhaupt verwirft und als nicht hinreichend viabel für die Konstruktionen von Beobachtern und Beobachtungen beschreibt (vgl. Reich 1998 a, 62 ff., 206 ff.). Auch Konstruktivisten wollen die Wahrheit nicht abschaffen, nur weil sie auf den Konstruktcharakter aufmerksam machen. Aber sie definieren solche Konstrukte nicht aus naturalistischen Ableitungen (vgl. dazu insbes. Hartmann/Janich (1996, 1998), die dies aus einer methodisch-konstruktivistischen bzw. kulturalistischen Sicht umfassend erörtern) oder transzendentalen Letztbegründungen, sondern nehmen sie bloß noch als das, was sie in ihren Wirkungen, in ihren *Wirk*lichkeiten sind: als Konstrukte, die mehr oder minder lange überdauern. Insoweit, so versuche ich in »Die Ordnung der Blicke« herzuleiten, relativiert sich jedes Absolute durch den Gebrauch in einer Zeit und auf Zeit (vgl. Reich 1998a). Wenn man aus der Sicht anderer Theorien dem Konstruktivismus vorwirft, dass er damit Wahrheiten dekonstruiere und ihrer Gültigkeit beraube, zugleich aber dies als Wahrheitsanspruch vertrete (performativer Selbstwiderspruch), so ist dies eine Entstellung der Problemlage. Es ist nämlich keineswegs selbstwidersprüchlich, wenn ich einerseits behaupte, dass Wahrheiten Konstruktionen von Verständigungsgemeinschaften sind, dies aber andererseits nur durch eine Konstruktion behaupten kann. Auch der Konstruktivismus gibt Kriterien der Wahrheitsbegründung und Geltung an.

Was trennt uns von der Beliebigkeit, die Konstruktivisten von außen so gerne zugeschrieben wird? Es sind aus dieser Sicht mindestens folgende Bedingungen der Möglichkeit von Konstrukten und ihrer Wahrheit (vgl. dazu ausführlicher Reich in Burckhart/Reich 2000, Reich 1998 a, b):

Erstens: die Verständigungsgemeinschaft, die jeweils mehr oder minder eindeutig regelt, welche Konstrukte in einer Kultur und kulturübergreifend für bestimmte Kulturen gelten, was auch (in unterschiedlichen Ausprägungen) Wahrheitsansprüche, Ansprüche auf Wahrhaftigkeit und Richtigkeit von Aussagen einschließt. Hier ist zu bedenken, dass es kulturell gesehen ohnehin nie Beliebigkeit gibt, wenn es um sehr eindeutig erscheinende Tatsachen, wie z.B. einfache Regeln, formale Praktiken, konstante Routinen, technische Lösungen oder auch gefestigte Institutionen, z.B. auch Religionen geht. Aber dies bedeutet nicht, dass wir damit absolute Wahrheiten in einem universellen Sinne oder als Abbilder von Realität generieren, denn die Bedingung lautet hier, dass es eine Verständigungsgemeinschaft als Konstrukteur für diese Wahrheiten im Rahmen von bestimmten Praktiken, Routinen und Institutionen gibt. Da nun aber – zumindest außerhalb geschlossener Gemeinschaften, die für sich nur *eine* Verständigung scheinbar zeitlos definieren – immer mehrere Verständigungsgemeinschaften nach- und nebeneinander existieren, relativiert sich jede Wahrheit ohnehin. Deshalb hatte Dewey im Blick auf die Religionen auch Recht, dass er es ablehnte, die Wahl für eine bevorrechtigte Religion zum Ausgangspunkt einer Definition des Religiösen zu machen. Aber er setzte sich in einen gewissen Selbstwiderspruch, wenn er mit seiner Theorie des Religiösen uns eine Metatheorie vorschlug, die dies anscheinend ersetzen könnte. Konstruktivistisch gesehen wird dies nicht funktionieren, denn auch ein solchermaßen definiertes Religiöses würde angesichts der Pluralität von Theorien nur wieder in unterschiedliche Wirklichkeitsversionen zerfallen – was die Wirkung von Deweys Arbeit ja auch selbst innerhalb der Schule des Pragmatismus trotz ihres Einheit stiftenden Ideals im Streit über Deweys Bestimmungen zeigte.

In den letzten Jahrzehnten haben wir es mit einer rasanten Erhöhung der Wahrheitsrelativierungen zu tun. Woran liegt das? Gegenwärtige Gesellschaften sehen sich nicht mehr nur oder überwiegend in einem Nacheinander, einer Chronologie von fortschreitender Verständigung und erweitertem Verstehen, sondern weisen das Verständigungsproblem auch in einem Nebeneinander von Konsens und Dissens aus. Sie sind in ihren Beobachtungen pluraler geworden, was mir auch eine Grundvoraussetzung für die Geburt des Konstruktivismus zu sein scheint. Demokratische Gesellschaften sind als pluralistische niemals eindeutig »wahr« über ihre Pluralität zu regeln. Die Pluralität verweist nämlich nicht auf einen systemimmanenten Diskurs von Wahrheit, sondern benötigt ein Zusatzkriterium, das uns hilft, aus einer Auswahl (von Verständigungen oder Unverständnis) heraus Entscheidungen für oder gegen etwas zu fällen.

Zweitens: Ein solches Kriterium ist die Viabilität, die im Gebrauch der so genannten Wahrheiten aussagt, was wir mit ihnen nach passend oder unpassend, nützlich oder unnütz, wirksam oder unwirksam, erfolgreich oder erfolglos usw. ordnen, oder wie immer wir auch Beobachtungs- und Handlungsbeschreibungen vornehmen wollen, um etwas als viabel auszusagen. Dies gilt ebenso für das Religiöse, das vor diesem Hintergrund deshalb auch so viele individuell-subjektive Formen angenommen hat. Menschen nehmen sich immer mehr das an religiösen Elementen heraus, was ihnen persönlich viabel erscheint, und sie verletzen damit diejenigen, die noch an einer ganzheitlichen Viabilität eines relativ geschlossenen Glaubens orientiert sind. Sofern der Druck der *einen* religiösen Verständigungsgemeinschaft nicht mehr hegemonial in der Kultur durchgesetzt werden kann, nimmt die Freiheit einer subjektiven Viabilitätsentscheidung zu.

Drittens: Im Blick auf den Menschen als Urheber seiner Konstruktionen gibt es allerdings damit das Problem, wie weit reichend seine konstruktiven Fähigkeiten der Wirklichkeitserzeugung sind. Würde man behaupten, dass die Menschen alle Wirklichkeiten für sich erschaffen und dass nur das wirklich ist, was somit menschlich konstruiert wurde, dann käme man sofort in einen Widerspruch zur Umwelt (oder, wie es Dewey ausdrücken würde, zur Natur). Ein logisches Gedankenspiel kann dies verdeutlichen: Der Mensch, wenn er denn jetzt aussterben würde, würde nicht die gesamten Wirklichkeiten mit sich in den Untergang reißen, auch wenn es dann keinen Menschen mehr gäbe, der dies beobachten oder feststellen könnte. Im interaktionistischen Konstruktivismus, den ich als eine kulturbezogene konstruktivistische Theorie entwickelt habe (vgl. grundsätzlich zur Begründung Reich 1998 a, b. Für die Pädagogik Reich 2002 a und die Didaktik 2004. Zum Verhältnis zu Dewey auch Neubert 1998. Weitere Literaturhinweise und Texte zum Ansatz finden sich unter http:// konstruktivismus.uni-koeln.de), wird diese Begrenzung aber nicht nur in solcher Logik begründet, sondern auf einen prinzipiellen Gegensatz von Realität und Realem bezogen. Das Erscheinen des Realen warnt uns erkenntniskritisch, die eigenen Wahrheitsbestimmungen zu überschätzen. Ich will kurz die Auffassungen in diesem Konstruktivismus über die Realität und das Reale skizzieren (vgl. ausführlich Reich 1998 a, b, 2002): Wenn wir davon sprechen, dass wir in einer Realität oder Wirklichkeit leben, dann müssen wir im Laufe der menschlichen Geschichte bis heute erkennen, dass das Maß, in dem Menschen konstruktiv ihre Umwelt verändert haben, immer stärker zugenommen hat. Realität, das sind all die Gegenstände, Institutionen, Wirklichkeiten und Benennungen über diese Wirklichkeiten, die Menschen von ihr gemacht haben. Wir sprechen über solche Wirklichkeiten und sind schon über das Sprechen und die konventionellen oder diskursiven Bezeichnungen des Gesprochenen in einer Wirklichkeit gefangen. Dies gilt gleichermaßen für die religiösen Wirklichkeiten, die als vielfältige Möglichkeiten von Religionen oder einer subjektiven Variation von religiösen Elementen konstruiert werden. Als Konstrukte in der Interaktion und Kommunikation werden und sind sie wirklich. Wir können zwar in dieser Wirklichkeit von unterschiedlichen Härtegraden des Wirklichen sprechen, die sich empirisch feststellen lassen, also eher auf tatsächlichen Erfahrungen und Experimenten basieren, oder eher auf Erzählungen, die sich auch in fiktiven oder simulierten Kontexten stellen, aber es macht keinen Sinn, etwa einer Fiktion jeden Wirklichkeitsgehalt abzusprechen. Sie hat den Wirklichkeitsgehalt, den wir ihr in unserem Denken und Handeln geben (vgl. Reich/ Sehnbruch/Wild 2004).

In unseren Wirklichkeiten kann nun ein Reales erscheinen, das uns einen Moment lang verblüfft, weil wir es nicht kennen, nicht vorhersehen konnten (vgl. dazu genauer Reich 1998 a, 197, 201 ff., 488 ff.). Als Reaktion werden wir darüber eine Wirklichkeit konstruieren, aber als Moment, als Bruch, als Riss oder Lücke scheint hier kurz ein Reales auf, das unsere Begrenztheit von Konstruktionen markiert und unsere Kraft des Konstruktiven als Wirklichkeitserzeugung direkt herausfordert. Es ist ein Unvermögen, die Realität vollständig und sicher zu planen und zu verstehen. Es ist ein Mangel, der, wenn er uns erscheint, möglichst unverzüglich ausgeglichen werden soll. Solch einen Ausgleich stellen wir schnell dann her, wenn es um ein diskursives Verhalten geht.

Aber in künstlerischen, dramatischen, beziehungsorientierten, religiösen, insbesondere irrational erscheinenden Prozessen hoffen wir durchaus auf einen spekulativen, fiktiven, affektiven Riss und Bruch, der eine Ambivalenz und Ungewissheit ausdrückt, die unser Leben als spannend, offen und vielleicht sogar gefährlich erscheinen lässt. Solches Hoffen, so scheint es mir, ist insbesondere auch für das Religiöse bestimmend. Es ist eine Suche nach letzten Gründen, die aber nicht schon durch das Wissen bestimmt sind, also nach einer Begegnung mit dem Realen, aber zugleich in diesem religiösen Ereignis das Problem, dass ein solches Ereignis immer schon von anderen gefunden wurde und uns als Religion, d. h. als vorbestimmte Realität entgegen tritt.

Auch die religionspädagogische Redeweise unterstellt, wie ich in Diskussionen mit dem Theologen Dietrich Zilleßen erfahren konnte, ein Reales (in unterschiedlichen Terminologien), von dem wir uns kein Bild machen können. Es handelt sich um ein Unverfügbares, das prinzipiell abwesend und verstellt ist. Dies gilt auch für das von mir in Auseinandersetzung mit Lacan bezeichnete Reale, das sich allerdings auch deutlich von Lacans Lösung unterscheidet (vgl. Reich 1998 a). Dieses Reale ist Grenze, aber eine Grenze, die uns in provisorische Lösungen treibt. Wir können die Grenze nicht hinnehmen, wir suchen nach symbolischen Sicherheiten oder imaginären Überbrückungen. Zwar mag es gerade in der Theologie oder Meditation gelingen, die Grenze in abstrakter Rede oder einem Erlebnis relativ offen zu halten, aber gerade die Religionen in ihrem Drang zur Offenbarung suchen jenseits der Grenze ebenso wie alle anderen Formen der Wissenschaft, Kunst, Moral, Politik usw. nach der Einsetzung einer Ordnung, die uns aus der Situation rettet.

Diskursiv betrachtet ist das Reale daher vor allem ein Grenzbegriff zu unserer geordneten Welt. Tritt es auf, dann werden wir im Nachhinein immer wieder sehen können, wie wir schnell versuchen, es in eine symbolische, d. h. sprachliche und auf Wiedererkennung, Bewältigung, Lösung zu bringende Ordnung zu versetzen. Sehen wir es so, dann könnten wir unter Anerkennung realer Ereignisse einen Rückfall in ontologische Bestimmungen vermeiden, indem wir es als Grenze unserer konstruktiven Mächtigkeit sehen, weil wir erkennen und akzeptieren, dass unsere Wirklichkeitskonstruktionen nicht alles sind, was uns real begegnen kann. Die Grenze der menschlichen Beobachtungen, Handlungen, Produktionen usw. will ich das Reale nennen, um damit etwas zu bezeichnen, das wir anerkennen – wir wissen um unsere Grenzen und die Ungewissheit, Unvollständigkeit, Unsichtbarkeit usw. –, ohne es schon über diese bloße Anerkennung hinaus in unsere imaginären und insbesondere symbolischen Zugriffe bekommen zu haben. Aber das Reale ist eben tatsächlich Grenze: individuell ebenso wie gesellschaftlich (als kollektiv vermittelter oder zumindest erreichbarer Wissen- oder Vorstellungsstand). Immer erst im Nachhinein, wenn wir also unsere Re/De/Konstrukte gefertigt haben, *wissen* wir vom Realen. Erfahren, erleben, spüren usw. können wir es schon vorher. Aber bis zum Wissen mögen wir Angst haben (vor dem noch gar nicht Eingetretenem) oder begründete Furcht (vor dem vorhersehbar Schrecklichen) oder auch erwartete Lust (vor dem erwünschten Schönen), das Reale lehrt uns so oder so, dass es Lücken, Brüche, Risse in unseren Vorstellungen, unseren Wünschen und unserem Wissen gibt. Und dies treibt uns zugleich an, unsere Imaginationen und Symbolwelten immer neu, immer erweiterter und rückgekoppelt an die Veränderungen zu re/de/konstruieren, die wir gemacht haben und die wir als gemacht-vorhandene Realität nutzen oder erfahren können.

Im Blick auf die Unterscheidung von Wissen und Glauben, von der wir anfangs ausgegangen waren, oder auf die Unterscheidung von Religion und Religiösem, die uns Dewey vorgeschlagen hat, geraten wir durch diese konstruktivistische Sicht in gewisse Unannehmlichkeiten:

Für das Wissen ist es gar nicht mehr so ausgemacht, was wir wissen. Nicht nur die Diversität, Pluralität und Multimodalität unseres Wissens sind verstörend, weil wir schnell die Übersicht über das überhaupt noch relevante Wissen (für wen?) verlieren, auch noch der Bezug dieses Wissens auf uns und unsere Bedürfnisse wirkt dekonstruktiv, weil wir bestimmen sollten, was wir wissen wollten, dies aber erst dann könnten, wenn wir schon das für uns relevante Wissen erworben hätten. Das Reale macht sich nicht nur für die Menschheit insgesamt geltend, es hat auch je individuell für jedes Subjekt seine biografisch unterschiedliche Bedeutung. Wenn wir Wissen re/de/konstruieren so benötigen wir eine gehörige Portion an Glauben (in unterschiedlichen Formen, die bis an ein religiöses Erleben reichen können), obwohl wir aus der Aufklärung heraus vielleicht noch meinten, gerade den Glauben reduzieren zu müssen. Und noch unangenehmer ist ohnehin das Reale, das sich als Grenze einmischt, wenn wir in unserem Wissen zu sicher waren. Es wird uns ereignishaft diese Grenzen offenbaren. Allerdings ist der Glauben hier nicht unbedingt ein religiöser. Aber es ist ein Glaube, der durchaus Züge von dem trägt, was auch religiösen Glauben ausmacht: Vertrauen auf einen richtigen Weg, Wagnis des Einlassens, Vision eines erfolgreichen Weges, Absetzung gegen andere, grundsätzliche Anerkennung der Unverfügbarkeit des Anderen.

Für den religiösen Glauben als eine schärfere Form des Glaubens, weil und insofern er sich fast immer mit übernatürlichen Projektionen beschäftigt, gilt umgekehrt, dass er sich immer mehr mit Wissen angereichert, bebildert und verschriftlicht hat. Ursprünglich mag das Reale der Ausgangspunkt eines religiösen Gefühls gewesen sein, ursprünglich schöpfte jemand aus einem erschienenen (oder eingebildeten) Realen (z. B. der Auferstehung), die die Verständigungsgemeinschaft der Gläubigen nun ständig erinnern und wissentlich als Realität verarbeiten muss, um einen sicheren Glauben (d. h. auch ein Wissen) zu erzeugen. Damit treten die Unannehmlichkeiten aus dem vorherigen Punkt auch in jeden Glauben ein und nur der naiv Gläubige, weil er dumm im Wissen bleibt, scheint hiervor gefeit zu sein. In jeden Glauben ist die Ketzerei gegen die alten Grundsätze immer schon eingebaut, weil und insofern das Wissen über diesen Glauben und seine Beziehungen zu anderen Kontexten auf ein unsicheres Wissen setzen muss. Allein der Glaube kann Berge versetzen, aber wer weiß schon von jemandem, dem dies tatsächlich gelang? Allein der Glaube hilft, die Berichte darüber anzuerkennen.

Eine scharfe Trennung von Wissen und Glauben klappt nur in der Vereinfachung, oft in der Konstruktion von gegenseitigen Feindbildern, und davon gibt es seit der Emanzipation der Wissenschaften aus den religiösen Klammern genug. Eine hauptsächliche Unannehmlichkeit aus konstruktivistischer Sicht besteht darin, dass die Unterscheidung nach Wissen und Glauben nun selbst als ein Konstrukt erscheint. Aber keine der beiden Seiten kann sich davon freisprechen, nicht auch Elemente der anderen Seite aufnehmen zu müssen. Der Glauben, um zu überdauern, muss sich mit dem Wissen verbinden, indem er von dem Realen erzählt, das längst vergangen ist. Der Glaube wäre viel einfacher zu konstruieren, wenn er am Realen jeder einzelnen Person, jedes Menschen direkt ansetzen könnte. Dann aber würde Religion unmöglich werden. Dies war Deweys Idee des Religiösen, aber sie ist auch undurchführbar, weil sie das Reale vorwiegend aus dem Wissen heraus als Erscheinen des Religiösen bestimmen will, das immer schon kulturell mit bestimmten Religionen verbunden ist. Deshalb will Dewey das Religiöse aus der Religion herauslösen. Nur warum sollte es dann noch religiös heißen? Könnten wir es dann nicht leichter mit offeneren Begriffen ausdrücken: als das Kreative, Lustvolle, Hoffende, sozial Gerechte usw.? Dagegen erscheinen die Religionen eher als hegemoniale Bastionen, die wenig Offenheit, nur begrenzte Lust und kaum Kreativität versprechen. Hier sind Pragmatismus und Konstruktivismus gleichermaßen religionskritisch: Die schwierige Seite des Glaubens ist seine Verbindung mit übernatürlichen Ansichten, die weder nachprüfbar noch daher widerlegbar sind. Als Realität erscheinen sie als schwierig, sofern man mit ihnen versucht, in allen Lebensbereichen das Wissen zu beeinflussen. Dann kann man auf die für die Biologie abwegige Idee kommen, die Evolutionstheorie zu verbieten. In den Religionen liegt eine Tendenz zum Dogmatismus, weil und insofern nur die eigenen Normen der Welterklärung – gespeist aus den nicht hinterfragbaren übernatürlichen Quellen – das eine und unveränderliche Weltbild legitimieren (auch wenn es in der Rigidität dieser Sicht zwischen den Religionen sehr große Unterschiede gibt). Als reales Ereignis aber mag Gott einem Menschen »tatsächlich«, d. h. in seiner Wirklichkeit als sein persönliches Erlebnis erscheinen und immer wieder Anlass werden, sich auf ihn auch in der Realität einzulassen.

Was können wir hieraus folgern? Welche Konsequenzen will der Konstruktivismus aus dieser knappen Analyse ziehen?

Zunächst ist die Unterscheidung zwischen Wissen und Glauben selbst ein Konstrukt. Dies müssen wir stets und für jede Verständigung hierüber reflektieren. Damit aber brauchen wir Zusatzbedingungen, die uns helfen, uns über die Reichweite und Bestimmtheit des Konstruktes aufzuklären, wenn wir im Feld der Religionen oder des Religiösen operieren. Unter der Anerkennung des Realen, die auch für einen Atheisten eine Grenze markiert, wo er Staunen und Schrecken situieren kann, kann sich sein Verhältnis zum Religiösen ebenso entkrampfen wie das Verhältnis der verschiedenen Religionen oder der Formen des Religiösen untereinander, wenn folgende Bedingungen akzeptiert werden könnten:

1. Wollen wir über Wissen und Glauben als Konstrukte handeln und dabei die Rolle des Religiösen und der Religionen bestimmen, dann müssen wir unter Beachtung der verschiedenen Versionen hierüber in eine diskursive Verständigungsebene wechseln, die uns Regeln des Umgangs mit derartigen Konstrukten definieren hilft. Erst wenn wir einem Beobachter des Diskurses angeben können, nach welchen Regeln unser Diskurs seine Begründungen generiert, wird dieser nachvollziehen können, was wir im Blick auf die Vielfalt der möglichen Konstruktionen meinen. Damit aber vervielfältigen sich notwendig nicht nur die Religionen, sondern auch die Möglichkeiten des Religiösen. Der Diskurs kann nur dazu dienen, hierüber Verständigungen zu ermöglichen. Dies steht unter dem Eingeständnis, den Anderen prinzipiell anders sein lassen zu können (vgl. in Anlehnung an Levinas Reich 1998a).

2. Das bedeutet dann aber auch, dass wir den Kontext bezeichnen, auf den wir uns diskursiv beziehen wollen. Nur eine Verständigung über den Kontext wird auch bei Dissens über die Inhalte im Diskurs helfen können, überhaupt etwas sinnvoll zu verhandeln. Dies schließt dogmatische Kontextbezüge aus, was manchen Religionen nicht nur schwer fallen wird, sondern als unmöglich erscheinen muss. Sie allerdings laufen dann Gefahr, auch den Kontakt zu jenen zu verlieren, die durchaus religiös ansprechbar wären. Und diese Gefahr kann für alle Menschen gefährlich werden: Wenn nämlich die Kontexte durch eine hegemoniale Machtstrategie der *einen* Religion gegen alle anderen mit Versprechungen der Kontextvergessenheit erworben wird (alle religiösen Fundamentalisten stehen für eine solche Vergessenheit), dann verwandeln sich Machtansprüche schnell in Gewalt und Terror.

3. Schließlich muss die Viabilität (Passung) des Verfahrens für alle erkennbar sein. Wenn ich nicht weiß, wozu der Diskurs passt oder passen könnte, dann werde ich schnell jegliches Interesse an ihm verlieren. An dieser Stelle erklärt sich die Krise der Religionen, die dann einsetzt, wenn sie sich kaum noch mit dem Alltag der Menschen und ihren Bedürfnislagen verbinden können. Insbesondere die Abnahme der realen Ereignisse im Blick auf Religiosität und die Zunahme der realen Ereignisse im Bereich des Kreativen, Ästhetischen, Virtu-

ellen usw. kennzeichnet die Viabilitätskrise der Religionen zumindest in den westlichen Industrieländern.

Gerade im Umgang mit Religionen und Religiosität scheinen mir diese allgemeinen Bestimmungen sehr wichtig zu sein. Im Verhältnis der Christen zum Islam und umgekehrt erleben wir heute oft das genaue Gegenteil: Es wird nur aus der eigenen Perspektive geschaut und die unsichtbare Kraft der eigenen Religiosität dient nicht dem religiösen Erleben, sondern allein der Unterwerfung des Anderen unter das eigene einst erfahrene und mittlerweile symbolisierte und ritualisierte Erlebnis. Das jedoch wird angesichts der unterschiedlichen Versionen von Wirklichkeitskonstruktionen unmöglich auf alle Menschen übertragen werden können.

Das Wissen trägt stets eine Grenze der eigenen Unvollkommenheit wie auch der Begrenzung durch das Reale in sich. Dies ist allerdings für den Gläubigen, der dem Wissen misstraut, kein Grund zum Jubeln, denn der Glaube ist auch nur ein Modus des Weltumgangs und angefüllt von Wissen. Es ist die Spannung zwischen dem Konstrukt dieses Wissens und der Erwartung des Realen, was dem Glauben in all seinen Formen seine Spannung gibt. Insoweit mag aus dieser Sicht verständlich sein, was Dewey verleitet hat, das Religiöse von den Religionen zu trennen. Hier wäre eine – allerdings eher theoretisch gedachte – Chance der Befreiung des Religiösen aus der zu engen und geschlossenen Umklammerung bestimmter Symbole und Rituale. Aber konsequent gedacht würde dies auch die Auflösung des Religiösen in andere Erfahrungen bedeuten. Ich würde den umgekehrten Weg für plausibler halten. In allen Religionen müsste das reale Ereignis der persönlichen Begegnung mit dem Religiösen wieder stärker in den Vordergrund rücken. Und alle Religionen müssten sich gewahr werden, dass sie nur *eine* Version *neben vielen anderen* sind. Dies darf sie nicht erschrecken, sondern müsste ihnen Hoffnung geben, offene Diskurse mit anderen zu führen. Wäre dies nicht auch das Eingeständnis des eigenen Unvermögens, prinzipiell das Andere, auf das hin man sich entwirft (sei es das Reale oder Gott genannt), bestimmen zu können? Allerdings kann dies wohl nur dann gelingen, wenn sie sich in ihrer erkenntniskritischen Haltung ein Stück weit Richtung Pragmatismus oder Konstruktivismus (oder anderen nachmetaphysischen Theorien) bewegen, um die Auslieferung an die Hegemonien ihrer spezifischen Deutung des Übernatürlichen zumindest soweit zu begrenzen, dass sie diskursfähig im Sinne der obigen Bestimmungen werden.

5. Warum Religionen aus konstruktivistischer Sicht schwierig sind

Wäre das Reale der Ausgangspunkt des Religiösen – eine Ansicht, die dem Vorschlag Deweys wohl recht nahe käme – dann hätten die Religionen in ihren bestehenden Formen in großen Teilen ausgedient. Sie müssten z. B. die je spezifische Interpretation nach richtig und falsch, nach vordefinierter Erbsünde, nach männlicher Vorherrschaft, ihr lineares Weltbild, ihre kausalen Zuschreibungen in der Moral, ihren Monotheismus mit seinem Monoperspektivismus, ihr Besserwissertum und ihre Verklärung der Strafen als eine bevorrechtigte Ermöglichung des Hinaufsteigens in den Himmel allesamt aufgeben, um der Religiosität des Momentes, der realen Erfahrung eine Dignität des Offenen, des Unverbrauchten, ein kreatives Moment, ein Glücksgefühl, aber auch ein fundamentales Gefühl der eigenen Begrenztheit, eine Liebe des Augenblicks und die Mächtigkeit des Subjekts in seiner Subjektivität zurückzugeben. Das aber erscheint für die Welt-Religionen schlechterdings als unmöglich, wenngleich die Unmöglichkeit für die einen schwerer als für die anderen wiegen mag. Wenn Religionen Menschen nicht nur vor dem Hintergrund von Armut, Unterdrückung und großen Notlagen erreichen wollen, dann werden sie sich bei der Verbreitung und Vertiefung der derzeitigen Globalisierung auch konstruktiv verhalten müssen, d. h. sich selbst neu erfinden müssen, um den Kontext zu wahren oder herzustellen, der für Menschen eine viable religiöse Antwort auf ihre gemachten Erfahrungen geben könnte. Das Reale wäre hier, so scheint es mir, der wesentliche Anknüpfungspunkt, wenn es um das individuelle religiöse Erleben gehen soll. Aber leider neigen die Religionen dazu, das Reale leichthin dem »Wunder«, übernatürlichen Erscheinungen und Erklärungen zu opfern, um es ritualisieren und symbolisch festigen zu können. Mit solchen Strategien werden Anhänger gesucht, es wird auf massenhysterische Effekte gesetzt, und solange die von Dewey erwartete untersuchende, d. h. wissenschaftliche Einstellung der Massen fehlt, wird man hiermit auch partiell Erfolg haben. Aber dieser Erfolg, und dies ist kaum eine gewagte Prognose, wird immer mehr abnehmen, je mehr in den Gesellschaften wissenschaftlich-technische Machbarkeit auf dem Vormarsch ist.

Gibt es etwas, was uns nach dieser Diagnose innehalten lässt? Das Erscheinen des Realen ist aus konstruktivistischer Sicht unvermeidlich. Es gibt andere Theorien, die es anders benennen, es wird weitere geben, die es vielleicht neu deuten. Es scheint mir ein viables und recht dauerhaftes Konstrukt zu sein. Deshalb denke ich, wird es immer wieder die Quelle dafür sein, mehr wissen und glauben zu wollen, als wir Menschen eigentlich können. Es ist eben eine Grenze und damit ein stetiger Antrieb. Gerade deshalb sind wir schlecht beraten, es zu instrumentalisieren und nur auf bestimmte Interessen in bestimmten Zeiten zu reduzieren. Dies war das Wesen von Religionen und es ist dann in anderer Weise (durch Ausmerzung des Übernatürlichen und Einsetzung des Faktischen) oft zum Wesentlichen für die Wissenschaften geworden. Dagegen würde ich das Reale als eine Chance setzen, um auf eine Grenze zu weisen, die uns zurück in substanzielle Fragen zwingt, die uns Erschrecken oder Erstaunen lässt – sowohl in den Religionen wie in den Wissenschaften. Das Reale selbst spricht nicht, es kennt nicht unsere Sprache und Realität; es ist nicht personifizierbar und nur sehr begrenzt voraussagbar, denn es erscheint, wenn es erscheint. Manche Menschen haben einen deutlicheren Zugang zu ihm, denn es ist mit Intuitionen und Emotionen verbunden, es ist als Angst, Vorausschau, Schrecken, aber auch als Überraschung, Staunen, erwartende Lust und Hoffnung kommunizierbar. Es könnte für alles Religiöse ein Ort der Begegnung und eines gemeinsamen Gesprächs, begreifender Versuche sein, wenn sich dies Religiöse noch stärker individualisieren, pluralisieren könnte, wenn ritualisierte Kontexte sich auflösen oder institutionalisierte nicht mehr passen und daher aufgegeben würden. Aber dies wäre dann auch zugleich ein Verlust an Einbindung und gezielter Bändigung des Realen.

Damit sind wir an einer entscheidenden Stelle angelangt, die auch schon bei Dewey auftauchte. Für ihn steht das Religiöse für ein soziales Engagement und eine demokratische Vision, für das erhabene Gefühl, der Menschheit ein ganzheitliches Erleben ihres Fortschreitens auf sinnvolle und menschliche Ziele zurückgeben zu können. Dies mag von manchen Religionen dahin geteilt werden, dass sie zwar weniger auf Demokratie, aber immerhin auf soziale Belange und ein gerechtes Miteinander ausgelegt sind, wenngleich der Mensch in den meisten Deutungen als durchaus schwach erscheint und deshalb des Geleits durch Religion und Kirche bedarf. Insoweit scheint das Religiöse auf Einbindung, auf gemeinsame, religiös, sozial wie kulturell geteilte Werte hin ausgelegt. Damit aber kommt es in eine Krise mit dem Realen, das gegenüber allen Vorentscheidungen und symbolischen Festigkeiten, gegenüber Ritualen und feststehende Praktiken ja gerade einen Riss, einen Bruch, eine Lücke markiert. Das Religiöse sowohl in den Versionen der Religionen als auch des aufgeklärten empirischen Naturalismus bei Dewey scheinen dies nicht zulassen zu können. In der Einbindung und Vermeidung des Realen stecken die sozialen Bezüge als ausgesprochene Vorgaben, die Religionen ursprünglich erfolgreich machten und die Dewey durch seine Vision des Religiösen ersetzen wollte: Das Streben nach sozialer Gerechtigkeit als Vision, die mich real erschüttert und antreibt. Dies ist eine Möglichkeit, aber eine solche Begrenzung deutet, so meine ich, das Erscheinen des Realen bereits zu sehr. Das Reale impliziert die prinzipielle Unmöglichkeit, es kontrollieren zu können. Wir können nach einer besseren Welt nicht im Realen suchen, sondern nur in unserer Realität, dort, wo wir bewusste Verantwortung und politisches Engagement wissend einbringen und in Handlungen umsetzen können. In diesem Einbringen mögen reale Ereignisse erscheinen, die uns erstaunen oder erschrecken lassen, aber es erschiene mir als verfehlt, dies mit Religiosität zu verwechseln oder zu vermischen. Solche Religiosität hat in den Religionen immer in die Besserwisserei und Gebote der Überlegenheit geführt. Und wenn das Religiöse als politisches Visions- und Kampfinstrument eingesetzt wird, dann zeigen uns bereits hinreichend historische Berichte über die Kriege, die im Namen der Religionen geführt wurden, wie sehr damit ein tiefes Empfinden für die eigene Existenz und die Existenz des Anderen verfehlt wird. Das Reale hingegen erscheint mir als eine Möglichkeit der Grenzerfahrung unserer eigenen Mächtigkeit, wo sich der Mensch nach dem sinnlichen Erleben und dem Spüren der existenziellen Begrenztheit und Offenheit mit existenziellen Fragen beschäftigen kann. Und dies werden für mich als Atheisten andere Fragen sein als für den religiösen Menschen, ohne dass wir uns wechselseitig eine Tiefe und Offenheit, vielleicht sogar Bedeutsamkeit für die Position des Anderen, absprechen müssten.

6. Warum das Reale Ausgangspunkt einer Pädagogik der Religionen sein sollte

Vielleicht traue ich den Religionen zu wenig zu, aber ich glaube, dass ihre Krise angesichts gesellschaftlicher Globalisierungstendenzen kaum aufzuhalten sein wird. Insoweit war mein eingangs gegebenes Beispiel auch nicht zufällig, denn viele Menschen fragen heute in der Ekstase der Tauschgesellschaft nach dem Sinn und Nutzen Gottes oder der Religion, um allein *für sich* eine Antwort zu finden. Wir lassen uns immer weniger durch Verweis auf andere Menschen oder historische Ereignisse trösten. Offenbarte Wunder werden angesichts täglicher fiktiver Offenbarungen in den Massenmedien grundsätzlich entwertet. Die Entzauberung schreitet immer noch weiter voran. Andererseits zeigen auch weltlich orientierte Theorien wie der Pragmatismus und Konstruktivismus, dass der Mensch in seinen Konstruktionen und unter Machbarkeitszwängen stehenden Versionen von Wirklichkeiten immer noch existenzielle Grenzen anerkennen muss, die uns ein steter Antrieb und Anlass sein können und sollten, über die Grenzen und den Sinn unseres Erlebens und unserer Existenz mit anderen im Gespräch nachzudenken. Ich kenne Theologen, die mir zugeschrieben haben, dass die Betonung des Realen bereits ein Funken Religiosität im interaktionistischen Konstruktivismus sei. Ich würde dies offener formulieren wollen. Es ist für den Konstruktivismus (und hier schließe ich den Pragmatismus ebenfalls mit ein) nicht mehr ausgemacht, was der beste Weg aus der Vergangenheit in die Zukunft sein wird, sondern es ist anerkannt, dass es viele Wege und unterschiedliche Versionen von Wirklichkeiten gibt. Dies bedeutet zwar nicht, das wir damit jeden Weg gehen wollten oder könnten, denn im Sinne Deweys folgert auch der Konstruktivismus, dass eine demokratische Orientierung, eine soziale Einstellung und die Möglichkeit zu umfassender Pluralität für Beobachter, Teilnehmer und Akteure ein besserer Weg als ein anderer sei. Es liegt im prinzipiellen Interesse des Ansatzes, dass es Mehrperspektivität, Wahlen der Teilnahme und Freiheiten des Agierens geben sollte, die immer interaktiv an alle Beteiligten rückgebunden gesehen werden. Aber damit signalisiert dieser Ansatz auch eine Offenheit gegenüber religiösen Menschen, ein Gespräch zu wagen, sofern sie nicht darüber verstört sind, in dem Gespräch stets neue und andere Perspektiven einzunehmen, um die Entscheidungen für oder gegen Perspektiven auf einer offeneren Basis zu fassen. Hier kann das Reale ein produktiver gemeinsamer Ausgangspunkt sein. Und dies wäre für mich auch der zentrale Ausgangspunkt einer Pädagogik der Religionen, die ich bewusst in einen Plural setze, denn die nur monotheoretische Vereinnahmung des Religiösen aus der Sicht einer Religion wäre immer eine zu starke Vereinseitigung. Dies jedoch macht gegenwärtig eine Religionspädagogik als offenen Zugang zum Realen und Religiösen fast unmöglich, denn zu stark ist noch der Zwang der Religionen, die eigene Sicht und das eigene Ritual zu feiern und zu festigen. Je mehr eine Krise droht oder der Untergang bestimmter Religionen naht, desto stärker werden sich Dogmen entfalten, die das Althergebrachte sichern wollen. Diese fundamentalistische Tendenz könnte in Zukunft ein gemeinsames Gespräch immer stärker behindern.

Gehen wir von der positiven Annahme aus, dass im Einzelfall dennoch ein offeneres Konzept von Religionspädagogik, so wie wir es nach Dewey z. B. hoffen könnten, möglich wäre. Unser erster Streitpunkt wird dann aber wohl das Übernatürliche sein, das Pragmatisten und mehr noch Konstruktivisten nur als Konstrukt auffassen und damit seiner Mächtigkeit schon per Definition beraubt haben. Hier wäre angesichts der Teilnehmer an Religionspädagogik in der heutigen Zeit jedoch zu fordern, dass nicht das eingeschworene normative Wissen und die Glaubensgrundsätze *einer* Religion vermittelt werden, sondern die Möglichkeit gegeben sein müsste, dass sich jeder Teilnehmer und Lerner aus freien Stücken für oder gegen eine Vereinnahmung oder seinen Glauben in einer Verständigungsgemeinschaft entscheiden könnte. Dies setzt voraus, dass er überhaupt Wahlen und Möglichkeiten von Teilnahmevoraussetzungen kennen lernt und nicht von Anbeginn an eine Deutung für ihn existenzieller Fragen von außen erfährt. Damit stünde jede Art von Religionspädagogik vor einem dreifachen Dilemma (wie es sich aus der vorausgegangenen Analyse ergibt):

1. Die Erfahrung einer existenziellen Grenze des Realen lässt sich unterschiedlich deuten. Sie kann als Anlass gelten, sich der Grenzen der menschlichen Konstrukte und des menschlichen Bewusstseins bewusst zu werden. Sie

kann aber auch als Sehnsucht nach einer übernatürlichen Ordnung sich dem Religiösen verschreiben, um hieraus Hoffnungen zu ziehen. Religionspädagogik sollte sich keineswegs nur der übernatürlichen Seite verschreiben, sondern sie müsste diskursiv immer offen für ihren Gegensatz bleiben. Idealtypisch gedacht müsste sie sich mehr in eine Pädagogik der praktischen Philosophie und Ethik verwandeln, was der eigenen Tradition allerdings grundsätzlich widerstrebt. Mindestens jedoch müsste sie einen Blick auf die Pluralität von Religionen (und hierbei nicht nur der Weltreligionen) werfen, um die Ignoranz kultureller Hegemonie und eines unreflektierten religiösen Kolonialismus zu verlieren. Religionen schreiben sich im Plural und auch Religionspädagogik müsste dies fundamental zum Ausgangspunkt nehmen. Dagegen steht der Fundamentalismus der eigenen Besserwisserei, der in der je besonderen Deutung der Offenbarung eigener Religiosität die Pluralität meist prinzipiell verunmöglicht. Allein ein diskursives Verständnis in den Diskursen des Wissens und Toleranz in den Fragen des Glaubens könnten hier als pädagogische Maximen die Tendenzen eines religiösen Fundamentalismus besänftigen – auch wenn ich nicht denke, dass dies grundsätzlich das Dilemma beseitigen wird.

2. Wissen und Glauben können gegenseitig immer wieder einer Kontextvergessenheit bezichtigt werden. Sie lassen Fragen und Antworten der anderen Seite aus. Dabei ist allerdings zu berücksichtigen, dass eine Pädagogik, die in dieses Dilemma einführen will, immer schon Partei für eine Seite ergreifen muss, wenn die Kontextvergessenheit der anderen Seite beklagt wird. Im Bereich der Wissenschaften sind wir es eher gewohnt, den Streit über Ansätze und Kontexte offen auszutragen. In den Religionen hingegen bezeichnet Kontext meist auch eine hohe innere Betroffenheit einer emotionalen Wahl, deren Verletzbarkeit höher erscheint als in wissenschaftlichen Diskursen. So mag man zumindest erwarten, dass ein wissenschaftlicher Ansatz in seiner Relevanz heute bestritten wird, ohne dass jemand gleich damit als Persönlichkeit (als Wissenschaftler) in Frage gestellt wird, aber bei einem religiösen Weltbild kann das Bestreiten des persönlich gewählten Gottes schnell als Angriff auf die Person (und ihre Gefühle) gesehen werden. Dies hängt mit dem Kontext des Glaubens zusammen, der weniger als das Wissen in seinem Übergang von der Moderne in die Postmoderne – und der damit einhergehenden Relativierung – von Unübersichtlichkeit, einer Halbwertzeit der Informationen, einer Ambivalenz der Deutungen angegriffen wird, weil und insofern der Glauben eine letzte Bastion gegen solche Enttraditionalisierungen zu sein scheint. Setzt der Religionspädagoge allein auf die Rücksicht gegenüber einem solchen Glauben und der Verletzlichkeit sehr religiös erzogener Menschen (einer Minderheit heutzutage), so wird er eine zunehmend weltfremde Vergessenheit predigen. Relativiert er hingegen solchen Glauben durch Wissen, so wird er Zweifel im Glauben erzeugen. Wer religionspädagogisch arbeiten will, der scheint mir diesem Dilemma nicht ent-

kommen zu können. Es wird in vielen Ereignissen als Reales über solche Pädagogik hereinbrechen.

3. Das Religiöse als eine viable Form freier Wahl, d. h. die bewusste Entscheidung für oder gegen ein spezifisch gewähltes Religiöses oder eine Religion, kann in einer demokratisch orientierten Kultur nur jedes Individuum für sich fällen. Dazu jedoch müsste es Gelegenheit finden, sich frei aus einem Angebot entscheiden zu können, das nicht von vornherein verkürzt und dogmatisch verengt, geschickt ausgewählt und damit manipuliert, durch Auslassungen verzerrt und durch Kontextvergessenheit geprägt ist. Sofern das christliche Weltbild in Deutschland noch dominant bleibt, ist die Bedingung der Möglichkeit einer Wahl durch kulturelle Hegemonie abhängig vom Stellenwert des Christentums in unserer Gesellschaft und der jeweilig lokalen Gemeinde begrenzt. Aber je mehr andere Formen des Religiösen (auch aus dem Christentum heraus) oder der Religionen (z. B. durch Zuwanderung) an Raum gewinnen, je mehr Menschen zudem gänzlich aus der Religion aussteigen (und diese Zahl schreitet unaufhaltsam voran), desto drängender wird für die Religionspädagogik die Frage, inwieweit das Reale oder eine existenzielle Frage noch Ausgangspunkt für ein religiöses Weltbild sein können. Das Religiöse oder die Religion als ein nur kulturell übernommenes Vorbild aus Tradition wird immer fragwürdiger. Menschen wollen angesichts von Freiheitsansprüchen eine eigene Wahl haben. Der gegenwärtige Weg einer zunehmenden Zahl von Eltern besteht darin, ihre Kinder aus dem Religionsunterricht zu nehmen und damit die Auseinandersetzung zu vermeiden, weil sie die hegemoniale christliche Kultur zumindest in der Form des derzeitigen Angebotes ablehnen. Könnte sich Religionspädagogik hingegen der Pluralität des Religiösen und der Religionen zuwenden und dabei die Kontextvergessenheit gegenüber dem Wissen (und damit philosophischer und ethischer Diskurse) stärker als bisher ablegen, dann würde die Möglichkeit der Wahl als ein Ort gemeinsamer Informationen und Diskussionen vielleicht auch für diese Gruppe wieder interessant werden. Gelingt es der Religionspädagogik nicht, das Dilemma einer Freiheit der Wahl als Angebot pluraler Zugänge zu bewältigen, wird sie Gefahr laufen, irgendwann nur noch für Minderheiten praktiziert werden zu können. Dann wäre ihre einzige Hoffnung auf die Rückgewinnung von Mehrheiten ein Zurück in der Geschichte, eine Traditionalisierung und der mir unattraktiv erscheinende Weg in irgendeine Spielart des Fundamentalismus.

Religion als Bestandteil von Allgemeinbildung: Weltorientierung statt Religionslehre

Wolfgang Nieke

Aus der Perspektive der Allgemeinen Erziehungswissenschaft ist die Thematisierung von Religion im Prozess des Aufwachsens vor allem im Kontext der Theorien von Allgemeinbildung relevant. In den neueren Theorien im deutschsprachigen Bereich findet sich jedoch bemerkenswerterweise dazu kaum etwas Gehaltvolles, und der Grund dafür dürfte in der spezifischen Theoriekonstruktion dieser Theorien zu suchen sein: Nachdem es keinen universal oder konsensuell begründbaren Kanon von Allgemeinbildung mehr gibt und geben kann, ziehen sich diese Theorien auf rein formale Überlegungen zurück und überlassen die inhaltliche Füllung und Ausgestaltung den sich Bildenden und den in den Bildungsinstitutionen für sie Verantwortlichen. In der Konsequenz dieses Befundes liegt die – durchaus radikale – Konsequenz, die Relevanz des Faches Religionslehre in den Lehrplänen aller Schulformen grundlegend zu prüfen. Vor allem der internationale Vergleich zeigt, dass diese Lösung, Themen der Religion den Kindern und Jugendlichen nahe zu bringen, keineswegs die einzige oder auch nur dominierende ist, sondern eine kontinentaleuropäische Sonderentwicklung darstellt, die sich der wechselvollen Machtgeschichte des Verhältnisses der Nationalstaaten mit der katholischen Kirche und später auch den protestantischen Landeskirchen verdankt. Es wird argumentiert, dass es aus erziehungswissenschaftlicher Perspektive sinnvoller und geboten ist, das bisherige Fach Religionslehre durch ein neu zu schaffendes Fach Weltorientierung mit obligatorischem Charakter zu ersetzen. Kernthema dieses Faches sollte die herrschende naturwissenschaftliche Weltorientierung aus physikalischer Kosmologie und universalisiertem Darwinismus sein; die Religionen haben demgegenüber entsprechend ihrer zunehmend randständiger werdenden Relevanz für die Bevölkerung zurückzustehen und sind nicht doxisch, sondern religionswissenschaftlich zu präsentieren. Aus Sicht einer Theorie der Allgemeinbildung darf selbstverständlich die naturwissenschaftliche Weltsicht nicht als richtig oder einzig mögliche stehen bleiben, sondern muss sich den philosophischen kritischen Fragen nach ihrer Geltung und Vorläufigkeit, deshalb auch unvermeidlichen Falschheit, stellen.

1. Vorbemerkung

Die folgenden Überlegungen entstammen dem Umkreis einer erziehungswissenschaftlichen Theorie der Allgemeinbildung und argumentieren dementsprechend zum einen mit historischen Analysen und zum anderen mit Paraphrasen des aktuellen gesellschaftlichen veröffentlichten Diskurses über das permanent strittige Thema der Allgemeinbildung. Im Fokus steht das Erfordernis der Einordnung der einzelnen Bestandteile einer für notwendig gehaltenen Allgemeinbildung in einen übergreifenden Zusammenhang, und in diesem Zusammenhang wird der Religionsunterricht im Allgemeinbildungsauftrag der staatlichen Schulen aus einer nicht-kirchlichen und nicht-theologischen, sondern einer bildungstheoretischen Perspektive betrachtet und in seinen Funktionsbezügen analysiert. Das wird und muss für Religionspädagogen insofern ungewöhnlich und befremdlich sein, als die bisher noch weitgehend selbstverständliche Prämisse, dass es Religionsunterricht in seiner bisherigen Form als Pflichtunterricht an staatlichen Schulen, aber unter kirchlicher Fachaufsicht gibt und weiterhin geben wird, auf ihre Gültigkeit im Kontext sich säkularisierender Gesellschaften und ihrer normativen Diskurse überprüft wird. Dabei steht nicht der Gegenstand des Bemühens eines solchen Unterrichts in Frage, sondern allein seine institutionelle Verfasstheit.

In Argumentationsanalysen kann ein Autor nie seine eigene Position verleugnen, mag er sich noch so neutral und einer personunabhängigen Wahrheit verpflichtet sehen. Meine Position ist in der Auseinandersetzung mit dem Entmythologisierungsprogramm von Rudolf Karl Bultmann entstanden, mit dem ich mich bereits als Jugendlicher intensiv beschäftigt habe. Auf meine jugendlichen Fragen nach dem Sinn des Ganzen fand ich in den mythischen Erzählungen meiner Religionslehrer, aber auch in denen der übrigen Weltreligionen, keine akzeptablen Antworten, spürte aber, dass hinter der archaischen Form eine Weltdeutung steckte, die aus der Perspektive einer positivistischen Wissenschaft, von deren Erklärungskraft ich fasziniert war, zu Unrecht als zu überwindender Aberglaube diskreditiert wurde (und bis heute wird). Bultmann wies mir einen Weg, das Zeitgebundene der Botschaft von ihrem Kern zu entfernen – auch wenn ich nicht seinen Rückgriff auf die Existenzialontologie von Heidegger mit vollzogen habe.

2. Allgemeinbildung heute: Vom Kanon allgemein bildender Fächer zum Menschenbild der Kompetenz

Aus der Perspektive der Allgemeinen Erziehungswissenschaft ist die Thematisierung von Religion im Prozess des Aufwachsens vor allem im Kontext der Theorien von Allgemeinbildung relevant. In den neueren Theorien im deutschsprachigen Bereich (etwa Tenorth 1986, Klafki 1994, von Hentig 1996) findet sich jedoch bemerkenswerterweise dazu kaum etwas Gehaltvolles, und der Grund dafür dürfte in der spezifischen Theoriekonstruktion dieser Theorien zu suchen sein: Nachdem es keinen universal oder konsensuell begründbaren

Kanon von Allgemeinbildung mehr gibt und in einer sich als pluralistisch verstehenden Kultur und Gesellschaft auch nicht geben kann, ziehen sich diese Theorien auf rein formale Überlegungen zurück und überlassen die inhaltliche Füllung und Ausgestaltung den sich Bildenden und den in den Bildungsinstitutionen für sie Verantwortlichen.

Dadurch wird der bisher tradierte Bildungskanon, das Spektrum der für notwendig gehaltenen Unterrichtsfächer in den allgemein bildenden Schulen, obsolet. Was in der Schule gelehrt und gelernt werden soll, muss nun ganz neu begründet werden. Der bisher als fraglos gültig unterstellte Kanon, der zunächst im Gymnasium realisiert worden ist, von dort aber in reduzierter Form auf alle Formen der grundlegenden (Volksschule, Hauptschule) und mittleren Abschlüsse (Realschule) übertragen wurde. besteht seit Beginn des 19. Jahrhunderts in Deutschland aus:

1. der Verkehrssprache des Landes zum Aufbau kommunikativer Kompetenz und zum Erschließen der Nationalliteratur, die eine nationale Identität festigen soll;
2. ein bis zwei Fremdsprachen zum Erschließen der (unübersetzten und unübersetzbaren) hochkulturellen Literatur in diesen Sprachen;
3. Mathematik als Vermittlung nützlicher Rechentechniken und formale Basis für die mathematisierten (Natur-)Wissenschaften;
4. die drei Naturwissenschaften Physik, Chemie und Biologie, davon mindestens eine als Pflichtfach;
5. Geschichte als Nationalgeschichte zur Festigung der nationalen Identität;
6. Musik und darstellende Kunst zum kundigen Nachvollzug der hochkulturellen Kunst und zur Entfaltung schöpferischer Eigenkräfte;
7. konfessionell gebundene Religionslehren zur moralischen und weltanschaulichen Einbindung in die faktischen und durch Verträge zwischen Staat und den beiden christlichen Kirchengruppen festgelegten Staatsreligionen;
8. Sport zur Körperertüchtigung (zunächst und früher: Wehrertüchtigung) als Basis lebenslanger Gesundheit.

Nach 1945 neu hinzugekommen ist als Vorbereitung auf die Aufgaben des Staatsbürgers in einer Demokratie: Politik oder Sozialkunde. Die Kanones in Frankreich und England weichen davon ab. So etwa fehlt die Religionslehre in Frankreich als Folge des seit der großen Revolution durchgesetzten Prinzips weltanschaulicher Neutralität des Staates und ist durch Philosophie ersetzt worden.

Dieser Kanon wird in den verschiedenen Schulformen durch einen Kranz von hinzu tretenden Vertiefungs- und Wahlfächern ergänzt, und dies wegen der föderalen Kulturhoheit der Bundesländern in jedem Land anders. Ein solcher Kanon hat offensichtlich *nicht* das Ziel, die nachwachsende Generation für ihre Aufgaben in ihrem Alltag tüchtig zu machen; das wird der elterlichen Bildung und der Berufsbildung überlassen. Vielmehr steht dahinter die Vorstellung der Prägung eines Bürgers, der sich mit seinem Nationalstaat identifiziert. Darüber hinaus soll diese Allgemeinbildung alle – seinerzeit – relevanten Wissensbereiche so erschließen, dass darauf im Erwachsenenleben eine berufliche oder private Spezialisierung aufbauen kann. Aus der Einsicht, dass dieser Bildungskanon zum einen gar nicht auf die Anforderungen an die nachwachsende Generation zureichend vorbereiten kann und dass es zum anderen gegenwärtig nicht mehr auf die Herausbildung einer nationalen Identität durch die Enkulturation in eine definierte Nationalkultur ankommen kann, sind andere Begründungsformen für den gesellschaftlich zu normierenden und theoretisch zu begründenden Auftrag für eine Allgemeinbildung für alle entwickelt und in den öffentlichen Diskurs darüber eingeführt worden. Die beiden Hauptformen verwenden einen utilitaristisch begründeten und inhaltlich beliebig auffüllbaren Begriff von Qualifikation und ein letztlich anthropologisch begründetes Kompetenzmodell.

Qualifizierung statt Bildung war das Programm der siebziger Jahre des vergangenen Jahrhunderts, entstanden aus dem so genannten Sputnik-Schock im Wettrüsten der beiden Machtblöcke und aus dem Vordringen des behavioristischen Paradigmas aus der Psychologie in den Diskurs über Bildungsfragen. Da dieses Weltalter durch so etwas wie eine weltweite Kulturrevolution nach dem Zusammenbruch der Sowjetunion heute als vergangen in die Ferne einer irrelevant gewordenen Vergangenheit gerückt ist, sei daran erinnert, dass die Sowjetunion mit ihrem Sputnik genannten ersten künstlichen Erdsatelliten in der westlichen Welt die Panik auslöste, man könne in einen technologischen Rückstand gefallen sein. Die Antwort bestand in massiv verstärkter Bildungsexpansion, um genügend exzellente Wissenschaftler und Techniker für dieses mentale Wettrüsten zur Verfügung zu haben, das ja – wegen der auf der Technologie von Interkontinentalraketen basierenden Szenerie der atomaren Abschreckung – im wörtlichen Sinne lebensentscheidend zu sein schien. Auch die Bildungsexpansion in Westdeutschland ab 1966 war diesem Motiv verpflichtet. Die Anforderungen an die institutionalisierte Allgemeinbildung sollten nicht länger aus einem tradierten Kanon eines für wichtig erachteten gelehrten Wissens abgeleitet werden, sondern sich aus typischen künftigen Lebenssituationen ableiten lassen und in Form von operationalisierbaren und damit zuverlässig messbaren Qualifikationen beschreiben lassen. Auch wenn dieses Denkmodell in der Berufsbildung weiterhin anzutreffen ist, kann es doch insgesamt und vor allem für die Bestimmung von Allgemeinbildung als gescheitert angesehen werden. Es ist nicht gelungen, zukünftige typische Lebenssituationen zu identifizieren, was unter anderem durch das Scheitern des Programms der Futurologie zu erklären ist (vgl. Nieke 2001), und die Versuche der Beschreibung von Bildungsanforderungen in Form von operationalisierbaren Qualifikationen auf der Basis des an einfachen Tiermodellen entwickelten Behaviorismus unterschlagen das komplexe Geschehen des menschlichen Lernens, auf dem Bildung aufruht. Mit der Ablösung des behavioristischen Paradigmas in der Lernpsychologie durch umfassendere Ansätze von Kognitionspsychologie ist der Begriff der Qualifikation auch lerntheoretisch obsolet geworden.

Die gegenwärtig verwendeten Kompetenzmodelle schließen an den aktuellen Stand der Kognitionspsychologie an und differenzieren Bereiche menschlicher Weltbewältigungsfähigkeit aus, die für das Überleben und die Ausgestaltung der menschlichen Existenz in ihrer natürlichen und sozialen Umwelt erforderlich ist. Die verschiedenen Modelle unterscheiden sich nur im Ausdifferenzierungsgrad, gehen aber faktisch alle auf das anthropologisch begründete Grundmodell von Heinrich Roth (1971) mit den drei Kompetenzbereichen der Sachkompetenz, Sozialkompetenz und Selbstkompetenz zurück. Die Entwicklung geht bis hin zu überkomplexen Modellen mit fast beliebig vielen Teilkompetenzen, vor allem in der Berufsbildung. Hier scheint an die Stelle der früheren endlosen Qualifikationskataloge oft nur der Terminus Kompetenz eingeführt worden zu sein, ohne den Grundgedanken des Kompetenzmodells zu berücksichtigen, dass es einige wenige Grundbereiche differenter Kompetenzen gibt, die inhaltlich genau unterschieden werden können und die auf unterschiedlichen Lernwegen aufgebaut werden.

Für den Diskurs über Allgemeinbildung folgenreich ist die Verwendung des Kompetenzmodells bei der Bestimmung von kultur- und lehrplanunabhängigen Schülerleistungen in den international vergleichenden Schulleistungsstudien, etwa in der von der OECD durchgeführten Studie PISA (Baumert u. a. 2000). Hier werden Schülerleistungen nicht durch die Erreichung von Lehrplanzielen der jeweiligen Schulform des jeweiligen Landes gemessen, sondern durch die Verwendung von Konstrukten wie Lesekompetenz (literacy) oder mathematische Modellierungsfähigkeit. Die Reaktion der deutschen Bildungspolitik darauf ist die Festlegung von an diesen Kompetenzen orientierten so genannten Bildungsstandards, die den bestehenden Lehrplänen unterlegt werden sollen und damit eine implizite Gewichtung von Lehrzielen und Unterrichtsinhalten der bisherigen Lehrpläne, ganz unabhängig von ihrer bisherigen Begründung, vornehmen: Nur noch das ist wichtig, was in den Kompetenztests abgefragt wird und werden kann. Bisher wird kaum diskutiert, ob diese Kompetenzmodelle tatsächlich die relevanten Kompetenzen erfassen und wie diese Relevanz begründet werden kann. Faktisch unterliegen diesen Kompetenzmodellen, wie insgesamt dem gesamten Ansatz, Bildungsziele als Kompetenzen zu beschreiben, implizite Menschenbilder mit einem empirischen und einem – bisher weitgehend unthematisierten – normativen Anteil, der beschreibt, wie ein ideal gebildeter Mensch in dieser Zeit sich in seiner Welt zurechtfinden und handlungsfähig werden soll. Bei Heinrich Roth ist dieser normativ-anthropologische Begründungsanteil noch deutlich ausgewiesen. Er geht von der Idealvorstellung eines mündigen Subjekts aus, betont also die Befähigung zur Realisierung höchstmöglicher individueller Freiheit. Bei den gegenwärtig kursierenden Kompetenzmodellen scheinen eher die Außenanforderungen der übermächtig gewordenen Wirtschaftssphäre an funktionale Arbeitskräfte zu dominieren.

3. Der fragwürdig gewordene Ort der Religionslehre im aktuellen Diskurs über Allgemeinbildung

Angesichts dieser Diskurse über Allgemeinbildung kann es nicht verwundern, dass die Religionslehre als Unterrichtsfach in allgemein bildenden Schulen an den Rand gedrängt oder ganz in Frage gestellt wird. Eine obligatorische, kirchlich gebundene religiöse Unterweisung hat keinen Platz in einem Katalog von Kompetenzen zur Weltbewältigung in einer ökonomisch dominierten Welt, aber ebenfalls nicht in einem anthropologisch fundierten Kompetenzmodell, das sich an der Zielvorstellung eines mündigen Subjekts orientiert – einer Zielvorstellung, die ja im Zeitalter der Aufklärung gerade in Ablehnung einer fraglos vorgegebenen religiösen Bindung als (vermeintlicher) Unfreiheit entwickelt worden ist.

Während der traditionelle Bildungskanon die Religionslehre noch fraglos als Pflichtfach enthalten konnte, ist dies in einer sich pluralistisch verstehenden Demokratie nicht mehr möglich. In der Konsequenz muss der Besuch freiwillig sein, und ein Nichtbesuch kann allenfalls mit dem substitutiven Pflichtfach Ethik sanktioniert werden. Konsequenter ist die Lösung, die Religionslehren der christlichen Kirchen in ein umfassendes Unterrichtsfach zur Weltorientierung einzufügen, wie das mit dem Konzept *Lebensgestaltung – Ethik – Religion* im Bundesland Brandenburg versucht wird.

Vollends fragwürdig ist die Konstruktion, Religionslehre als Leistungsfach zu werten, da Inhalte einer Doxa nicht mit den Inhalten der anderen Unterrichtsfächer der Allgemeinbildung, die allesamt auf wissenschaftlichen Grundlagen aufruhen, vergleichbar sind. Wenn hingegen in der Religionslehre religionswissenschaftliche Inhalte thematisiert würden, wäre eine Vergleichbarkeit gegeben – aber Religionswissenschaft soll ja nach dem Willen der christlichen Kirchen eben nicht die Basis des Unterrichtsfaches Religionslehre sein.

In der Konsequenz dieses Befundes liegt die – durchaus radikale – Konsequenz, die Relevanz des Faches Religionslehre in den Lehrplänen aller Schulformen grundlegend zu prüfen. Vor allem der internationale Vergleich zeigt, dass diese Lösung, Themen der Religion den Kindern und Jugendlichen nahe zu bringen, keineswegs die einzige oder auch nur dominierende ist, sondern eine kontinentaleuropäische Sonderentwicklung darstellt, die sich der wechselvollen Machtgeschichte des Verhältnisses der Nationalstaaten mit der katholischen Kirche und später auch den protestantischen Landeskirchen verdankt.

4. Die Thematisierung von Religion in der Allgemeinbildung

Wenn also Religion im Rahmen der schulischen Allgemeinbildung weiterhin ihren akzeptierten Ort haben soll, dann sind dazu erziehungswissenschaftliche Argumente erforderlich. Dazu muss zunächst eine Klärung des Religionsbegriffs versucht werden.

Enger und weiter Religionsbegriff

Viele Theologen und Religionspädagogen verwenden einen weiten Begriff von Religion, der es ihnen erlaubt, jede Frage eines Menschen nach dem Woher und Wohin des Ganzen bereits als ein religiöses Bedürfnis zu interpretieren. Es ist deshalb für die folgende Erörterung ein enger und ein weiter Religionsbegriff zu unterscheiden: Religion im *engeren Sinne* bedeutet die Rückbindung an ein höheres Wesen (oder auch mehrere davon), zu dem die Menschen vermittelt Kontakt erhalten können, ohne es verstehen zu können. Dieses Wesen gebietet unbedingte Normen, die zu respektieren und einzuhalten sind. Diese Definition umschließt die Hoch- oder Buchreligionen, aber auch viele andere Ausprägungen dessen, was allgemein Religion genannt wird. Religion in einem *weiten Sinne* geht über diese Bestimmungsmerkmale hinaus und umfasst jede Frage nach übergreifenden Zusammenhängen, welche die unmittelbar gegebene Lebenswelt des Menschen überschreiten. Diese Einbeziehung der Transzendenz lässt die Grenzen zur Philosophie fließend werden, jedenfalls soweit sich Philosophie dieser Frage nach der Transzendenz nicht verschließt. Damit umfasst Religion weitaus mehr als den Glauben an ein höheres Wesen und eine von diesem gegebene Moralbegründung; sie umgreift auch alle Mythen vom Anfang und vom Ende der Welt zur umfassenden Welterklärung. Bei einer so weit gefassten Definition können sogar Welterklärungen als religiös genommen werden, die dies für sich gar nicht in Anspruch nehmen oder sogar ablehnen, etwa naturwissenschaftliche Kosmologien, wenn sie die vorhandene Datenbasis überschreiten und spekulative Prolongationen in Vergangenheit und Zukunft vornehmen.

So konnte etwa Albert Einstein auf die Frage, was er glaube, behaupten, er sei tiefreligiös, obwohl er nicht an einen personalen Gott, seine Offenbarungen und Moralbegründungen glaube. Aber er bewundere die Vernunft, die hinter der mathematisch erfassbaren Konstruktion des Kosmos stehen müsse (referiert nach Fehige 2000, 358-360). Religionswissenschaftler würden eine solche Weltauffassung wohl Deismus nennen. Die Schwäche eines so weit gefassten Begriffs von Religion besteht darin, dass die Grenzen zu nichtreligiösen Weltauffassungen verschwimmen, nur noch schwer zu ziehen sind. Das ist dann kein Nachteil, wenn mit einem so weiten Begriff argumentiert werden soll, dass Religiosität ein universales Bedürfnis sei, dass faktisch jeder, der Fragen nach dem Grundsätzlichen stellt, damit bereits religiös sei. Wenn jedoch das Phänomen Religion von anderen, nichtreligiösen Weltauffassungen unterschieden werden soll, dann ist eine genaue Definition der Grenze zweckmäßig, etwa im Sinne des engen Religionsbegriffs.

Die Relevanz religiöser Orientierungen für Jugendliche

Der erziehungswissenschaftliche Diskurs fragt stets nach der Situation der Edukanden, also der Personengruppe, auf die Bildungsbemühungen sich richten sollen. Von diesen Befunden müssen die didaktischen Konzeptionen ihren Ausgang nehmen, wenn sie ihre Zielgruppe wirksam erreichen wollen.

Ob und was Jugendliche glauben und wie wichtig das für sie ist, erfragen die Jugend-Survey-Studien, von denen die Shell-Jugend-Studien wegen ihres im Zeitverlauf großenteils stabil gehaltenen Befragungsinventars, der großen Stichprobe und der kurzen Wiederholungszeiträume der Befragungen die informationsreichste Quelle darstellen dürften (differenzierte Ergebnisse zum Thema finden sich zuletzt in *Jugend 2000*). Da der Begriff des Jugendlichen auf Grund theoretischer Überlegungen inzwischen von 11 auf 29 Jahre ausgeweitet wurde, erfassen die Stichproben auch die älteren Kinder und die jungen Erwachsenen, d. h. die gesamte Altersspanne, in der Fragen nach der eigenen Identität und die Einordnung der eigenen Existenz in übergreifende Zusammenhänge (also die Frage nach dem Sinn des eigenen Lebens) am intensivsten und für das künftige Leben am folgenreichsten gestellt und für sich selbst beantwortet werden.

Zwar beantwortet eine anhaltend große Gruppe von Jugendlichen die Standardfragen nach Kirchenbindung und Religiosität positiv – erwartungsgemäß in katholischen Regionen stärker ausgeprägt als in protestantischen und in den neuen Bundesländern –, aber eine genauere Analyse von Korrelationen dieser Antworten mit Fragen nach grundlegenden Lebensorientierungen und -entscheidungen zeigt, dass diese Bindung für die große Mehrheit der Jugendlichen äußerlich bleibt und so gut wie keine Auswirkungen auf ihre Lebensgestaltung in kleinen wie in großen Dingen hat. Die Lebenslauf gestaltenden Rituale – Taufe, Konfirmation/Kommunikation als Markierung des Erwachsenseins,

Hochzeit, Abschied von Gestorbenen – werden vom überwiegenden Teil der Kirchenmitglieder angenommen und äußerlich mitgestaltet, zumeist jedoch ohne Akzeptanz der in den christlichen Kirchen damit verbundenen glaubensgebundenen Orientierungen. Nur eine Minderheit von etwa 17 Prozent kann als in das Glaubenssystem der beiden christlichen Kirchen integriert gelten. Religion – als Zugehörigkeit zu einer der christlichen Kirchen – hat also offenbar nicht mehr, aber auch nicht weniger als die Funktion einer Lebenslaufritualisierung.

Die intensive Beschäftigung mit esoterischen und neureligiösen Synkretismen wird durch dramatisierende Medienberichterstattung über spektakuläre Einzelextreme in der öffentlichen Wahrnehmung erheblich überbewertet. Zwar kennen viele Jugendliche Einzelpraktiken aus diesen Kontexten wie Gläserrücken oder Tarot-Karten legen und haben sie auch schon auf party-artigen Zusammenkünften spielerisch ausprobiert, sind aber weit entfernt davon, damit den Zugang zu einer jenseitigen Wirklichkeit mit schicksalhaften Einflüssen auf die eigene Existenz zu verbinden.

Eine besondere Situation stellt der häufig angegebene Glaube an die Wirkung von Sternkonstellationen während des Geburtszeitpunktes auf Persönlichkeit und Lebensschicksal dar. Dieser Glaube an die Astrologie ist so etwas wie eine Quasi-Religion. Zwar kommen die angebotenen Erklärungen in einem quasi-naturwissenschaftlichem Gewand daher und werden mit vermeintlichen empirischen Evidenzen von ex-post-facto-Ergebnissen begründet, aber diese Begründungen halten keiner Überprüfung mit wissenschaftlichen Methoden stand. Um den Zusammenhang kritisch zu durchschauen, wäre eine elementare Allgemeinbildung in Statistik erforderlich, die aus Gründen einer rigiden Orientierung der Mathematikdidaktik an der Systematik einer so genannten reinen Mathematik an deutschen Schulen ein Schattendasein fristet.

Implizite Weltbilder und ihre religiösen Fundierungen

Durchaus ungeklärt ist, ob die grundlegenden Fragen nach dem *Woher?*, *Wozu?* und *Was soll ich tun?* von Kindern, Jugendlichen und jungen Erwachsenen selbst gestellt werden oder von Erwachsenen an diese herangetragen werden, ganz so wie das meiste der kulturellen Überlieferung sonst auch. Unübersehbar ist, dass nicht alle Nachwachsenden diese Fragen von sich aus stellen oder sich dafür interessieren, wenn sie angesprochen werden. Aber die in den Kernnarrationen erzählten Lebensentwürfe zur Präsentation von Identität (Keupp 1999) enthalten stets implizite Weltbilder, aus denen sich der Sinn des Lebensentwurfs erst ergibt und begründet. So bedeutet der von vielen als zentral angegebene Lebensentwurf, einmal Kinder haben zu wollen, dass darin ein Sinn gesehen wird, sei es wegen der Freude, die das Zusammenleben mit Kindern machen kann (hedonistische Orientierung), sei es, um in den eigenen Kindern weiterzuleben (materielle Unsterblichkeitsorientierung). Doch diese übergreifenden Einordnungen ihres Lebensentwurfs können die Befragten zumeist nicht thematisieren. Das ist der Befund einer an meinem Institut durchgeführten Befragung von 20 jungen Erwachsenen zu Lebensentwürfen mit der Methode des narrativ-fokussierenden Interviews. Auch auf gezielte Nachfragen waren die Befragten nicht in der Lage, zu solchen übergreifenden Einordnungen Stellung zu nehmen. Es zeigte sich – auch bei Hochgebildeten – eine merkwürdige Sprachlosigkeit zu diesen Fragen. Ich nehme dies als Hinweis auf eine gesellschaftliche Dethematisierung dieser Fragen, so dass keine Denk- und Sprachmuster zur Verfügung stehen, mit denen sie besprochen werden können. Offenbar werden meist und besonders oft solche Lebensentwürfe erzählt, für welche die allgemeine soziale Anerkennung sicher erwartet werden kann, so dass eine explizite Begründung nicht gegeben werden muss.

Im weiten Sinne von Religion sind diese impliziten Weltbilder insofern religiös fundiert, als die eigene Existenz über sich hinausweist und in angenommene übergreifende Zusammenhänge eingeordnet werden, aus denen sich dann ein Sinn für die eigene Existenz ergibt. Im engen Sinne von Religion sind die meisten dieser impliziten Weltbilder nicht mit den Lehren einer bestimmten Religion und ihren Glaubensvoraussetzungen verbunden, sondern nicht-transzendental, d. h. innerweltlich oder auch monistisch materialistisch rückgebunden: Die eigene Existenz wird als Bestandteil eines natural gedachten Kosmos gesehen, der aus einem einzigen Erklärungsprinzip heraus, nämlich der dauerhaften und nicht weiter begründungsfähigen und begründungsbedürftigen Existenz von Materie und ihrer Bewegungen, gefasst werden kann.

5. Theorie der Allgemeinbildung:
Neue Aufgabe – Hilfe bei der Weltorientierung

Angesichts dieses Befundes stellt sich für eine theoretische Neukonzeptionierung von Allgemeinbildung aus erziehungswissenschaftlicher Sicht die Frage, ob Kinder und Jugendliche eine Unterstützung bei der Entscheidung für eine Weltorientierung benötigen, in welche sie ihre eigene Existenz, ihren Lebensentwurf und damit ihre Identität einordnen können. Eine solche Unterstützung kann in zweifacher Richtung begründet werden:

1. Wenn an der bildungstheoretischen Zielsetzung der Aufklärung, nämlich der Herausbildung einer mündigen Persönlichkeit, festgehalten wird, dann muss die einfache Übernahme von Lebensentwürfen und ihre Einordnung in

entsprechende Weltorientierungen aus dem sozialen Umfeld und im Blick auf die damit gegebene Anerkennung als unzureichend gelten. Mündig wäre jemand erst dann, wenn er diese Übernahme begründet zwischen verschiedenen Alternativen entscheiden könnte und wenn er gegebenenfalls auch eine Entscheidung für eine Weltorientierung treffen könnte, die nicht oder nicht ohne weiteres auf Anerkennung rechnen kann. Dazu bedarf es eines Wissens über mögliche Alternativen zum Selbstverständlichen, Gegebenen, Naheliegenden, und ein solches Wissen ist in der jeweiligen Lebenswelt üblicherweise nicht vorhanden. Institutionell bildende Unterstützung muss in diesem Fall in dem Angebot einer *Orientierung über die Vielfalt möglicher Weltorientierungen* bestehen, damit die Heranwachsenden nicht auf die einzig bekannten ihrer Lebenswelt beschränkt bleiben.

2. Um entscheiden zu können, muss die Einordnung eines Lebensentwurfs in eine Weltorientierung *thematisiert* werden können – was ja offensichtlich derzeit weithin nicht der Fall ist. Dazu sind also die gedanklichen Mittel bereitzustellen, was über eine einfache Präsentation von Wissensbeständen hinausgeht. Um sich entscheiden zu können, bedarf es der Vergewisserung über *Entscheidungskriterien* nach den beiden Modalitäten der Wahrheit (Epistemologie) und der Richtigkeit (Ethik) und über vom Einzelnen *akzeptierbare Formen der Begründung*. Diese Begründungsformen haben sich überhaupt nicht an den in der Philosophie und Wissenschaft üblichen Kriterien der intersubjektiven Überprüfbarkeit, also etwa einer Logik der Argumentation, zu orientieren, sondern können alle subjektiv akzeptierbaren Formen der Stützung (vgl. Analogien in interkulturellen Diskursen in Nieke 2000) umfassen, etwa auch dem Gefühl der Akzeptanz von etwas unzweifelhaft Gegebenem – also dem, was im religionswissenschaftlichen Kontext als Glaube bezeichnet wird. Entscheidend ist nicht die Art und Qualität der Begründung nach äußeren Kriterien, sondern die reflexive Vergewisserung über die Qualität der Begründung für eine getroffene oder zu treffende Entscheidung.

Eine so bestimmte mögliche neue Aufgabe für institutionelle Allgemeinbildung stößt auf ein schwerwiegendes Bedenken. Aus einer mit historischen Erfahrungen gut begründeten Abwehr staatlicher Ideologisierung von Bildung besteht für die staatlich verfassten Bildungssysteme in den meisten europäischen Staaten – auch in der Bundesrepublik Deutschland – ein Neutralitätsgebot in weltanschaulichen Fragen. Die weltanschaulich gebundene Bildung soll privaten Trägern der Bildung und der Jugendhilfe überlassen bleiben. Diese Zweiteilung der Aufgaben wird als Subsidiaritätsprinzip bezeichnet (Olk 2001). Orientierungen über Weltorientierungen und die Vermittlung von Entscheidungshilfen sind schwerlich ganz neutral zu vermitteln, zumal ja von den professionellen Pädagogen Authentizität und Engagement als wesentliche Bedingungen für wirksame pädagogische Kommunikation gefordert werden.

Andererseits wird angesichts der überkomplexen Anforderungen an eine hinreichend kompetente Unterstützung ein »Aufwachsen in öffentlicher Verantwortung« (so das Motto des 11. Jugendberichts der Bundesregierung) gefordert, weil sich insbesondere die Familien mit diesen Aufgaben überfordert sehen müssen. Deshalb ist zu erwägen, ob diese Orientierung über mögliche Lebensentwürfe und ihre Einordnung in übergreifende Weltbilder eher als Aufgabe der außerschulischen Jugendbildung konzipiert werden sollte, die nach dem Subsidiaritätsprinzip ja sogar vorrangig weltanschaulich gebunden angeboten werden darf. Die Nachteile sind unübersehbar: Solche Angebote erreichen nur einen kleinen Teil der Jugendlichen; die weltanschauliche Bindung der Angebote verhindert einen gedanklich ungehinderten Überblick und eine nicht-manipulative Entscheidungshilfe, sondern steht unvermeidlich im Verdacht der Proselyten-Macherei.

6. Weltorientierung statt kirchlich gebundener Religionslehre und als Orientierungsfeld einer neu gefassten Theorie von Allgemeinbildung

Weltorientierung als Bestandteil eines Orientierungsfeldes in einer neu gefassten Theorie von Allgemeinbildung

Der Fächerkanon des Gymnasiums ist entstanden aus dem antiken Kanon des Weltwissens und wurde im Laufe der Jahrhunderte nach und nach ergänzt um neu entstandene, ausdifferenzierte Wissensgebiete, etwa die neueren Sprachen und die Trias der Naturwissenschaften aus Physik, Chemie und Biologie. Aber viele relevante Bereiche blieben ganz unberücksichtigt: etwa Medizin, Jura, Ökonomie, obwohl auch diese Fächer nicht weniger allgemeinbildungsrelevant sind als die des alten Kanons, erschließen doch alle Wissensbereiche Bereiche der gedanklichen Welt, zu denen der junge Mensch einen grundsätzlichen Zugang gezeigt bekommen sollte, den er durch einfaches Aufwachsen im Kontext seiner Familie und der Gruppe der Gleichaltrigen nicht ohne weiteres finden würde. So jedenfalls wird in den neueren Diskursen über die Ausgestaltung der Allgemeinbildung der Kanon begründet, sei es in enger Bindung an den antiken Kanon mit der Affirmation des humanistischen Gymnasiums oder im Durchgang durch eine moderne Anthropologie (etwa Hartmut von Hentig 1996).

Wie auch im Einzelnen der Kanon begründet wird, die Auswahl der Fächer aus dem weiten Spektrum der ausdifferenzierten Wissensgebiete der abendländischen Weltzivilisation wirkt stets willkürlich, und die Unterrichtsfächer stehen unverbunden nebeneinander. Zur Begründung nach innen – den SchülerInnen gegenüber – und nach außen – in der bildungspolitischen Debatte um die ständige Reform der Schulen – bedarf es einer systematisierenden Zusammenfassung von Fächern zu Orientierungsfeldern, um die Relevanz des jeweiligen Faches deutlich zu machen und seinen Bestand im Fächerkanon dauerhaft zu sichern. Erkennbar sind solche Orientierungsfelder für Kommunikation (Deutsch, Fremdsprachen), Naturwissenschaften und Kunst. Isoliert daneben, aber weitgehend unproblematisch steht der Sportunterricht.

In Bewegung hingegen ist der Bereich von Geschichte, Geographie, Sozialkunde, Politik, Arbeitslehre, Ökonomie. Er ist ursprünglich aus dem das Nationalbewusstsein formen sollenden nationalen Geschichtsunterricht entstanden und durch die zunehmende Realienkunde erweitert worden. Da historische Kenntnisse für das Verständnis der sozialen, politischen und wirtschaftlichen Welt unübersehbar weniger relevant sind als andere Wissensbereiche, hat sich der Schwerpunkt zu Politik und Sozialkunde verschoben, in welche die erforderlichen historischen Aspekte und Perspektiven einbezogen werden. Die offenbar mangelnde Systematik dieses Fächerbereichs zeigt sich in der unterschiedlichen Ausgestaltung in den sechzehn Bundesländern Deutschlands, aber auch im internationalen Vergleich. Hierher gehört in manchen Staaten etwa auch ein Fach *Gesundheit, Lebensführung, Erziehung und Familiengründung* (im angelsächsischen Bereich als *life style* vorkommend).

In diesen Bereich gehören auch die Religionslehren, wenn sie einen Beitrag zu einer allgemeinen Weltorientierung leisten sollen, und nicht einen staatskirchlichen Auftrag der Unterweisung von Kirchenmitgliedern erfüllen. Tatsächlich finden sich religionskundliche Formen auch in Staaten, in denen die christlichen Religionslehren nicht zum Pflichtkanon der Unterrichtsfächer gehören. Dieses Spektrum der Fächer kann also in einem sich erst allmählich konturierenden Orientierungsfeld *Weltorientierung* zusammen gesehen werden. Die sich hierin stellende Aufgabe geht über die bisherige Realienkunde hinaus. Im Fächerkanon der Allgemeinbildung fehlt ein Ort, wo die vielen verschiedenen Einzelkenntnisse und Detailperspektiven der Fächer zusammengeführt und in einen erforderlichen übergreifenden Zusammenhang eingeordnet werden können. Der einzelne Schüler oder sein Elternhaus – dem das gern zugeschoben wird – sind damit überfordert. Es geht hier um nicht mehr und nicht weniger als die Frage nach dem Sinn des Ganzen. Diese Frage hatten bisher die Religionslehren zu beantworten, vielleicht assistiert von der Philosophie – wo es sie denn in der Schule überhaupt gibt – und ein wenig vom Deutschunterricht. Es ist jedoch unübersehbar, dass diese Bereiche mit einer Integration der Fächerperspektiven nicht gut zurechtkommen, weil sie ihrerseits inzwischen hoch spezialisierte Antworten auf ihre eigenen Fragen geben. Hier werden also ganz neue Wege einzuschlagen sein.

Weltorientierung – Ethik – LER (Lebensgestaltung – Ethik – Religion)

Auf die mangelnde Akzeptanz der christlichen Religionslehren als verbindliche Orientierungsfächer wurde mit der Einrichtung des Pflichtalternativfaches Ethik für solche SchülerInnen reagiert, die nicht mehr an einer Religionslehre teilnehmen. Einen Sonderweg hat das Land Brandenburg mit der Neukonstruktion eines Faches *Lebensgestaltung – Ethik – Religion* (LER) eingeschlagen, in dem die Religionslehren eingebettet weiterhin quasi obligatorisch vorkommen, wenn auch in einer sehr reduzierten Form. Auf die komplexe Problematik dieser Substitutionsfächer kann an dieser Stelle nicht weiter eingegangen werden. Im Vergleich zum Orientierungsfeld *Weltorientierung* zeigt sich jedoch sofort, dass dieses wesentlich weiter ausgreift: Hier geht es um Orientierung insgesamt und nicht nur um Ethik: Es sind die Beiträge aus Philosophie, Naturwissenschaft, Sozialwissenschaft, Wirtschaft und Technik, Ethnologie, Religionswissenschaft zu integrieren, einschließlich geographischer und historischer Perspektiven. Ziel ist nicht nur eine begründete und reflexive Lebensgestaltung, sondern eine umfassende Orientierung in der Welt als Grundlage für eine solche Lebensgestaltung.

Thematisierung von Weltbildern

Die Menschen orientieren sich heute – meist implizit – an anderen Weltbildern als den religiösen, aber das wird bisher in der Allgemeinbildung nicht systematisch thematisiert. Zu einer reflexiven Weltorientierung als Grundlage einer begründeten Auffordnung des vielen Einzelwissens in den Unterrichtsfächern und in der alltäglichen informalen Bildung, vor allem durch die Massenmedien, und als Grundlage für eine Einordnung der eigenen individuellen Existenz und Lebensgestaltung ist aber eine geordnete Übersicht über die Typen und Gruppen von Weltbildern erforderlich, an denen man sich grundsätzlich orientieren kann.

Das kann an dieser Stelle nicht ausführlich entfaltet werden; eine Skizze soll genügen:

1. Es gibt ein *naturwissenschaftlich fundiertes Standardweltbild aus Kosmologie und Darwinismus,* das vermutlich die meisten Gebildeten für das einzig Zutreffende halten. Es entsteht aus der Prolongation von naturwissenschaftlich derzeit gültigen Einzeltheorien zu einem zusammenhängenden Weltbild, ohne dass der damit entstehende Gesamtzusammenhang selbst wieder streng naturwissenschaftlich begründbar wäre; aber er widerspricht auch nicht den für sicher gehaltenen Einzelbefunden. Danach leben wir als Quasi-Parasiten auf einem Brocken aus Eisen und Wasser, der ungefähr kreisförmig durch einen

fast leeren Raum geschleudert wird, entstanden aus einem nicht weiter erklärten Urknall, nach dem sich der Weltraum permanent ausdehnt. Die Existenz dieses Brockens ist vermutlich endlich, wenn der gesamte Kosmos den Zustand der höchsten Entropie erreicht haben wird, in einem »Wärmetod«, der aber für menschliche Verhältnisse doch ziemlich kalt ausfallen wird. Was vor dem Urknall gewesen sein mag und muss, bleibt unerklärt. Diese physikalische Kausaltheorie des Kosmos mit ihrer Fragerichtung des Warum wird ergänzt durch eine Funktionaltheorie der Evolution alles Lebendigen mit einer Fragerichtung des Wozu. Danach ist die Gattung Mensch eine im Überlebenskampf der Gattungen gegeneinander besonders erfolgreiche Unterart eines quasi nackten Kampfaffen, der es geschafft hat, sich nicht nur erfolgreich an seine Umweltbedingungen anzupassen, wie alle Arten, die überlebt haben, sondern darüber hinaus in der Lage ist, diese Umwelt selbst aktiv und erfolgreich zu manipulieren, und zwar durch sein Vermögen, eine intergenerativ tradierbare Kultur zu erzeugen. Zwar ist die Gattung Mensch keineswegs die einzige Spezies, die Kultur hervorbringt, aber die menschliche Kultur ist besonders komplex, variabel und in der Umweltmanipulation besonders effektiv, vielleicht weil sie auf einer komplexen Sprache basiert, über welche sonst keine andere Spezies verfügt. Evolutionsgeschichtlich betrachtet, sterben die weitaus meisten Spezies nach einer Weile wieder aus, weil sie sich nicht erfolgreich an schnell eintretende Umweltveränderungen anpassen können; dieses Schicksal ist wahrscheinlich auch der Spezies Mensch bestimmt. Die Ausprägung einer Spezies kommt durch ein Zusammenspiel von Genmutation und Selektionsdruck in der Anpassung an die Umwelt zustande, sie lässt sich also besser mit der Funktionalität des Überlebens als mit einfachen Kausalketten erklären. Die Einzelexistenz steuert sich durch Lust, Unlust und einen Überlebenswillen. Dieses Weltbild basiert auf der wissenschaftstheoretischen Konvention des materialistischen Monismus, nach dem versucht wird, alle Naturgegebenheiten aus einem denkökonomischen Prinzip heraus nur aus einem einzigen Erklärungsansatz heraus vollständig beschreiben zu können (Monismus) und dafür eine als ewig existierende und in ihren Strukturen und Gesetzlichkeiten konstante Materie (Konstanzpostulat, Materialismus) anzunehmen. Dieses naturwissenschaftliche Weltbild weiß also nicht, dass es so ist, wie es erklärt wird, sondern nimmt – bis zum Beweis des Gegenteils – an, dass es so sein könnte. Was sich diesem Weltbild nicht fügt, wird nicht als Beweis für die Unstimmigkeit genommen, sondern als derzeit noch nicht erklärt, aber grundsätzlich mit diesen Denkmitteln vollständig erklärbar. – Ohne dies weiter ausführen zu müssen: Dieses naturwissenschaftliche Weltbild bietet eine ganz und gar trostlose Einordnung der eigenen Existenz in einen übergeordneten Zusammenhang, so dass erstaunlich ist, wie willig so viele Menschen gegenwärtig dieses Sinnkonzept für richtig und vollständig halten können. Diesem Standardweltbild stehen Weltbilder gegenüber, die es entweder ergänzen oder eine erklärende Alternative geben.

2. *Was ist der Mensch – warum und wozu?* Hier wird nicht die Natur und der Umstand, dass der Mensch ein Teil der Natur ist, zum Ausgang genommen, sondern der Mensch ins Zentrum des Nachdenkens gestellt, wie es seit der Renaissance und dem Humanismus im europäischen Denken geschieht (Flitner 1961). Die Antworten werden in der analysierten Menschheitsgeschichte, der Literatur und Philosophie gesucht und präsentieren sich als philosophische und historische Anthropologie.

3. Die *Weltreligionen*, die im Folgenden aus der Perspektive der kognitiven Erschließung gruppiert werden, also einer pädagogischen, nicht einer religionswissenschaftlichen oder theologischen:

- Die *Mythologien*: griechische Antike, Naturreligionen Afrikas, Amerikas und Polynesiens, Hinduismus, magisches Denken (z. b. Astrologie). Diese Mythologien erzählen einfache Geschichten, die an elementaren Erfahrungen und Erlebnissen anknüpfen, und liefern Erklärungen für Unerklärliches durch Analogien und anthropomorphe Interpretationen von Naturereignissen.

- *Theismen*: Judentum, Christentum, Islam. Kern ist jeweils ein anthropomorph gedachter personaler Gott, der über autorisierte Mittler (oder auch direkt) mit den Menschen kommuniziert. Deshalb ist die Basis dieser Weltbilder ein Glaube an eine autorisierte Botschaft. Das Denken dieser Weltbilder ist an einer elementaren personalen Beziehung nach dem Vater-Kind-Verhältnis orientiert.

- *Buddhismus*: Der Erkenntnisweg führt zu einem nichtpersonalen Kosmos als übergreifendem Sinnzusammenhang, der durch eine spezifische Denkmethode erkennbar ist. Diese Methode verwendet eine Abstraktion von Konkretem und Personalem.

Die grundsätzlichen Reflexionsstufen der Weltorientierung

Eine andere Zuordnung und vielleicht auch Einordnung und Bewertung der verschiedenen Weltorientierungen ergibt sich, wenn man die Denkformen betrachtet, mit denen sie zu ihren Aussagen, Botschaften und Visionen gelangen. Auch das kann hier nur kurz skizziert werden. Weltorientierung geschieht in folgenden Niveaus kognitiver Repräsentation oder Reflexionsstufen:

1. *Wahrnehmung.* In ihr werden Bilder, Töne und die Positionierung des eigenen Körpers in der Welt wahrgenommen, erinnert und bedacht. Diese erste Stufe der Weltorientierung verbindet den Menschen mit dem Tier und grundsätzlich mit allen Lebewesen, da auch Pflanzen wahrnehmen und darauf reagieren können.

2. *Ereignisse, Episoden.* Die neueste physiologische Gehirnforschung berichtet von einem speziellen Gedächtnis für Ereignisse, Episoden, in dem auch die Erinnerung an die eigene Lebensgeschichte, d. h. die eigene Identität aufbewahrt wird. Träume bestehen zwar aus Bildern und Tönen, sind aber stets zu Geschichten, Erlebnissen und Episoden mit biographischem Bezug zusammengefügt. Beide Befunde zusammen genommen führen zu der Vermutung, dass die wahrgenommenen Sinneseindrücke im Gedächtnis zu Ereignissen, Episoden, Geschichten und biographischen Bezügen komprimiert werden und auf diese Weise im Gedächtnis verankert werden.

Nicht zufällig begann deshalb die Aufordnung kollektiv bewahrenswerter Erinnerungen mit der intergenerativen Weitergabe von Geschichten, woraus dann die abstrahierende, zusammenfassende Geschichte wurde, die uns heute noch unentbehrlich als Basis für die Weltorientierung erscheint.

Vermutlich haben auch Tiere ein solches episodisches Gedächtnis, in dem sie lebensgeschichtlich individuell erworbene Erfahrungen mit ihrer Umwelt bewahren.

3. *Die Fragen Woher, Warum und Wozu.* Auf der Grundlage dieser beiden ersten Stufen der Orientierung in der Welt entstehen drei Fragerichtungen:

– Das episodisch organisierte Gedächtnis legt die Frage nahe, wie das eine Ereignis auf das andere gefolgt ist. Daraus entwickelt sich in Abstraktion ein Konzept *historischer Kausalität*: Das vorhergehende Ereignis hat das nachfolgende bedingt, erzeugt, geprägt.

– Die nächste Stufe der Abstraktion vergleicht viele solcher aufeinander folgenden Ereignisse und gelangt zu einem Konzept *allgemeiner Kausalität*: Immer wenn das eine Ereignis auftritt (Ursache), dann folgt das andere (Wirkung). Diese Form der Kausalität findet sich am regelmäßigsten in den Naturerscheinungen: Wenn die Sonne untergeht, wird es dunkel. Die Frage Warum richtet sich gewissermaßen zurück von einem wahrgenommenen Ereignis als vermuteter Wirkung auf eine davor und dahinter verborgen liegende Ursache.

Ob Tiere über diese Form der Weltorientierung verfügen, ist unsicher. Experimente mit Primaten legen die Vermutung nahe, dass diese Spezies Ursache-Wirkungs-Zusammenhänge mindestens durch entsprechende Experimentalerfahrungen konstruieren und sich entsprechend in ihrem Verhalten darauf einstellen können.

– Ausgehend von den menschlichen Erfahrungen absichtlichen Handelnkönnens – dem Grundtypus menschlicher Freiheit, verstanden als Loslösung aus den Bindungen und Zwängen der rein naturalen Existenz –, richtet sich die Reflexion über die Welt auf mögliche andere, außermenschliche absichtliche Verursachungen. Das führt zu der Fragerichtung des Wozu.

a. Die Antworten werden zunächst teleologisch *anthropomorph* in Übertragung menschlicher Erfahrungen mit absichtlichen Handlungen gesucht, und Antworten werden in Form des Animismus – die Naturerscheinungen sind Wirkungen, die von absichtlich handelnden Geistwesen herbeigeführt werden – und der Religionen gegeben, in denen menschenähnlich gedachte Gottheiten die Akteure sind.

Auf dieser Stufe scheint sich die Gattung Mensch endgültig von der aller anderen Lebewesen zu unterscheiden. Wir wissen nicht, welche kognitiven Konzepte etwa Hunde über das Verhalten ihrer menschlichen Herrschaften haben und entwickeln; jedenfalls scheint es so, dass sie nur sehr begrenzt deren Verhalten als absichtliches Handeln verstehen können. Sie scheinen es eher in Form der historischen Kausalität zu begreifen.

b. Die zweite Antwortart auf die Frage nach dem Wozu fragt nicht nach den personal gedachten Verursachern eines Ereignisses, sondern nach seiner *Funktion* in einem größeren Wirkungszusammenhang. Solche Funktionsvorstellungen sind vermutlich aus den Erfahrungen mit mechanischer Technik entstanden; jedenfalls finden sie sich gehäuft zu Beginn der Neuzeit in Analogiebeschreibungen zu den kunstvollen Uhrwerken, mit denen an Kirchen und Rathäusern nicht nur die Uhrzeit, sondern auch vielerlei andere, regelmäßig wiederkehrende Ereignisse mechanisch dargestellt wurden. Solche Themenuhren funktionieren nur, wenn alle Einzelteile – die Zahnräder – miteinander arbeiten und jedes Teil seine Funktion ordnungsgemäß und fehlerfrei erfüllt. Das wurde auf die Frage nach der Einzelexistenz des Menschen, aber auch nach der Vielfalt der Natur übertragen: jedes Einzelwesen hat danach eine Funktion im Gesamtkosmos, der ohne das Funktionieren eines jeden Einzelnen in seiner lebendigen Existenz zum Erliegen käme. Ohne dass hier direkte gedankliche Kontinuitäten vorliegen müssen, hat sich im zwanzigsten Jahrhundert in der Biologie eine Denkform entwickelt, in der dieser Gedanke zur Erklärung des Lebendigen verwendet wurde: Leben ist, wenn Funktionskreisläufe vorhanden sind und störungsfrei ablaufen. Leben vergeht, wenn diese Funktionskreisläufe unterbrochen werden. Die aktuelle Form der Systembiologie erklärt das dauerhafte Bestehenkönnen und Überleben einzelner Lebensarten mit Verweis auf komplexe Zusammenhänge von Arten in Ökosystemen, in denen die einzelnen Lebewesen und Arten funktional aufeinander bezogen sind und in einem Wechselwirkungs- beziehungsweise Rückkoppelungsmechanismus miteinander verbunden sind. Die Frage nach einer isolierten Ursache für ein Ereignis wird damit obsolet und würde in die Irre führen. Ein Ereignis kann nur noch in seiner Einbindung in einen Funktionszusammenhang zureichend beschrieben, verstanden und in seinem möglichen künftigen Erscheinen vorausgesagt werden.

Heutige Fassungen einer solchen funktionalen Weltorientierung finden sich in den biologisch fundierten Systemtheorien des Lebendigen und den darauf aufbauenden Weiterentwicklungen von Systemtheorien des Sozialen (Luhmann) und der Kognition (Maturana, Varela). Bei jedem einzelnen Ereignis wird nun nicht mehr primär nach der Kausalität gefragt (wie in den Naturwissenschaften der unbelebten Natur), sondern nach den möglichen Funktionen. Die kognitiven Modellierungen dieses Funktionsdenken entfernen sich von den alltäglichen Vorstellungen, die weitgehend episodisch organisiert sind, in denen es klare und eindeutige Zuordnungen von Vorher und Nachher, von Ursache und Wirkung gibt. Antworten auf die Frage nach dem funktionalen Wozu bedürfen gedanklicher Hilfen und Stützen, die nicht zufällig mathematisch und grafisch sind.

4. *Die Frage nach dem übergreifenden Zusammenhang des einzelnen Ereignisses, der eigenen Existenz.* Wenn der Mensch sich durch sein Denken aus den Zwängen seiner Naturexistenz befreien kann, ermöglicht ihm dies auch ein Nachdenken über seine eigene Existenz in dem übergreifenderen Zusammenhang, den er wahrnehmen, erfahren und sich erdenken kann. Nicht alle Menschen stellen sich diese Frage, aber alle können sie sich grundsätzlich stellen. Es finden sich zwei grundlegende Antwortrichtungen auf diese Frage:
– Die ältere Antwort ist dualistisch angelegt und hat ihrerseits zwei Ausformungen: die religiöse und die ideenphilosophische.

Die *religiösen* Antworten nehmen es für gewiss, dass es außer der Welt der Naturerscheinungen eine zweite Welt von Geistwesen gibt, zu denen die Menschen grundsätzlich – wenn auch nicht jederzeit, beliebig und alle – Zugang gewinnen können. Sie können diesen Zugang gewinnen, weil sie selbst Zwitterwesen sind, weil sie außer ihrem Leib als Bestandteil der Natur über eine geistige Existenz – die Seele – verfügen.

Die *ideenphilosophische* Antwort der griechischen antiken Philosophie, pointiert bei Platon und Pythagoras, findet auf der Grundlage begründeten Argumentierens die Gewissheit, dass es außer der Welt der Natur und der Materie ewig existierende Ideen gebe, an denen der Mensch unter bestimmten Umständen teilhaben könne. Dieser Dualismus kommt ohne die Vorstellung von Gottheiten aus.

Die jüngere Antwort ist der denkökonomisch begründete *materialistische Monismus*, der alle Phänomene ohne Hinzunahme einer zweiten Welt einzig aus den restlos erklärbaren Prinzipien der Materie zu erklären versucht. Er ist das herrschende Paradigma aller Naturwissenschaften bis hin zur Medizin und inzwischen die faktische Universalreligion der Gebildeten geworden. Diese Weltanschauung wird hier als Quasi-Religion bezeichnet, weil die Grundannahmen nicht weniger willkürlich gesetzt werden müssen wie in jeder Religion und weil der Erklärungsanspruch total ist und gegenüber anderen Weltdeutungen intolerant auftritt.

Die Einordnung der eigenen Existenz geschieht danach biologisch durch die Einordnung in die Evolution der Lebensformen nach optimierter Umweltanpassung. Damit erklärt sich auch die Kultursphäre des Menschen als effektive

Form der kognitiven und intergenerativ vermittelbaren Umweltanpassung. Das Leben als solches ist eine zwar mögliche, aber unwahrscheinliche Organisation von Materie in einem schnell expandierenden Kosmos.

Reflexive Thematisierung von Weltbildern

Wegen der gegenwärtigen Akzeptanz und Verbreitung ist es erforderlich, die Weltdeutung auf der Basis von Kosmologie und biologischer Evolutionstheorie zum Ausgang zu nehmen und ausführlich zu thematisieren. Allerdings darf aus Sicht einer Theorie der Allgemeinbildung die naturwissenschaftliche Weltsicht nicht als selbstverständlich richtig oder einzig mögliche gelten, sondern muss sich den philosophischen kritischen Fragen nach ihrer Geltung und Vorläufigkeit, deshalb auch unvermeidlichen Falschheit, stellen.

Dadurch wird deutlich, dass auch dieses Weltbild in seinem Wahrheitsanspruch so relativ ist wie alle anderen, und diese Einsicht kann den Weg frei machen für eine gedanklich prüfende Hinwendung zu den Weltorientierungen des Dualismus, also auch den Religionen.

Die pädagogische Herausforderung einer solchen reflexiven Thematisierung von Weltorientierungen besteht darin, dabei nicht zu indoktrinieren. Das ist deshalb so schwierig, weil jede Lehrerin und jeder Lehrer für sich längst eine Entscheidung darüber getroffen hat, was er oder sie für richtig halten, wenn ein solcher Unterricht vorbereitet und durchgeführt wird. Das pädagogische Gebot der Authentizität verpflichtet überdies, die eigenen Positionen nicht zu verleugnen. Die Lösung besteht in der Vermittlung einer Haltung von Toleranz, die einerseits die eigene Position nicht verleugnet, aber zugleich deutlich macht, dass auch andere, entgegenstehende Auffassungen respektiert werden (vgl. dazu Nieke 2000).

Religion im Lehrplan der Schule: Eine Auseinandersetzung mit Modellen aus Geschichte und Gegenwart

Rudolf Englert

In diesem Beitrag geht es um die Frage nach der Repräsentanz von Religion in den schulischen Lehrplänen. Zunächst werden zwei für diese Frage zentrale geschichtliche Entwicklungslinien nachgezeichnet: die Säkularisierung der Pädagogik bzw. die Verabschiedung der Religion als pädagogisches Begründungsprinzip (1) und die Historisierung der Tradition bzw. die Verabschiedung des traditionellen Bildungskanons (2). Vor diesem Hintergrund stellt sich die Frage, an welchem Punkt und in welcher Form Religion für die Schule und ihren Lehrplan noch von Interesse sein kann. Auf diese Frage hin werden dann die allgemeinpädagogischen Beiträge dieses Bandes ins Gespräch gezogen. Dabei zeigt sich, dass man von allgemeinpädagogischer Seite durchweg bildungstheoretisch relevante Berührungspunkte zwischen Religion und Pädagogik sieht, dass die daraus für die Repräsentanz von Religion in den schulischen Lehrplänen gezogenen Konsequenzen aber höchst unterschiedlich ausfallen.

Seit vielen Jahren lahmt das Gespräch zwischen Allgemeiner Pädagogik und Religionspädagogik. Vielleicht weil man auf religionspädagogischer Seite zu selten auf erziehungs- und bildungstheoretische Grundfragen durchstößt, um die Bedeutung allgemeinpädagogischer Ansätze wirklich würdigen zu können. Vielleicht auch weil auf erziehungswissenschaftlicher Seite mit »Religionspädagogik« so etwas wie eine »Weltanschauungspädagogik« assoziiert wird, von der man sich doch längst gründlich distanziert hat. Es ist den religionspädagogischen Initiatoren dieses Bandes jedenfalls zu danken, dass sie ein solches Gespräch hier zustande gebracht haben – und den daran beteiligten Pädagog/innen, dass sie sich darauf eingelassen haben.

Was kann ein Religionspädagoge den hier versammelten allgemeinpädagogischen Beiträgen nun an Anstößen und vielleicht auch an kritischen Anfragen an seine eigene Arbeit entnehmen? Die betreffenden Beiträge drehen sich um Grundkategorien pädagogischen Handelns und fragen nach deren Berührungspunkten mit »Religion«. Wo also kommt, wenn man erzieht und bildet bzw. wenn man erzieherisches und bildnerisches Handeln wissenschaftlich reflektiert, Religion ins Spiel? Und wie kommt sie ins Spiel: Zwingend und unausweichlich oder als ein unter Umständen sinnvoller, unter anderen Umständen aber auch verzichtbarer Inhaltsbereich? Braucht man Religion in der Schule möglicherweise »nur« noch ihrer für das europäische Kulturerbe prägenden Wirkungsgeschichte wegen, also gewissermaßen in einem historisch-sachkundlichen Interesse? Ineins damit geht es den pädagogischen Beiträgen um grundsätzliche Verhältnisbestimmungen: zwischen Religion und Religiosität, zwischen Glaube und Vernunft, zwischen Endlichkeitsbewusstsein und Alltagsrationalität. Hier werden Unterscheidungen getroffen, die helfen, Grundfragen des Verhältnisses von Religion und Pädagogik genauer zu begreifen.

An dieser Stelle ist nun von besonderem Interesse, welche Konsequenzen diese allgemeinpädagogischen Perspektiven für den Umgang mit aktuellen (religions)pädagogischen Verlegenheiten haben. Bereits eine flüchtige Übersicht lässt erkennen, dass diese Konsequenzen im einzelnen höchst unterschiedlich sind. Sie reichen von einer Privilegierung konfessionellen Religionsunterrichts als einzig seriöser Form religiöser (Schul)Bildung (Ladenthin) bis hin zu einer fast völligen materialen Entleerung dessen, was an Religion als bildungsrelevant und schultauglich gilt (Reich). In den folgenden Überlegungen geht es vor allem um die Konsequenzen für die *inhaltliche* Gestaltung religiöser Schulbildung. Welche Implikationen also haben die im vorliegenden Band zu findenden allgemeinpädagogischen Perspektiven für die Lösung der materialen, formalen und normativen Probleme eines (im weitesten Sinne) religionsunterrichtlichen Lehrplans/Curriculums? Für die Erörterung dieser Fragen erscheint es mir aber zunächst einmal nötig, einen etwas weiteren thematischen Horizont aufzuspannen. Dies soll in Form einer geschichtlichen Vergewisserung geschehen. Zwei Aspekte stehen dabei im Vordergrund: Die Distanzierung der Religion als eines pädagogischen Begründungsprinzips und die Verabschiedung der Tradition als eines lehrplankonstituierenden Kanons.

1. Die Verabschiedung der Religion als eines pädagogischen Begründungsprinzips

Die heute gültigen Lehrpläne sind das vorläufig letzte Glied einer langen Entwicklungsgeschichte. Für diese war die doppelte Orientierung am christlichen und humanistischen Kanon über weite Strecken prägend (vgl. Fuhrmann 2002, 9). In Gestalt des Christentums spielte die Religion also nicht nur für die institutionelle Entwicklung des europäischen Schulwesens eine entscheidende Rolle (vgl. z. B. die Karolingische Bildungsreform), sie war auch für den »Lehrplan des Abendlandes« (Dolch 1982) von zentraler Bedeutung. Auch die »studia humanitatis« waren so angelegt, dass sie im Kern auf Fragen zielten, die wir heute im weiteren Sinne als »religiös« bezeichnen würden. So schrieb etwa Petrarca: »Was nützt denn bitte das Wissen über die Natur der Tiere, Vögel,

Fische und Schlangen, wenn wir die Natur der Menschen nicht kennen, nicht wissen, wozu sie geboren sind, woher wir kommen und wohin wir gehen, und uns für diese Fragen nicht interessieren?« (Petrarca 1993, 22 f.)

Inwieweit wirkt dieser »Lehrplan des Abendlandes« bis heute nach? Dies ist eine in der Lehrplanforschung umstrittene Frage (vgl. Tenorth 2000, 368 f.). Auch wenn vor allem in den curricularen Reformen der 1960er und 1970er Jahren ein Bruch mit den bis dahin bestimmenden Lehrplan-Traditionen vorgenommen werden sollte, zeigt sich in den konkreten Inhalten der Lehrpläne oft doch mehr Kontinuität als es die sich wandelnden pädagogischen Legitimationsformeln und fachdidaktischen Konzeptionen vermuten lassen. Stefan Hopmann etwa meint, man könne »bei einem Textvergleich feststellen, dass sich manch heutiger Sekundarstufe-I-Plan in seiner Reichweite nicht wesentlich von dem unterscheidet, was die fortgeschrittensten Volksschullehrpläne schon Anfang des vorigen Jahrhunderts forderten« (Hopmann 2000, 393). Für den Umgang mit der religiösen, hier: der christlichen Tradition, stellt sich die Sachlage allerdings anders dar. Offenbar ist es im Bildungsbereich »Religion« zu besonders einschneidenden Kontinuitätsbrüchen gekommen. Denn es ist unübersehbar, dass das schulische Lernfeld »Religion« im Laufe der Zeit sehr unterschiedlich platziert und vermessen worden ist.

Eine erste Epochenschwelle, die hier angesprochen werden soll, war der Übergang von einer sozialisatorischen zu einer pädagogischen Tradierungsform des Glaubens. Vor dieser Schwelle »sind christliche Sinngehalte, insbesondere Symbole und Riten, eng mit dem gesamten Alltagsleben verflochten gewesen und wurden in dieser Form als Bestandteil der gesamten kulturellen Tradition weitergegeben« (Kaufmann 1979, 169). Danach wurden diese sozialisatorisch-vorreflexiven Aneignungsmechanismen durch pädagogisch-intentionale Vermittlungsbemühungen ersetzt. An diesem Punkt, der in der Reformationszeit erreicht wird, kam es zur Einrichtung des Religionsunterrichts. Der Religionsunterricht ist als selbstständiges Lehrfach also »vorwiegend eine Errungenschaft der Reformation« (Dolch 1982, 204). Die Umsetzung reformatorischer Leitgedanken erforderte ein religiöses Subjekt, das sich seines Glaubens selbst bewusst war: das die entscheidende Glaubensurkunde eigenständig lesen konnte (Bibel), das die zentralen Inhalte christlichen Glaubens artikulieren konnte (Katechismus) und das am kirchlichen Leben aktiv teilzunehmen vermochte (z. B. Kirchengesang). Damit sind bereits die drei inhaltlichen Segmente des Religionsunterrichts beschrieben, die diesen auf lange Zeit bestimmten.

Mit dem Überschreiten dieser Epochenschwelle kam eine Entwicklung in Gang, die den Umgang mit religiösen Traditionen, auch im Kontext der Schulen, nachhaltig veränderte. Im mittelalterlichen Schulwesen gab es Religionsunterricht ja nicht etwa deshalb nicht, weil man die Bedeutung dieses Gegenstandsbereichs verkannt hätte, sondern weil Erziehung und Bildung, gerade natürlich in den Kloster- und Domschulen, durch und durch unter religiösen Vorzeichen gesehen wurden. Eine Ausdifferenzierung von Religion als »Fach« hätte dieser Sicht der Religion als der alle denkbaren Gegenstände letztlich integrierenden Klammer gerade nicht entsprochen. Von daher kann man sagen: Dass »Religion« im 16. Jahrhundert als eigener Bildungsbereich von anderen schulischen Gegenständen abgegrenzt wird, ist auch Ausdruck gesellschaftlicher Differenzierungs- und Säkularisierungsprozesse. Religion war jetzt etwas, von dem selbst der »gemeine Mann« nun wusste, dass sie auch anders denkbar war – in der Gestalt des jeweils anderen konfessionellen Christentums; sie wurde zudem etwas, das sich im Sinne von Luthers Zwei-Reiche-Lehre als geistliche Größe von weltlichen Dingen unterscheiden ließ. Selbst Comenius, der in seiner Pansophie noch einmal alles von einer einzigen Ordnung her zusammen zu sehen versuchte, unterschied doch die »naturalia« und »artificialia« von den »spiritualia« (vgl. Dörpinghaus/Helmer/Herchert 2004, 584). Und schließlich wirkte säkularisierend auch, dass Luther in einem Sendschreiben (1524) die »Bürgermeister und Ratsherren aller Städte in deutschen Landen« zur Aufrichtung christlicher Schulen anhielt. Auf diese Weise wurde die Schule nun – aus christlichem Interesse! – mehr und mehr zu einer öffentlichen Angelegenheit. Auch wenn dies, wie deutlich wurde, keineswegs aus einer Rivalität zur Kirche heraus geschah, war damit doch »ein erster irreversibler Schritt zur Verweltlichung des Schulwesens ... getan« (Fuhrmann 2002, 22).

Diese Sicht korrespondiert mit jener Entwicklung, die Norbert Hilgenheger im historiographischen Teil seiner Ausführungen aufzeigt (vgl. Hilgenheger 66 ff.). Danach wurde »Religion« als *allgemeines* pädagogisches Begründungsprinzip im Laufe der Zeit immer stärker zurückgedrängt. Während bei Comenius alle Erziehung noch unweigerlich religiöse Erziehung war, weil sie auf die Entdeckung der von Gott in die Welt der Dinge hineingelegte Ordnung zielte, setzten Herbart und Durkheim an die Stelle der göttlichen Ordnung jene der Vernunft bzw. der Gesellschaft. Die christliche Tradition fungierte somit immer weniger noch als umfassender Ordnungs- und Legitimationszusammenhang pädagogischen Denkens und wurde immer stärker zurückgedrängt auf einen ausgegrenzten Inhaltsbereich: auf ein Fach. Im Zuge dieser Entwicklung wurde, so meint Manfred Fuhrmann, schon im humanistischen Gymnasium des 19. Jahrhunderts »das Christliche ... auf den spärlichen Religionsunterricht reduziert« (Fuhrmann 2002, 31).

Gleichwohl wurde von Seiten vor allem der katholischen Kirche bis weit ins 20. Jahrhundert hinein am umfassenden Geltungsanspruch religiöser Perspektiven für pädagogisches Handeln und schulische Bildungsarbeit festgehalten. In der päpstlichen Enzyklika »Divini illius magistri« wurde dieser Anspruch 1928 noch einmal mit Nachdruck vorgetragen. Einer solchen religiös-integralistischen Sichtweise stellte die sich wissenschaftlich nun zunehmend verselbständigende Pädagogik die These von der Autonomie pädagogischen Handelns entgegen. Und zwar ebenfalls mit großer Entschiedenheit. Klaus Mollenhauer meint, der Versuch ihre Autonomie zu begründen, sei jahrzehntelang »das dominante Thema der deutschen Pädagogik« (Mollenhauer 1973, 22) gewesen. Dabei ging es hauptsächlich darum, »daß die Erziehungsarbeit von den Weltanschauungen und gesellschaftspolitischen Interessen ferngehalten werde und daß die pädagogischen Institutionen, vom politischen und konfessionellen Streit unbeeinträchtigt, den reinen Sacherfordernissen der pädagogischen Aufgabe nachgehen könnten« (Mollenhauer 1973, 22). Doch kann die wissenschaftliche Reflexion einer Praxis, die, wie die pädagogische, ohne Werturteile nicht auskommt, im strengen Sinne weltanschauungsfrei sein?

Romano Guardini verneinte das und stellte in seiner »Bildungslehre« (1953) heraus, dass sich religiöse Motivationen und auch religiös inspirierte Zielperspektiven aus der pädagogischen Arbeit nicht heraushalten lassen. Von daher wies er den Anspruch der Pädagogik auf eine »absolute« Autonomie zurück und meinte, es sei zutreffender von einer »relativen Autonomie« pädagogischen Denkens und Handelns zu sprechen (Guardini 1963, 8). Eine »rein-pädagogische Teleologie« (Guardini, 1963, 17) könne es nicht geben, das heißt, pädagogisches Handeln bzw. Bildung sei im Letzten auf eine Sinnbestimmung zu beziehen, die selbst eben nicht mehr pädagogisch sein könne. Guardinis Ausführungen konvergieren auf folgenden Punkt: »Wenn es den lebendigen Gott gibt, dann gibt es ihn auch für die Bildung. Gibt es ihn, und man läßt ihn aus dem Wirkungsgefüge, auf welches jenes Bildungstun aufgebaut ist, aus, dann wird dieses falsch, und zwar falsch an der bedeutungsvollsten Stelle.« (Guardini 1963, 18) Damit standen und stehen sich zwei Auffassungen gegenüber: Die Ansicht, dass religiöse Überzeugungen auch für pädagogisches Denken und Handeln relevant sind, und die Ansicht, dass die pädagogische Arbeit von allen weltanschaulich begründeten Sollensforderungen freizuhalten sei. Ob Religion im Lehrplan der Schule nur ein (kleines) inhaltliches Segment aus dem gesamten »Stoff« darstellt oder aber darüber hinaus auch in fachübergreifender Bedeutung als Dimension oder Prinzip Berücksichtigung findet, hängt maßgeblich auch davon ab, welcher dieser beiden Auffassungen man folgt.

2. Die Verabschiedung der Tradition als eines lehrplankonstituierenden Kanons

Die Verabschiedung der Religion als eines pädagogischen Begründungsprinzips hat deren Bedeutung im Bildungswesen überhaupt und auch deren Stellung im Lehrplan der Schule tief greifend verändert. Ein zweiter für die schulische Rolle der Religion zentraler Punkt ist das Ende des traditionellen Bildungskanons. In diesem Zusammenhang werden die kritischen Anfragen an den Geltungsanspruch von Religion nun auch auf das Schulfach »Religion« (eigentlich: das Schulfach evangelische oder katholische Religionslehre) bezogen.

Im Rahmen der Curriculumreform, Ende der 1960er, Anfang der 1970er Jahre (vgl. Robinsohn 1967), wurde der überkommene Bildungskanon endgültig verabschiedet. Im Zusammenhang mit dieser in großem Stil in Angriff genommenen curricularen Neuorientierung stellte sich auch die Frage nach dem Überlieferungswert religiöser Traditionen. Das Fach »Religion« musste gegen den Vorwurf verteidigt werden, es sei mit der Grundorientierung des Schulwesens an wissenschaftlichen und emanzipatorischen Idealen nicht vereinbar. Auch in der Religionspädagogik selbst sah man, dass der Bildungswert des Religionsunterrichts nicht mehr einfach durch den Hinweis auf die Normativität des hier zu vermittelnden Traditionscorpus (insb. der biblischen Schriften und der kirchlichen Lehrüberlieferung) behauptet werden konnte. Vielmehr muss nun gezeigt werden können, dass die Arbeit an religiösen Fragen und Inhalten auch im Blick auf solche Ziele von Bedeutung ist, die allgemeinpädagogisch als wichtig gelten. Das heißt der fachliche Lehrplan des Religionsunterrichts muss sich in den Kontext allgemein- und schulpädagogischer Perspektiven integrieren lassen. Wobei von Seiten der Religionspädagogik auch umgekehrt zu fordern wäre, dass das schulische Bildungsprogramm so angelegt sein muss, dass die Reflexion auf Religion und den ihr eigenen Zugang zur Welt darin angemessen Raum findet. Dies ist die Situation, in der sich der Religionsunterricht im Grunde auch heute noch befindet – auch wenn sich die gesellschaftlichen Voraussetzungen religiösen Lernens seit den 1970er Jahren in verschiedener Hinsicht noch einmal deutlich verändert haben. Wie könnte die pädagogische Legitimation eines religionsunterrichtlichen Curriculums nun genauer aussehen? Bzw. wie lässt sich verdeutlichen, dass die Arbeit an religiösen Fragen und Inhalten eine integrierter Teil allgemeiner Bildung ist und bleiben muss?

In seiner religionspädagogischen Bildungstheorie erinnert Reiner Preul daran, »daß jedes Bildungsverständnis durch die nähere Bestimmung dreier Begriffe und ihres Verhältnisses umschrieben werden müßte: kulturelle Überlieferung, Individuum und gegenwärtige, besonders gesellschaftliche Lebenswirklichkeit« (Preul 1980, 18). In der Curriculumtheorie hat man auch von den drei »Fundamentaldeterminanten« gesprochen. Der Curriculumtheoretiker Herrick sagt: »There are only three basic referents or orientations possible to consider in the development of distinctive curriculum patterns and in the making of many pivotal curriculum decisions. These three referents are: man's categorized and preserved knowledge – subject fields; our society, its institutions, and social processes; and the individual to be educated – his nature, needs, and developmental patterns.« (Zit. n. Zimmermann 1977, 54) Die verschiedenen Epochen der Lehrplanentwicklung lassen sich auch danach unterscheiden, welchem Faktor in diesem Dreieck jeweils besondere Bedeutung zukam. Die jeweilige Akzentsetzung zeigt sich auch in den religionsunterrichtlichen Lehrplänen.

Langezeit wurden schulische Lehrpläne durch die einer bestimmten *kulturellen Tradition* beigemessene normative Bedeutung konstituiert. Solange diese Tradition wirklich bestimmend war, wurde ihre kanonische Stellung nicht als weiter begründungsbedürftig empfunden. Entsprechend finden sich in älteren – vorcurricularen – Lehrplänen, auch keine Begründungen bzw. keine Kriterien der aus der Fülle des Möglichen getroffenen Auswahl. Lehrpläne konnten sich von daher darauf beschränken, den im Wesentlichen als vorgegeben geltenden »Stoff« zu verteilen (»Stoffverteilungspläne«). Im Religionsunterricht war die einem bestimmten Traditionscorpus zugemessene normative Bedeutung noch einmal besonders ausgeprägt. Nicht von ungefähr bestand der Religionsunterricht auf katholischer Seite in den 400 Jahren zwischen 1560 und 1960 hauptsächlich in der Vermittlung des Katechismus, also eines Kompendiums der kirchlichen Glaubenslehre. Dieses stellte man nicht etwa deshalb ins Zentrum, weil man ihm einen besonderen pädagogischen Wert für die Bildung der Jugend beigemessen hätte. Vielmehr galt der Katechismus als autoritative Überlieferung der für einen Menschen entscheidenden Wahrheiten (Offenbarung). Noch 1958 schrieb der katholische Philosoph Josef Pieper, dass Tradition in ihrer reinsten Form: als heilige Tradition bzw. als von Gott selbst geoffenbartes Wort, nicht wegen der ihr von der menschlichen Erfahrung her zukommenden Plausibilität geglaubt und überliefert werde, sondern wegen der ihrer Quelle, nämlich Gott selbst, zukommenden Autorität.

Doch zur selben Zeit wurde der Traditionsbezug der Schule und des Religionsunterrichts bei dem evangelischen Religionspädagogen Martin Stallmann bereits in einem völlig anderen Sinne aufgenommen und diskutiert. Stallmann sah sehr deutlich, dass die das deutsche Bildungswesen prägenden »Überlieferungsmächte«, insbesondere die humanistische, die nationale und die christliche Tradition, ein gemeinsames Schicksal teilen: ihr Historisch-Werden (vgl. Stallmann 1958, 12).»Historisches Denken aber ist grundsätzlich kritisch: Nachdem einmal das Empfinden für die Einmaligkeit der Gegenwart erwacht und uns der Abstand von der Vergangenheit aufgegangen ist, können wir gar nicht anders, als prüfend, fragend und auswählend mit dem Überlieferten umgehen.« (Stallmann 1958, 19). Hier wird das Ende eines normativ gültigen Bildungskanons konstatiert, auch im Bereich des Religiösen.

Allerdings war Stallmann keineswegs der erste, der das Historisch-Werden der Tradition und das Brüchig-Werden des Bildungskanons bemerkte. Schon in der reformpädagogischen Kritik an der überkommenen Buch- und Paukschule steckte ja die Beobachtung, dass, was die Schule überliefert, längst nicht mehr Lebens bestimmende Tradition, sondern eben nur noch »Stoff«, »Schulstoff«, ist: etwas das dem einzelnen äußerlich bleibt, was er als Bildungswissen abspeichert, ohne dass es ihm wirklich etwas bedeutete. Mit dieser ihrer Kritik konnte sich die Reformpädagogik auf die zeitdiagnostische Intuition z. B. Nietzsches stützen, der den »Bildungsphilister« seiner Zeit mit Häme überzog und ihm vorhielt, er schleppe »eine ungeheure Menge von unverdaulichen Wissenssteinen mit sich herum, die dann bei Gelegenheit auch ordentlich im Leibe rumpeln« (Nietzsche 1984/1874, 36). Wirkliche Bildung sei heruntergekommen zu einer »Art Wissen um Bildung« (Nietzsche 1984/1874, 37). Von daher stellte sich die Frage: Wie kann, was die Schule an kulturellem Erbe transportiert, zu einer eigenen inneren Erfahrung des damit konfrontierten Subjekts werden? In diesem Zusammenhang kam dann die zweite Lehrplan- bzw. Curriculumdeterminante stärker ins Spiel, nämlich das *Individuum*.

Herman Nohl schrieb im Rückblick auf die reformpädagogische Bewegung: »Stand die Pädagogik bis dahin im Dienst objektiver Aufgaben, wo das Individuum nur der an sich unwesentliche Träger solcher objektiven Ziele war, wie Staat, Kirche, Wissenschaft, Stand und Beruf, so nahm sie jetzt zum ersten Mal mit vollem Bewußtsein der Tragweite einen radikalen Wandel des Blickpunktes vor und stellte sich in das Individuum und sein subjektives Leben. War bis dahin das Kind das willenlose Geschöpf, das sich der älteren Generation und ihren Zwecken anzupassen hatte und dem die objektiven Formen eingeprägt wurden, so wird es jetzt in seinem eigenen spontanen produktiven Leben gesehen, hat seinen Zweck in ihm selber, und der Pädagoge muß seine Aufgabe, ehe er sie im Namen der objektiven Ziele nimmt, im Namen des Kindes verstehen.« (Nohl 1949, 126 f.) In der Didaktik der Fächer ließ dieser Perspektivenwechsel das Bemühen in den Vordergrund treten, objektive Kulturgüter zu subjektivem Besitz werden zu lassen. In diesem Sinne definierte Kerschensteiner: »Bildung im weitesten Sinne ... ist Formung der Seele durch die Mittel der umgebenden objektiven Kultur, oder, wie man es auch ausgedrückt hat, die Verwandlung objektiven Geistes in subjektiven Geist.« (Kerschensteiner 1953/1917, 82) Dieses Verständnis kam auch in der Religionspädagogik zum Tragen, in der evangelischen allerdings erheblich stärker als in der katholischen. Sehr deutlich zeigt sich dies etwa bei Richard Kabisch, einem der maßgeblichen evangelischen Religionspädagogen seiner Zeit. Ganz im Sinne des angesprochenen reformpädagogischen Grundgedankens stellte Kabisch heraus, dass die Vermittlung »objektiver Religion«, also von Kenntnissen *über* Religion, nur die Funktion eines Mittels habe, nämlich dass in den Schüler/innen *eigenes* religiöses Leben geweckt werde. Das heißt der Religionsunterricht solle »objektive Religion vermitteln, um subjektive zu erzeugen« (Kabisch 1920/1910, 101). Das entscheidende Lehr- und Lernziel des Religionsunterrichts war hier nicht mehr, dass sich die Schüler eine bestimmte religiöse Überlieferung aneignen, sondern dass, durch diese Überlieferung angestoßen, »jede einzelne kleine Seele den Weg in ihre Tiefe« findet (Kabisch 1920/1910, 3).

Damit ist eine für den Religionsunterricht und seinen Lehrplan bis heute zentrale Perspektive formuliert, nämlich der Versuch, die Bedeutung der religiösen Tradition für eine vom zeitgenössischen Bildungsdenken jeweils für vordringlich gehaltene Zielperspektive zu demonstrieren (kulturelle Partizipation, gesellschaftliche Emanzipation, individuelle Identität usw.) Dies ist der entscheidende Ansatz für die Rechtfertigung religiösen Lernens im schulischen Kontext. Es muss gezeigt werden können, dass das fachlich Spezifische, hier: die Arbeit an und mit der religiösen Tradition, etwas austrägt für den allgemeinbildenden Auftrag der Schule, dass die religionsunterrichtlichen Zielsetzungen sich einfügen lassen in die jeweiligen Leitvorstellungen davon, was die Schule Heranwachsenden angedeihen lassen möchte. In der Terminologie des jeweils bestimmenden Bildungsdenkens wird dann herausgestellt, dass der Religionsunterricht etwa helfe, relevante Lebenssituationen zu bewältigen, epochale Schlüsselprobleme zu bearbeiten oder bildungswichtige Kompetenzen zu erwerben. Auch im Religionsunterricht verlieren fachliche Lehrpläne damit ihren monoreferentiellen Charakter und werden gewissermaßen zu Bausteinen eines umfassenderen schulischen Gesamtprogramms. Ein typisches Beispiel aus der curriculumtheoretischen Diskussion vom Anfang der 1970er Jahre: Damals formulierte der evangelische Religionspädagoge Horst Heinemann als Globalziel des Religionsunterrichts den »sachgemäßen Umgang mit der christlichen Tradition« (vgl. Heinemann/Stachel/Vierzig 1970, 73). Doch dieses Ziel hat für ihn seine schulische Berechtigung eben nicht mehr in sich selbst, sondern es hat sie nur, wenn gezeigt werden kann, dass es einer Intentionalität zuarbeitet, die von allgemeinem Interesse ist: »Entweder gelingt es, das Lernziel ›Sachgemäßer Umgang mit der christlichen Tradition‹ als allgemeines, das heißt für *alle* Schüler verbindliches Lernziel der öffentlichen Schule zu begründen, oder aber es besteht weder die Notwendigkeit noch die Berechtigung, dieses Ziel im Unterricht der Schule zu verfolgen« (Heinemann/Stachel/Vierzig 1970, 73).

Als zeitlich letzte der drei »Fundamentaldeterminanten«, so scheint es, wurde in der Lehrplanentwicklung die »*Gesellschaft*« ausdrücklich in den Blick genommen. Das heißt natürlich nicht, dass dieser Faktor vorher keine Rolle gespielt hätte. Sehr zu recht hat Erich Weniger in seiner Lehrplantheorie auf die Bedeutung der »gesellschaftlichen Mächte« hingewiesen (vgl. Weniger 1971/1952). Diese können sich auch und gerade da zur Geltung bringen, wo ihre Bildungsbedeutung nicht noch einmal eigens pädagogisch reflektiert wird. So hatten die Lehrpläne aller Zeiten in Gestalt der sich in ihnen durchsetzenden kulturellen Tradition natürlich stets einen sehr starken Bezug auch zur jeweiligen Gesellschaft – zu deren Ordnung, Werten und Tugenden und auch zu ihrem Glauben. Lehrpläne waren in diesem Sinne immer auch ein Medium zur Legitimation und Festigung der geistigen Grundlage der jeweiligen Gesellschaft. Religion und Religionsunterricht kamen in diesem Zusammenhang eine besondere Bedeutung zu. Wenn es, um ein fast beliebiges Beispiel zu nennen, in einem preußischen Unterrichtsgesetz von 1713 etwa heißt: »In Lateinischen und Teutschen Schulen soll hauptsächlich darauf gesehen werden, daß der Jugend die Furcht des Herrn, als der Weisheit Anfang, werde beygebracht« (zit. n. Stoodt 1985, 55), dann steht diese Weisung in unübersehbarer Korrespondenz zur Ausbildung obrigkeitsstaatlich erwünschter Bürger- oder besser: Untertanentugenden.

Dass der christliche Glaube im schulischen Kontext zur Festigung der gesellschaftlichen und politischen Verhältnisse diente, gilt aber keineswegs nur für die besonderen Bedingungen eines Bündnisses zwischen Thron und Altar. Noch in der bundesrepublikanischen Restaurationszeit der 1950er Jahre konnte Kirchen und Konfessionen eine geradezu staatstragende Bedeutung zukommen. Die gesellschaftliche Legitimationsfunktion von Religion schlug, wie sich z. B. an älteren Religionsbüchern, Kinderbibeln usw. zeigen lässt, auch auf die religiöse Erziehung und auf den Religionsunterricht hin durch. Nicht von ungefähr hatte sich der Religionsunterricht später, im Kontext vor allem einer emanzipatorischen Pädagogik, mit ideologiekritischen Verdächtigungen auseinanderzusetzen. Interessant ist, dass das Verhältnis von Gott und Obrigkeit, Glaube und Gehorsam, Kirche und Staat im Kontext theologischer und kirchlicher Neuaufbrüche in den 1970er Jahren dann so reinterpretiert wurde, dass sich der Religionsunterricht selbst als Instrument ideologiekritischen Bewusstseins darstellen konnte. Die »Gesellschaft« kommt nun als ein Feld in den Blick, das es mit Hilfe der Theologie als »Kritischer Theorie« auf seine religiösen Implikationen hin zu bearbeiten gilt (vgl. Otto 1974). In moderater Form hat diese Ausrichtung auch in offizielle kirchliche Beschlüsse Eingang gefunden. So heißt es etwa im Beschluss einer nachkonziliaren Pastoralsynode der katholischen Kirche: »Es muß ... Religionsunterricht in der Schule geben, ... weil die Schule sich nicht zufrieden geben kann mit der Anpassung des Schülers an die verwaltete Welt und weil der Religionsunterricht auf die Relativierung unberechtigter Absolutheitsansprüche angelegt ist, auf Proteste gegen Unstimmigkeiten und auf verändernde Taten« (Der Religionsunterricht in der Schule 1976, 135).

3. An welchem Punkt wird Religion heute bildungstheoretisch relevant?

Es geht in diesem Beitrag um die Frage nach der Repräsentanz von Religion in den Lehrplänen der Schule. Bisher war vor allem die Rede von dem Panorama, vor dessen Hintergrund sich diese Frage heute stellt. Zentrale Komponenten dieses Hintergrundes sind die Säkularisierung der Pädagogik und die Historisierung der Tradition. Damit ist vor allem klar, in welcher Form Religion heute *nicht* mehr Teil der Lehrpläne bzw. Curricula sein kann. Religion kann an öffentlichen Schulen nicht mehr als oberstes Begründungsprinzip pädagogisch-didaktischen Bemühens fungieren. Und Religion kann nicht mehr in Gestalt einer normativen Tradition vermittelt werden. Die Frage ist, an welchem Punkt und in welcher Form Religion für die Schule und ihr Bildungsprogramm dann noch von Interesse sein könnte. – Wie beantworten die in diesem Band vertretenen Allgemeinpädagog/innen diese Frage?

Jürgen Rekus und Volker Ladenthin arbeiten wichtige Berührungspunkte zwischen Pädagogik und Religion heraus. Sie zeigen auf unterschiedliche Weise, dass pädagogische Arbeit und ihre Reflexion an bestimmte Grenzen stoßen, jenseits derer menschliches Handeln nichts mehr auszurichten vermag. Man könnte allgemeiner sagen: Da, wo fachliche Kompetenz versagt und prinzipiell versagen muss, weil sie es mit die Reichweite menschlichen Handelns übersteigenden Kontingenzen zu tun bekommt, beginnt das »Gebiet« der Religion (wenn sich die von Rekus und Ladenthin in ihren transzendentalen Rückfragen geortete Grenzposition der Religion überhaupt noch mit einer solchen Raum-Metapher beschreiben lässt). Im Blick auf die Lehrplanthematik stellt sich von daher allerdings die Frage: Handelt es sich dabei noch um ein Gebiet, in dem sich eine human- oder naturwissenschaftlicher Fachlichkeit vergleichbare Kompetenz entwickeln lässt? Oder, anders gefragt: Gibt es hier etwas zu lernen, was bildungswichtig ist oder gilt es nur etwas zu akzeptieren, was unausweichlich ist (z. B. die eigene Endlichkeit)? Als eigener schulischer Bildungsgegenstand ließe sich »Religion« wohl nur im ersten Fall ausweisen. Im anderen Falle wäre »Religion« nicht eigentlich als Unterrichtsfach begründbar, sondern eher als Unterrichtsprinzip zu verstehen: als sich durch alle fachlichen Bemühungen hindurch ziehendes und prinzipiell zu wahrendes Bewusstsein von den Grenzen menschlicher Handlungsmöglichkeiten.

Reicht das für ein Schulfach, für einen eigenen Lehrplan? Diese Frage ist auch zu stellen, wenn man die Religion hauptsächlich von ihrer Funktion für die Sittlichkeit her sieht. Dies gilt etwa für den Ansatz von Lutz Koch, der das pädagogische Interesse an Religion von ihrem Beitrag zu einer »Kultur der Moralität« her begründet (vgl. Koch 155). Wobei er, wie Kant, an eine »natürliche Religion« denkt, die die »Grenzen der bloßen Vernunft« nicht überschreitet. Er hält diese Religion durchaus für substantiell genug, eine tragfähige Grundlage für einen eigenständigen Religionsunterricht abzugeben, und zwar für einen »integrativen Religionsunterricht«, wie er in Anbetracht der Multikulturalität und des Glaubenspluralismus unserer Zeit dringlich erscheint (vgl. Koch 160 ff.). Die universelle Vernunft-Religion, die im Zentrum dieses Religions-

unterrichts stünde, hätte nicht nur den Vorzug, dass sie alle Menschen unabhängig von ihrer besonderen religiösen Sozialisation miteinander teilen
könnten; sie eröffnete darüber hinaus auch einen kritischen Maßstab für den
Umgang mit der Vielfalt der empirischen Religionen (das Prinzip der Vernunft-
gemäßheit).

Hier also kommt Religion nicht nur fallweise – im Zusammenhang mit der
Reflexion auf den letzten Möglichkeitsgrund sittlichen Verhaltens – in den
Blick, sondern sehr wohl als eigenes Sachgebiet: nicht nur als eine Dimension
der Arbeit an nicht-religiösen Themen, sondern als *eigenes* Themenfeld. Es erscheint allerdings zweifelhaft, ob sich der Vernunftreligion Kants und Kochs,
die außerhalb der Schule kein Leben hat, genügend Vitalität einhauchen lässt,
damit sie ihr Ziel, nämlich »die moralische Besserung des Menschen« (Kant
1978, 122), erreichen kann. Darüber hinaus ist zu fragen, ob eine in diesem
Sinne ethisch verzweckte »Religion« nicht den Eigenanspruch und die Eigenlogik des Religiösen verfehlt. Hier wäre mit Dietrich Benner an das »übermorali-
sche Proprium des Religiösen« (Benner 2004, 36) zu erinnern und zu fordern:
»Religiöse Inhalte und Sachverhalte müssen … auch im Curriculum der Schulen als solche erkennbar sein. Wo sie die Gestalt ethischer oder politischer Sachverhalte annehmen, statt zu diesen in eine fruchtbare Spannung zu treten, tragen sie zur Vernachlässigung und Nicht-Tradierung von Religion mit bei.«
(Benner 2004, 43; vgl. zum Ansatz von Benner auch Lüth 51 ff.)

Doch vielleicht lassen die »Grenzen der bloßen Vernunft« mehr Platz für die
Religion, als Kant selbst einräumen mochte. Diese Möglichkeit scheint sich von
Habermas' Überlegungen zur aktuellen Bedeutung von Kants Religionsphilosophie her aufzutun. Dabei geht es um die Frage, »wie man sich die semantische Erbschaft religiöser Überlieferungen aneignen kann« (Habermas 2005,
218) und um den »Versuch, zentrale Gehalte der Bibel in einen Vernunftglauben *einzuholen*« (ebd.). Insofern dient die Religion hier nicht mehr bloß zur
Versittlichung jener Menschen, die in Anbetracht der Unzulänglichkeiten ihres
subjektiven Vernunftgebrauchs motivationale Nachhilfe benötigen; sie repräsentiert vielmehr ein Potential ganz eigener Art, das durch die reine praktische
Vernunft grundsätzlich nicht selbst aufgeboten werden kann. Damit wird die
Religion bzw. die Tradition einer bestimmten Religion als ein spezifisches
Sprachspiel anerkannt, das eben nicht durch ein vermeintlich aufgeklärteres
Medium substituierbar ist; religiöse Tradition wird als ein semantisches Univer-
sum gewürdigt, das eigene Erkenntnismöglichkeiten eröffnet – und das kennen
zu lernen und mit dem sich auseinanderzusetzen auch für den Agnostiker oder
den dezidierten Atheisten lohnend sein kann.

An diesem Punkt nun lässt sich der für unser Thema bildungstheoretisch
wohl interessantesten Frage nicht länger ausweichen, nämlich: Inwiefern hat
die Religion auch *jenseits* der Grenzen der bloßen Vernunft etwas zu sagen,

was von bildnerischem Interesse ist? Und inwiefern ließe sich zeigen, dass jene Gehalte der Religion, welche die bloße Vernunft transzendieren, deswegen nicht schon widervernünftig sind? Vielleicht könnte man abgekürzt und sehr vorläufig sagen: Es geht dabei um Inhalte, die dem Verstand zu denken geben, ohne doch selbst Frucht analytischen Denkens zu sein (z. B. Mythen und Geschichten, Vorstellungen und Fragen, Symbole und Bilder). Es geht um Inhalte, die einen eigenen Zugang zur Welt eröffnen (vgl. PISA 2000, 21), der sich weder durch Ethik, noch durch Philosophie oder Kunst ersetzen lässt. Die Arbeit an diesen Inhalten lässt sich, wie die gegenwärtige Praxis des Religionsunterrichts zeigt, durchaus so gestalten, dass dies mit den Ansprüchen einer modernen Schule kompatibel ist.

4. In welcher Gestalt sollte Religion in schulische Lehrpläne Eingang finden?

Die Frage, in welcher Gestalt Religion Aufnahme in den schulischen Lehrplan finden soll, hat mehrere Facetten: Geht es um allgemeine Religiosität (phänomenologisch-kundlicher Ansatz) oder geht es um in bestimmten Traditionen, Konfessionen und Institutionen Gestalt gewordene Religion (konkret-konfessioneller Ansatz)? Geht es, wenn man sich an konkreten religiösen Traditionen orientieren möchte, um die Orientierung vorzugsweise an *einer* solchen Tradition (monokonfessioneller Ansatz) oder um einen Bezug auf die in der Lebenswelt der Schüler heute anzutreffende Pluralität von Religionen, die möglichst keine dieser Religionen in irgendeiner Weise privilegiert (multireligiöser Ansatz)? All diese Fragen wurden und werden in der Religionspädagogik breit diskutiert (vgl. z. B. Lott 1992; Biesinger/Hänle 1997; Krappmann/Scheilke 2003). Wie sehen die in diesem Band vertretenen Allgemeinpädagogen diese Fragen?

Eines ist sofort deutlich: Sie urteilen in diesem Punkt sehr kontrovers. Die Mehrheit spricht von Religion nicht im Sinne einer konkreten religiösen Tradition (z. B. der jüdisch-christlichen Tradition), sondern im Sinne eines Grundphänomens des Menschlichen; man könnte vielleicht sagen: eher im religionsphänomenologischen Sinne einer konkrete Ausprägungen von Religion übergreifenden Wesensbestimmung oder auch im Sinne einer anthropologisch begründeten »natürlichen Religion«. Auch wenn die Konsequenzen dieses Verständnisses für einen wie auch immer gearteten Unterricht in Religion meist nicht weiter ausgeführt werden, kann man wohl sagen: Dieser Ansatz liefe eher auf einen religionsphilosophischen Diskurs hinaus als auf einen sich am Geltungsanspruch von »Offenbarungen« abarbeitenden »konfessionellen« Religionsunterricht.

Als ein Beispiel dafür sei der Ansatz von Kersten Reich angeführt. Für Reich kann ein auf die Überzeugungen einer positiven Religion bezogener Religionsunterricht nicht infrage kommen. Positive Religionen haben aus seiner Sicht eine eigentlich nur um den Preis ihrer Selbstaufhebung überwindbare Tendenz zur Instrumentalisierung jener Erfahrungen, denen sie sich ursprünglich verdanken (vgl. Reich 185 f.): Erfahrungen dessen, was Reich »das Reale« nennt (und was eine Art nicht-religiöser Interpretation Gottes darstellt). Reich ist der Auffassung, diese Erfahrungen müssten offen gehalten und dürften nicht irgendwie konfessionell gefasst werden, weil dadurch der Unverfügbarkeitscharakter des Realen und der Begegnung mit ihm missachtet würde. Die Erfahrung des Realen im Sinne Reichs ist eine Erfahrung mit den Grenzen der je eigenen Welt – und als solche hochgradig individuell und unteilbar. Von daher wird verständlich, erstens, dass in einer nicht-traditionalen Gesellschaft wie der unseren immer weniger Menschen für die Interpretation solcher Erfahrungen noch auf eine konfessionell strukturierte religiöse Vorstellungswelt zurückgreifen (vgl. Reich 190). Darüberhinaus erklärt sich von daher auch, zweitens, dass ein Unternehmen wie religiöse Bildung in dem Maße »unmöglich« werden muss, wie sich die Auffassung von der Unteilbarkeit religiöser »Real«-Erfahrungen verfestigt. Denn bildnerisch motivierte Formen religiöser Kommunikation scheinen dann von vornherein keinen Sinn mehr zu haben. Was nämlich könnte dann noch ihr Gegenstand, was ihr Anliegen sein?

Dies heißt aber nicht, dass Reichs Überlegungen etwa religionspädagogisch bedeutungslos wären. Zwar ist der dem Religiösen von Reich zugemessene »Raum« (eigentlich müsste man besser von einem »Grat« sprechen) noch geringer als bei Koch. Anders als bei diesem aber findet sich bei Reich ein ausgeprägtes Verständnis für die Unableitbarkeit der religiösen Erfahrung (wohingegen für Koch Religion nur ein Epiphänomen der Moral darstellt). Nicht von ungefähr ergeben sich von Reichs Verständnis des »Realen« her eine Reihe interessanter Anknüpfungspunkte an den theologischen Diskurs – etwa an die Tradition mystischer Theologie, an die Tradition negativer Theologie oder auch an die Tradition der Dialektischen Theologie. In all diesen Ansätzen zeigt sich, dass sich die Theologie der Gefahr unbedachter Hypostasierungen des Unverfügbaren selbst durchaus bewusst sein kann – ohne aber damit von der Möglichkeit positiver Theologie und in Konfessionen verdichteter Gotteserkenntnis ganz Abstand zu nehmen. Vielleicht geht es eben gar nicht darum, sich der religiösen Dimension der Wirklichkeit gegenüber nicht-interpretativ bzw. a-konstruktiv zu verhalten, sondern »nur« darum, den Charakter von Konfessionen und positiven Bekenntnisinhalten neu zu verstehen (meinetwegen: in ihrem »konstruktiven Charakter«) und einen neuen Modus des pädagogischen und insbesondere bildnerischen Umgangs mit diesen Konfessionen zu finden

(z. B., wie es für den heutigen Religionsunterricht vielfach schon Praxis ist, als Frage- und Sprachschule).

Als zweites Beispiel für den Vorschlag, schulischen Religionsunterricht überkonfessionell anzulegen, sei der Beitrag von Wolfgang Nieke angeführt. Nieke weist darauf hin, dass es sich beim gegenwärtigen Status des (konfessionellen) Religionsunterrichts an (öffentlichen) Schulen um eine »kontinentaleuropäische Sonderentwicklung« (Nieke 197)handele, die »in einer sich pluralistisch verstehenden Demokratie« (Nieke 196) fragwürdig bzw. inkonsequent erscheine. Konsequenter sei die Lösung, die das Land Brandenburg mit seinem Fach »Lebenskunde-Ethik-Religionskunde« gewählt habe: einem Pflichtfach für alle Schüler, das, was die religiösen Anteile anbelangt, auf religionswissenschaftlicher Grundlage arbeitet. In Weiterführung dieses Grundkonzepts skizziert Nieke die inhaltlichen Strukturen eines schulischen Orientierungsfeldes »Weltorientierung«. Dieses Feld sieht er durch eine zweifache Systematik bestimmt: erstens durch eine Systematik möglicher Weltbilder (vgl. Nieke 204 ff.) und zweitens durch eine Systematik unterschiedlicher weltanschaulicher Reflexionsniveaus (vgl. Nieke 206 ff.).

Dieser Vorschlag stellt eine gute kartographische Hilfe zur Vermessung des weiten Feldes »Weltorientierung« dar. Im Lichte des Erkenntnisstandes der Theologie der Religionen erscheint es allerdings zweifelhaft, ob die hier unterstellte Möglichkeit einer religiösen Komparatistik so problemlos einlösbar ist, wie Nieke dies offenbar meint. Dazu kommt die Frage, ob eine derartige schulische Weltorientierung mit der weltanschaulichen Neutralitätspflicht des Staates vereinbar ist, eine Problematik die Nieke selbst sieht (vgl. Nieke 201 f.). Dass er trotz dieser Probleme für eine religionswissenschaftlich fundierte, »neutrale« Lösung weltanschaulicher Orientierung plädiert, hat vielleicht auch damit zu tun, dass er diese gegen ein Bild des konfessionellen Religionsunterrichts absetzt, das der Realität kaum mehr entspricht. Denn in seiner Praxis zielt auch der konfessionelle Religionsunterricht nicht mehr auf »die einfache Übernahme von Lebensentwürfen« (vgl. Nieke 200) und deren Einordnung in eine vorgegebene Weltorientierung ab. Man sehe sich dazu etwa die neuesten Religionslehrer-Befragungen an, die, sowohl für den katholischen wie für den evangelischen Religionsunterricht deutlich machen: Es geht im Religionsunterricht heute eben nicht mehr um die Vermittlung eines vorgegebenen religiösen Überzeugungssystems, sondern um ein Angebot zur Auseinandersetzung mit religiösen Traditionen und zu einer »persönlich-autonomen *Anverwandlung*« dessen, was aus diesen Traditionen für die eigene Sinnsuche und Lebensorientierung hilfreich erscheint (vgl. Feige/Tzscheetzsch 2005, 169). Insofern leistet die gegenwärtige Form konfessionellen Religionsunterricht faktisch vieles von dem, was Nieke ein sehr berechtigtes Anliegen ist (z. B. zur weltanschaulichen Entscheidungsfindung zu befähigen).

Einen deutlich anderen Ansatz als die allgemeinpädagogische »Mehrheits-fraktion« hat Volker Ladenthin. Während es zum Beispiel bei Koch darum geht, die Grenzen der Religion von der Vernunft aus zu bestimmen, geht es Laden-thin eher umgekehrt darum, die Grenzen bewusst zu machen, die der Vernunft mit dem Faktum der Endlichkeit gesetzt sind. Die Auseinandersetzung mit die-sen Grenzen fasst Ladenthin noch als ein Gebot der Vernunft selbst auf, so dass die Vernunft aus dieser Sicht ihre eigene Selbsttranszendierung (in die »Religi-on«) hinein gebietet. An diesem Punkt stellt sich allerdings wieder die Frage, inwiefern noch als vernünftig gelten kann, was an religiösen Deutungsmustern *jenseits* der »Grenzen der bloßen Vernunft« anzutreffen ist. Immerhin gibt es, wie Ladenthin deutlich macht, auch im Bereich der Religion bestimmte Regeln dafür, wann »gedankliche Selbsttätigkeit misslungen oder gelungen ist« (Laden-thin 116). Diese Regeln könnten sich aber immer nur im Kontext von Kon-fessionen konstituieren, weshalb gelte: »Religiöses Denken ist immer nur kon-fessionell möglich« (Ladenthin 121).

Die Idee, Religion konfessionsübergreifend zum Gegenstand eines Unter-richts zu machen, etwa im Sinne einer neutralen Religionskunde, wäre von La-denthins Überlegungen her somit zurückzuweisen. Aus seiner Sicht ist Religi-onsunterricht vielmehr nur sinnvoll denkbar als auf eine konkrete religiöse Tradition bzw. eine konkrete Konfession bezogenes Lehr-Lern-Geschehen. Das eröffnet jenes inhaltlich weite Feld, wie es für den gegenwärtig in Deutschland praktizierten Religionsunterricht charakteristisch ist. Auch Ladenthins Ansatz wirft allerdings Fragen auf, vor allem: Wie könnte in Anbetracht des prinzipiell konfessionsgebundenen Charakters religiösen Denkens dann so etwas wie in-terreligiöse Verständigung möglich sein? Oder, noch einmal anders: Wie soll die Vernunft einer Konfession von außerhalb ihrer selbst noch zu beurteilen sein, wenn die Maßstäbe dieser Beurteilung keine anderen sein können als die von der Konfession selbst konstituierten?

5. Ansatzpunkte für die Begründung religiöser Bildungsperspektiven

Lehrpläne enthalten stets auch fachliche und überfachliche Zielperspektiven. Die Begründungsansprüche an solche Zielperspektiven sind im Laufe der Zeit gestiegen. So wurde die Geltung pädagogischer Ziele von ihrer faktischen sozia-len Akzeptanz deutlicher unterschieden. Geltungsansprüche wurden formali-siert. Mollenhauer etwa hatte die Begründungsfrage auf die sehr grundsätzliche Ebene eines fast voraussetzungslos gedachten Diskurses zu heben versucht (vgl. Mollenhauer 1976); aus dieser Perspektive war das faktisch vorfindliche Ge-wicht einer Tradition natürlich kein zwingender Grund mehr für deren Aufnahme in den Lehrplan. Den gestiegenen Ansprüchen an die Legitimation pädagogischer Intentionen konnte die überkommene »Weltanschauungspädagogik«, wie Christoph Lüth in Erinnerung bringt, nicht mehr genügen (vgl. Lüth 47 f.). Welche Ansatzpunkte für die Begründung religiöser Bildungsperspektiven können aus allgemeinpädagogischer Sicht nun noch in Frage kommen?

Annette Scheunpflug spricht gleich zwei mögliche Konzepte an. Zum einen verweist sie auf die durch die Entstehung einer Weltgesellschaft aufkommenden neuen Problemlagen. Sie macht deutlich, wie Religion dadurch wieder verstärkt auf die Agenda gesetzt wird: durch die religiösen Implikationen politischer Konflikte, durch die Probleme im Umgang mit gesteigerter Ungewissheit, durch die Herausforderungen religiöser Pluralität (vgl. Scheunpflug 78 ff.). Religiöse Fragen und Auseinandersetzungen erweisen sich so gesehen als ein integrierter Bestandteil gesellschaftlicher Schlüsselprobleme. Religiöse Bildungsziele, die sich von daher begründen ließen, wären etwa »religiöse Alphabetisierung« (als eine Voraussetzung kultureller Partizipationsfähigkeit) oder auch die Entwicklung (inter)religiöser Sprachfähigkeit. Eine solche Orientierung an Schlüsselproblemen ist nach wie vor ein interessanter Ansatz für die Begründung schulischer und speziell auch religionsunterrichtlicher Bildungsintentionen. Allerdings gibt es auch einige Kritik an seiner pädagogischen und religionspädagogischen Tauglichkeit (vgl. z. B. Tzscheetzsch 1999).

Zum anderen bezieht sich Scheunpflug auf ein kompetenzorientiertes Begründungsmodell. Im Unterschied zu einer Orientierung an fachübergreifenden Schlüsselproblemen ist dieses eher domänen- bzw. fachorientiert. Scheunpflug verweist auf eine von Söling/Voland getroffene Unterscheidung, wonach von vier für Religion kennzeichnenden Dimensionen ausgegangen werden könne: der Mystik, der Ethik, dem Mythos und dem Ritual (vgl. Scheunpflug 84). Alle vier Bereiche erfüllten eine spezifische Funktion für die Anpassung des Menschen an seine Umwelt: die Mystik helfe ihm Kontingenzen zu bewältigen, die Ethik soziale Kooperationen einzugehen, der Mythos kollektive Identitäten aufzubauen usw. Scheunpflug stellt so heraus, dass der Beitrag der Religion zur menschlichen Kompetenzentwicklung von einer weit über ihren eigenen Bereich hinausreichenden Bedeutung ist. Das ist ein aus meiner Sicht höchst interessanter und weiterführender Ansatz. Zudem weist er deutliche Anknüpfungspunkte sowohl zu älteren Lehrplan-Strukturen auf (wo man Glaubenslehre, Bibel, Ethik und Liturgie unterschied) als auch zu in der Religionspädagogik gängigen Modellen zur Dimensionierung von Religiosität (vgl. z. B. Hemel 1986, 54 ff.).

Beide von Scheunpflug angesprochenen Ansätze zur Begründung religiöser Bildungsperspektiven, also sowohl der Ansatz bei überfachlichen Schlüsselproblemen als auch der Ansatz bei fachlichen Kompetenzen, sind nicht an die

Aneignung der materialen Gehalte einer bestimmten religiösen Tradition gebunden. Die Perspektiven haben insofern eher den Charakter formaler Bildungsziele. Sie liegen damit auf der Linie einer Entwicklung, die in der Religionspädagogik selbst zu beobachten ist. Denn auch hier wurde versucht, religionspädagogische Intentionen mehr und mehr zu formalisieren. Als große Hilfe erwiesen sich dabei Stufentheorien des Piaget'schen Typs, auf deren Grundlage sich religiöse Entwicklung weitgehend unabhängig von der Adaption einer bestimmten Glaubenstradition konzeptualisieren lässt. In jüngster Zeit nun versucht man formale Entwicklungsziele bzw. Kompetenzen wieder stärker an die Arbeit an einer bestimmten religiösen Tradition zurück zu binden – insbesondere bei der Formulierung fachlicher Bildungsstandards (vgl. z. B. Die deutschen Bischöfe 2004).

Wo man mit Kompetenzmodellen arbeitet, sollte allerdings Beachtung finden, worauf Wolfgang Nieke aufmerksam macht: dass nämlich auch diese Modelle normative Implikationen haben; diese würden heute jedoch, anders noch als bei ihrem »Erfinder«, Heinrich Roth, der seinem Modell die Leitvorstellung eines mündigen Subjekts zugrundelegte, nicht mehr ausgewiesen (vgl. Nieke 195 f.). So muss man sich an das halten, was die meisten der heute in Umlauf befindlichen Kompetenzmodelle faktisch bestimmt – und dabei »scheinen eher die Außenanforderungen der übermächtig gewordenen Wirtschaftssphäre« (Nieke 196) zu dominieren. Die Marginalisierung des Faches »Religionslehre« könne von daher nicht verwundern. Dies wirft die Frage auf, wie ein Menschenbild beschrieben werden könnte, das so etwas wie eine »religiöse Kompetenz« als ein wesentliches Moment menschlichen Ganz-Sein-Könnens enthält – und das geeignet wäre, heutigen Kompetenzmodellen als Grundlage zu dienen. Ob das von Scheunpflug skizzierte »evolutionäre Menschenbild« (vgl. Scheunpflug 84 f.) hier weiterhelfen kann, wäre einer eingehenderen Erörterung wert.

Nachwort

Zur Bedeutung der Pädagogik für die Theologie

Ulrich Schwab

Die in diesem Band enthaltenen Beiträge von Erziehungswissenschaftlern und Religionspädagogen versuchen auf je eigenständige Weise eine Antwort auf die Frage zu finden, ob und wenn ja welche Rolle die Religion als Dimension menschlicher Praxis in der Allgemeinen Pädagogik heute spielen kann. Allen Beiträgen gemeinsam ist dabei die Wahrnehmung, dass wir heute in einer plural verfassten Gesellschaft leben. Die heute entwickelten Sinnkonstrukte sind vielfältig und lassen sich nicht mehr einer einzelnen Tradition zuordnen. Das hat für den Bereich des Religiösen zur Folge, dass von einer vorgängig verfassten Dominanz einer konkreten Religion heute nicht mehr gesprochen werden kann.

Dieser Befund trifft aber grundsätzlich nicht erst für unsere Gegenwart zu, sondern ist Kennzeichen der europäischen Neuzeit mindestens seit den Konfessionskriegen im 17. Jahrhundert. Religion verbindet nicht nur, sondern trennt verschiedene Gruppen in der Gesellschaft. Auch wenn sich konfessionelle Milieus nicht mehr so explizit zeigen, wie das noch in der ersten Hälfte des 20. Jahrhunderts gegolten hat, so sind die mit unterschiedlichen Frömmigkeitsstilen verbundenen Fremdheitserfahrungen doch auch noch innerhalb des Christentums spürbar und werden spätestens dann manifest, wenn es z. B. um die Rolle des Islam in unserer Gesellschaft geht. Religiöse Vorurteile, die in unserem Land lange das Verhältnis zwischen den großen christlichen Konfessionen geprägt hatten, werden heute gerne auf den Islam übertragen.

Die religiöse Differenz ist der europäischen Geschichte nicht fremd, führte doch die Christianisierung Europas im frühen Mittelalter zwar zur Dominanz einer sich mit der römisch-katholischen Kirche verbundenen Herrschaftsschicht, nicht jedoch zur durchgehend konform gestalteten christlichen Frömmigkeitspraxis der Menschen. Der in der Scholastik systematisch ausgearbeiteten dogmatischen Lehrtradition stand vielmehr im zähen Widerstand eine synkretistisch aus keltischen, germanischen, jüdischen und christlichen Religionselementen zusammengesetzte Frömmigkeitspraxis gegenüber. Wie schon die Stellung der Juden in der europäischen Geschichte zeigt, war die Vorstellung einer in sich homogenen Frömmigkeitspraxis für den europäischen Raum ein ideologisches Herrschafts-Konzept, welche die Existenz unterschiedlicher religiöser Stile ausblendete. Und statt religiöser Toleranz etablierte sich in der europäischen Geschichte eher das Pogrom oder gar der »Heilige Krieg« gegen Andersgläubige. Der Kampf gegen religiöse Minderheiten wurde seit dem 17. Jahrhundert zu einem der maßgeblichen Gründe, warum Menschen in großer Zahl aus Europa auswanderten. Kirchliche Strukturen waren lange auch zugleich politische Herrschaftsstrukturen. Nach einem langen Anlaufweg geschieht es dann erst im 20. Jahrhundert, dass die strukturelle Verknüpfung von Thron und Altar, Staat und Kirche, aufgegeben wird.

Dass die Pädagogik in Deutschland seit Ende des 18. Jahrhunderts allmählich eine eigenständige akademische Disziplin wurde, hat mit einer Neubestimmung dieser politischen Rolle von Religion und Kirche zu tun. Erziehungsfragen – und hier vor allem die Lehrerbildung – wurden nun verstärkt nicht mehr als kirchliche, sondern als eine gesellschaftliche Aufgabe erkannt – etwas, was Luther ja schon im 16. Jahrhundert gefordert hatte (Luther 1524). Freilich blieb die Pädagogik – nicht nur in ihren konfessionellen Spielarten – noch lange intensiv theologischen Diskursen verhaftet, bis sie im Zuge der realistischen Wendung in den 60er Jahren auf breiter Front zu einer eigenständigen Form fand. Interdisziplinäre Verknüpfungen, etwa mit Soziologie, Psychologie, aber auch Wissenschaftstheorie und Philosophie, bleiben dabei für die Pädagogik unerlässlich. In welcher Weise heute auch eine notwendige Verknüpfung im Hinblick auf Religion und Theologie für die Pädagogik ausgesagt werden kann, haben die vorliegenden Beiträge in konstruktiver Weise diskutiert. Hier soll es nun abschließend noch darum gehen, welchen Gewinn die Theologie aus einer Verknüpfung mit der Pädagogik gewinnen kann. Dabei steht im folgenden weniger die Frage nach der Vermittlung von Inhalten im Vordergrund, an die man als erstes denken mag, wenn bestimmt werden soll, worin die Theologie von der Pädagogik profitieren könnte. Hier soll es aber stärker um den Kontext der Theoriebildung gehen. Welche Denkanstöße bietet die Pädagogik als eine Theorie der Erziehung und Bildung der Theologie als reflexiver Gestalt des Glaubens an? Das kann ich an dieser Stelle im einzelnen nicht entfalten, sondern nur benennen mit der Absicht, damit einen möglichen zukünftigen Gesprächsfaden anzudeuten. Ich schreibe dabei als jemand, der sowohl Evangelische Theologie als auch Pädagogik studiert hat und beruflich als Religionspädagoge nun in der Tat auf der Schnittstelle zwischen Theologie und Pädagogik arbeitet.

Das Verständnis vom Menschen

Lange galt es in der Pädagogik als ausgemacht, dass sie eine anthropologische Fundierung brauche. Dabei entwickelten sich die »Wege pädagogischer Anthropologie« (Flitner 1963) zusehends weg von rein philosophischen Bestimmungen hin zu einer Theorie, die bemüht ist, empirische Einzelaussagen über den Menschen zu einem stimmigen Ganzen aus der Perspektive der Erziehung zusammenzufügen. Mein pädagogischer Lehrer Hans Scheuerl hat in einer immer noch lesenswerten Monographie (Scheuerl 1982) die historische Entwicklung solcher Bilder vom Menschen aufgezeigt, die von der Antike bis zur Gegenwart im Zusammenhang mit pädagogischen Fragestellungen entstanden sind. Anders als bis in die 6oer Jahre hinein geht die Pädagogik dabei heute nicht mehr davon aus, dass es »die« pädagogische Anthropologie mit »dem« Bild vom Menschen schlechthin gäbe. Vielmehr wird bei Scheuerl gezeigt, wie eine bestimmte gesellschaftliche Praxis ein bestimmtes Bild vom Menschen hervorbringt und idealisiert, das dann unmittelbar Einfluss nimmt auch auf das Verständnis von Erziehung.

Es gehört m. E. auch heute noch zur ideologiekritischen Aufgabe einer Pädagogik als Wissenschaft dazu, sich diese »Leit-Bilder« bewusst zu machen, damit sie reflektierbar werden und nicht unbewusst immer schon ihre Wirkung im Geschäft der Erziehung ausüben. Ein entscheidender Impuls pädagogischer Anthropologie liegt in der Erkenntnis von der Entwicklung des Menschen, die einer erzieherischen Begleitung bedarf. Der Mensch ist von der Geburt bis zu seinem Tode nicht einfach »fertig«, sondern steht in einem Entwicklungsprozess, der wesentlich zu seinem Menschsein mit hinzu gehört. Für diesen Entwicklungsprozess braucht er Anregungen und Hilfestellungen. Es war Rousseau, der darauf hingewiesen hat, dass dabei nicht erst der Erwachsene in vollgültigem Sinne Mensch ist, sondern jedes Lebensalter – und deshalb auch schon das Kind – das volle Menschsein in sich umfasst (Rousseau).

Auch für die Theologie ist das Bild vom Menschen eine zentrale Angelegenheit. Der Mensch erscheint in der jüdisch-christlichen Theologie als Geschöpf Gottes, welches durch den Sündenfall aus Gottes Nähe herausgefallen und nun durch das erlösende Handeln Gottes im Kommen des Messias einer Heilung zugeführt wird. Christliche Theologie lehrt, dass dieser Messias in der Gestalt Jesus von Nazareth in die Welt gekommen ist. Für die theologische Anthropologie ist dabei von besonderer Bedeutung, dass der Mensch als Sünder vor Gott steht, sich aber doch zugleich als von Gott geliebt erfahren kann. Erlösung ist möglich im Glauben.

Die Theologie hat dabei grundsätzlich »den Menschen an sich« im Auge gehabt – und ihn dabei in der Regel als männlich und als erwachsen gesetzt (vgl. z. B. die Anthropologie eines Thomas v. Aquin). Durch die pädagogische Anthropologie kommt hier nun ein neuer wichtiger Wesenszug hinzu: der Mensch wird nicht mehr nur als Erwachsener gesehen, sondern als Mensch, der in geschlechtsspezifischer Weise verschiedene Lebensalter durchläuft und darin stets auf Entwicklung hin angelegt ist – was die Pädagogik anthropologisch als »Bildsamkeit« des Menschen thematisiert. Die Wandelbarkeit des Menschen, sein

Angewiesensein auf Hilfe, seine Verletzlichkeit, seine Schwachheit und Hilflosigkeit, aber auch seine Veränderbarkeit, seine Kreativität, seine Entfaltungsmöglichkeiten und sein Erfindungsgeist tragen wesentlich zu einem differenzierteren Bild vom Menschen in der Theologie bei. Und die pädagogische Anthropologie kann in hervorragender Weise deutlich machen, dass der Mensch als Teil der Schöpfung auch auf seine Umwelt angewiesen ist. Kein Mensch kann sich entfalten ohne erzieherische Hilfe, ohne das Hineinwachsen in vorgegebene Traditionen und Kulturzusammenhänge, die er gleichermaßen aufnehmen aber auch weiterentwickeln kann und muss. Was es konkret bedeutet, dass der Mensch ein soziales Wesen ist, welches ohne Kontakt zu anderen Menschen nicht zur eigenen Entfaltung gelangen kann, ist durch die Pädagogik in vielfältiger Weise herausgearbeitet worden – und führt in der Theologie zu einem neuen Verständnis vom Menschen als Teil der Schöpfung, auf die er angewiesen bleibt und für die er auch deshalb Verantwortung trägt.

Das Verständnis von der Zukunft

Die Pädagogik thematisiert in besonderer Weise das Thema Zukunft. Schleiermacher hatte in seiner Vorlesung zur Theorie der Erziehung im Jahre 1826 als pädagogische Ausgangsfrage formuliert: »Was will denn eigentlich die ältere Generation mit der jüngeren?« (Schleiermacher 1826, S. 38) – und darin die Frage nach der konkreten zukünftigen Entwicklung eines Gemeinwesens auf den Tisch gelegt. Zukunft wird hier nicht nur geschichtstheologisch oder eschatologisch abstrakt formuliert, sondern im Kontext des Generationenverhältnisses konkret bedacht. Dabei wird in der Pädagogik deutlich, dass die zukünftige Entwicklung auch in Verantwortung gegenüber den nachwachsenden Generationen zu gestalten ist. Luthers Mahnruf von 1524 an die Bürgermeister und Ratsherren aller deutschen Städten zielte schon auf diese Verantwortung, wenn er schrieb: »Darum wills hie dem Rat und der Obrigkeit gebühren, die allergrößte Sorge und Fleiß aufs junge Volk zu haben. Denn weil der ganzen Stadt, Gut, Ehr, Leib und Leben ihnen zu treuer Hand befohlen ist, so täten sie nicht redlich vor Gott und der Welt, wo sie der Stadt Gedeihen und Besserung nicht suchten, mit allem Vermögen Tag und Nacht. Nun liegt einer Stadt Gedeihen nicht alleine darin, dass man große Schätze sammle, feste Mauern, schöne Häuser, viel Büchsen und Harnisch zeuge; ... sondern das ist einer Stadt bestes und allerreichstes Gedeihen, Heil und Kraft, dass sie viel feiner, gelehrter, vernünftiger, ehrbarer, wohlgezogener Bürger hat ...« (Luther 1524, S. 89)

Zukunft, so kann die Pädagogik lehren, ist konkret die Zukunft unserer Kinder und deren Kinder, denen gegenüber wir verantwortlich sind. Die Frage nach der Gestaltung dieser konkreten Zukunft ist unmittelbar mit der Reflexion des Erziehungsgeschehens verknüpft. Die Theologie gewinnt dadurch eine konkrete Zukunftsperspektive, die sich nicht zuletzt auf die (zukünftige) Gestalt von Kirche selbst zu beziehen hat. So hatte z.B. die 8. Synode der EKD 1994 in Halle das Thema »Aufwachsen in schwieriger Zeit – Kinder in Gemeinde und Gesellschaft« gewählt. Die zukünftige Entwicklung von Kirche wurde hier formuliert aus der Perspektive der nachwachsenden Generation. In diesem Zusammenhang wurden Prüfsteine für die Kinderfreundlichkeit einer Gemeinde aufgestellt und den Kirchen als Richtschnur für ihre zukünftige Entwicklung an die Hand gegeben. Darin heißt es unter anderem:

– Werden die kirchlichen Angebote für Kinder ihren Bedürfnissen und den immer komplexer werdenden Lebenszusammenhängen gerecht?
– Sind die Räume offen für Kinder und eingerichtet nach den Bedürfnissen der Kinder?
– Gibt es in unserer Kirchengemeinde Personen, die als Anwälte für Kinder deren Interessen in der Gemeinde vertreten?

Aus der Perspektive einer konkreten Zukunft der Kinder in der Kirche entstehen so neue Bilder von Kirche und Gemeinde, die für die konkrete Praxis kirchlichen Handelns unerlässlich sind.

Das Thema Bildung als Schnittstelle von Theologie und Pädagogik

Pädagogik und Theologie treffen sich aber wohl nirgends so sehr wie in der Bildungsfrage. Die Evangelische Theologie hat seit den Tagen der Reformation darauf Wert gelegt, dass Bildung auch eine bedeutsame theologische Kategorie ist. Der Begriff selber stammt ja aus der Deutschen Mystik und meint hier das sich Einbilden Gottes in die menschliche Natur. Für die Reformatoren war nun wichtig, dass jeder Christ in die Lage versetzt wird, sich selbständig mit den biblischen Zeugnissen des christlichen Glaubens auseinander zu setzen.

Bildungsfragen gehören wesentlich zur Vermittlung des Glaubens mit hinzu. Das hat die Reformation genauso betont wie auf katholischer Seite dann auch die Gegenreformation. Dies gilt nicht nur in Bezug auf religiöse Erziehung, sondern gerade auch in Bezug auf allgemeine Ausbildungsfragen, weil damit berührt ist, wie wir in dieser Gesellschaft miteinander leben wollen. Damit sind nicht zuletzt auch sozialethische Gesichtspunkte angesprochen, die allemal auch vom Evangelium her bedacht sein wollen. Es kann uns nicht gleichgültig sein, wie in unserer Gesellschaft Bildung organisiert und durchgeführt wird, sondern Bildungsfragen gehören zu den Lebensfragen einer jeden Zeit mit hinzu (EKD 2004). Es kann uns nicht gleichgültig sein, welche Sinnkontexte mit

Bildung erschlossen werden sollen, sondern hier haben wir vom Evangelium her an allen Orten, an denen Bildung geschieht, Position zu beziehen. Wer das Evangelium in seinem Anspruch ernst nehmen will, muss diese Fragen mit bedenken. Freilich wird dies ohne die Pädagogik nicht möglich sein, die Bildung wiederum konkret für die Zeit im Schnittpunkt der Entwicklung des Individuums und der Bedürfnisse einer Gesellschaft zu profilieren versucht.

All diese Fragen wären im Einzelnen im Gespräch zwischen Pädagogik und Theologie weiter zu denken. Für die Theologie möchte ich dabei behaupten, dass sie für ihr ureigentliches Anliegen, die Weitergabe und Explikation des Evangeliums, auf das Gespräch mit der Pädagogik nicht verzichten kann.

Literatur

Adam, G./Schweitzer, F. (1969), Ethisch erziehen in der Schule, Göttingen.
Appadurai, A. (1992), Disjuncture and Difference in the Global Culture Economy, in: Featerstone, M., Global Culture: Nationalism, Globalization and Modernity, London, 295-310.
Asbrand, B. (2000), Zusammen Leben und Lernen im Religionsunterricht, Frankfurt/Main.
Baader, M. S. (2005), Erziehung als Erlösung. Transformationen des Religiösen in der Reformpädagogik, Weinheim/München.
Ballauff, T. (^{3}2000), Pädagogik als Bildungslehre. (Weitergearbeitete Auflage aus dem Nachlass. Hrsg. von A. Poenitsch und J. Ruhloff), Hohengehren.
– (^{3}1970), Systematische Pädagogik, Heidelberg.
Bauman, Z. (1995), Postmoderne Ethik, Hamburg.
– (1999), Unbehagen in der Postmoderne, Hamburg.
Baumann, U./Treml, A. K. (1990), Schöpfung oder Evolution? Ethische Konsequenzen eines Paradigmenwechsels, in: Preul, R./Scheilke, C./Schweitzer, F./Treml, A. (Hg.), Bildung – Glaube – Aufklärung. Zur Wiedergewinnung des Bildungsbegriffs in Pädagogik und Theologie, Münster, 141-155.
Baumert, J. u.a. (2000), PISA 2000. Basiskompetenzen von Schülern und Schülerinnen im internationalen Vergleich, Opladen.
Beck, U. (1997), Was ist Globalisierung? Irrtümer des Globalismus – Antworten auf Globalisierung, Frankfurt/M.
Benner, D. (1985), Was heißt: Durch Unterricht erziehen? In: Zeitschrift f. Pädagogik 31.
– (1987), Allgemeine Pädagogik, Weinheim/München.
– (1993), Systematische Pädagogik – die Pädagogik und ihre wissenschaftliche Begründung, in: Borrelli, M. (Hg.), Deutsche Gegenwartspädagogik. Band 1, Baltmannsweiler, 43-58.
– (^{4}2001), Allgemeine Pädagogik. Eine systematisch-problemgeschichtliche Einführung in die Grundstruktur pädagogischen Denkens und Handelns, Weinheim.
– (2002), Bildung und Religion. Überlegungen zu einem problematischen Verhältnis und zu den Aufgaben eines öffentlichen Religionsunterrichts heute, in: Battke, A./Fitzner, T./Isak, R./Lochmann, U. (Hg.), Schulentwicklung – Religion – Religionsunterricht. Profil und Chance von Religion in der Schule der Zukunft, Freiburg i. Br., 51-70.
– (2004), Erziehung-Religion, Pädagogik-Theologie, Erziehungswissenschaft-Religionswissenschaft, in: Groß, E. (Hg.), Erziehungswissenschaft, Religion und Religionspädagogik, Münster, 9-50.
Benner, D./Heitger, M. (1993), Zur Bedeutung von Religion für die Bildung, in: Schneider, J. (Hg.), Bildung und Religion, Münster, 99-113.

Benner, D./Oelkers, J. (Hg.) (2004), Historisches Wörterbuch der Pädagogik, Weinheim/Basel.

Berger, A. (2002), Bildung und Ganzheit, Frankfurt/M.

Berger, P. L. (1999), The Desecularization of the World: A global overview, in: Ders. (Hg.), The Desecularization of the World, Grant Rapids.

Biehl, P./Nipkow, K. E. (2003), Bildung und Bildungspolitik in theologischer Perspektive, Münster.

Biesinger, A./Hänle, J. (Hg.) (1997), Gott – mehr als Ethik. Der Streit um LER und Religionsunterricht, Freiburg/Br.

Bitter, G. (1995), Religionsunterricht als Aufklärung und Diakonie, in: Göllner, R./Trocholepczy, B. (Hg.), Religion in der Schule?, Freiburg, 187-204.

Bitter, G. u. a. (Hg.) (2002), Neues Handbuch religionspädagogischer Grundbegriffe, München.

Böhm, W. (1992), Was heißt: christlich erziehen? Fragen – Anstöße – Orientierungen, Würzburg.

Brinkmann, W./Petersen, J. (Hg.) (1998), Theorien und Modelle der Allgemeinen Pädagogik, Donauwörth.

Brinton, C. (1951), Ideas and Men, London.

Brumlik, M. (1992), Die Gnostiker. Der Traum von der Selbsterlösung des Menschen, Frankfurt/M.

– (2001), Vernunft und Offenbarung. Religionsphilosophische Versuche, Berlin/Wien.

– (2002), Bildung und Glück. Versuch einer Theorie der Tugenden, Berlin/Wien.

Bucher, A. A. (2000), Religionsunterricht zwischen Lernfach und Lebenshilfe, Stuttgart.

Burckhart, H./Reich, K. (2000), Begründung von Moral. Diskursethik versus Konstruktivismus – eine Streitschrift, Würzburg.

Büttner, G./Veit-Jakobus, D. (2004), Religion als Unterricht. Ein Kompendium, Göttingen.

Castells, M. (2002), Das Informationszeitalter: Wirtschaft, Gesellschaft, Kultur. 3 Bände, Opladen.

Cloer, E. (1998), Theoretische Pädagogik in der DDR. Eine Bilanzierung von außen, Weinheim.

Comenius, J. A. (²1965), Pampaedia. Lateinischer Text und deutsche Übersetzung. (Nach der Handschrift. Hrsg. von D. Tschizewskij in Gemeinschaft mit H. Geissler und K. Schaller), Heidelberg.

Comenius-Institut (Hg.) (1993), Religion in der Lebensgeschichte. Interpretative Zugänge am Beispiel der Margret E., Gütersloh.

Cusanus (1964-1977), De docta ignorantia I-III. Die belehrte Unwissenheit, lateinisch-deutsch. (Hrsg. und übersetzt von P. Wilpert), Hamburg.

Davie, G. (2000), Religion in Modern Europe. A Memory mutates, Oxford.

– (2002), Europe: The Exceptional Case. Parameters of Faith in the Modern World, London.

Der Religionsunterricht in der Schule. Beschluss der Gemeinsamen Synode der Bistümer in der Bundesrepublik Deutschland, in: Bertsch, L. u. a. (Hg.) (1976), Gemeinsame Synode der Bistümer in der Bundesrepublik Deutschland. Offizielle Gesamtausgabe I, Freiburg i. Br., 123-152.

Deutsche Shell (2000), Jugend 2000. 13. Shell-Jugendstudie, Opladen.

Deutsches PISA-Konsortium (Hg.) (2001), PISA 2000. Basiskompetenzen von Schülerinnen und Schülern im internationalen Vergleich, Opladen.

Dewey, J. (1989), A Common Faith, in: Boydston, J. A. (Hg.), John Dewey. The Later Works. 1925-1953. Vol. 4+9, Carbondale/Edwardsville.

Die deutschen Bischöfe (2004), Kirchliche Richtlinien zu Bildungsstandards für den katholischen Religionsunterricht in den Jahrgangsstufen 5-10/Sekundarstufe I (Mittlerer Schulabschluss), Bonn.

Dilthey, W. (1966), Gesammelte Schriften. Bd. XIV, 2, Stuttgart/Göttingen.

Dolch, J. (³1982), Lehrplan des Abendlandes. Zweieinhalb Jahrtausende seiner Geschichte, Darmstadt.

Dörpinghaus, A./Helmer, K./Herchert, G. (2004), Art. »Lehrplan«, in: Benner, D./ Oelkers, J. (Hg.), Historisches Wörterbuch der Pädagogik, Weinheim, 565-602.

Durkheim, E. (1963), L'éducation morale. Avertissement de Paul Fauconnet, Paris.

– (1984a), Die Regeln der soziologischen Methode (Hrsg. und eingeleitet von R. König), Frankfurt/M.

– (1984b), Erziehung, Moral und Gesellschaft. Vorlesung an der Sorbonne 1902/ 1903. (Einleitung von P. Fauconnet, übersetzt von L. Schmidts), Frankfurt/M.

Dursch, G. M. (1851), Pädagogik oder Wissenschaft der christlichen Erziehung auf dem Standpunkte des katholischen Glaubens, Tübingen.

Ebbinghaus, J. (1990), Gesammelte Schriften. Band 3 (Hrsg. von H. Oberer), Bonn.

Edelstein, W. u. a. (2001), Lebensgestaltung – Ethik – Religionsunterricht. Zur Grundlegung eines neuen Schulfaches, Weinheim.

Eichler, W. (1999), Der Stein des Sisyphos. Studien zur allgemeinen Pädagogik in der DDR, Münster.

Einstein, A. (1934), Mein Weltbild, Amsterdam.

EKD (1994), Identität und Verständigung. Standort und Perspektiven des Religionsunterrichts in der Pluralität. Eine Denkschrift, Gütersloh.

– (2003), Maße des Menschlichen. Evangelische Perspektiven zur Bildung in der Wissens- und Lerngesellschaft. Eine Denkschrift, Gütersloh.

Ellul, J. (1954), La technique ou l'enjeu du siècle, Paris.

Elsenbast, V./Pithan, A./Schreiner, P./Schweitzer, F. (Hg.) (2004), Wissen klären – Bildung stärken. 50 Jahre Comenius-Institut, Münster u. a.

Erlinghagen, K. (Hg.) (1971), Erziehungswissenschaft und Konfessionalität, Frankfurt/M.

Esterhues, J. (1962), Allgemeine Pädagogik im Grundriss. Zur Einführung systematisch dargestellt, Paderborn.

Fehige, C. u. a. (Hg.) (2000), Der Sinn des Lebens, München.

Feige, A./Tzscheetzsch, W. (2005), Christlicher Religionsunterricht im religionsneutralen Staat?, Ostfildern.

Fischer, W. (1994), Die Religion in Kants Begründung der Pädagogik, in: Heitger, M./Wenger, A. (Hg.), Kanzel und Katheder. Zum Verhältnis von Religion und Pädagogik seit der Aufklärung, Paderborn u. a., 443-467.

Flitner, A. (Hg.), (1963), Wege zur pädagogischer Anthropologie, Heidelberg.

Flitner, W. (1950), Allgemeine Pädagogik, Frankfurt/Main.

– (1961), Europäische Gesittung. Ursprung und Aufbau abendländischer Lebensformen, Stuttgart.

Fuchs-Heinritz, W. (2000), Religion, in: Deutsche Shell (Hg.), Jugend 2000. Band 1, Opladen, 157-180.

Fuhr, T./Schultheis, K. (Hg.) (1999), Zur Sache der Pädagogik. Untersuchungen zum Gegenstand der allgemeinen Erziehungswissenschaft, Bad Heilbrunn.

Fuhrmann, M. (2002), Bildung. Europas kulturelle Identität, Stuttgart.

Gabriel, K. (²1993), Christentum zwischen Tradition und Postmoderne, Freiburg.

Gamm, H.-J. (1979), Allgemeine Pädagogik. Die Grundlagen von Erziehung und Bildung in der bürgerlichen Gesellschaft, Reinbek bei Hamburg.

Gehlen, A. (⁸1966), Der Mensch. Seine Natur und seine Stellung in der Welt, Frankfurt/M./Bonn.

Gehlen, M. (2003), Für die Minderheit. Die Deutschen wenden sich von der Religion ab. Und selbst Kardinal Lehmann sagt, dass die Kirche nicht mehr viel zu melden hat, in: Der Tagesspiegel vom 24.04.2003.

Gensicke, T. (2002), Individualität und Sicherheit in neuer Synthese? Wertorientierungen und gesellschaftliche Aktivität, in: Deutsche Shell (Hg.), Jugend 2002. Zwischen pragmatischem Idealismus und robustem Materialismus, Frankfurt/M., 139-268.

Giesecke, H. (1996), Sozialisation und Erziehung, in: Ders. (Hg.), Wozu ist die Schule da? Stuttgart, 25-34.

Görgens, S./Scheunpflug, A./Stojanov, K. (Hg.) (2001), Universalistische Moral und weltbürgerliche Erziehung. Die Herausforderung der Globalisierung im Horizont der modernen Evolutionsforschung, Frankfurt/M.

Graß, H. (1978), Einführung in die Theologie, Marburg.

Grethlein, C. (2005), Fachdidaktik Religion, Göttingen.

Groß, E. (Hg.) (2004), Erziehungswissenschaft, Religion und Religionspädagogik, Münster.

Guardini, R. (⁶1963), Grundlegung der Bildungslehre. Versuch einer Bestimmung des Pädagogisch-Eigentlichen, Würzburg.

Guntau, B. (2003), Die rechtliche Verfasstheit der Religion nach dem Grundgesetz, in: Ethik kontrovers, Jahrespublikation der Zeitschrift Ethik und Unterricht, 64-72.

Habermas, J. (1992), Nachmetaphysisches Denken, Frankfurt/M.

– (2001a), Glauben und Wissen (Friedenspreis des Deutschen Buchhandels 2001), Frankfurt/M.

– (2001b), Säkularisierung, die nicht vernichtet. Rede bei der Annahme des Friedenspreises des Deutschen Buchhandels am 14.10.2001, in: Die Tageszeitung vom 15.10.2001, 7.

– (2004), Vorpolitische moralische Grundlagen eines freiheitlichen Staates, in: Zur Debatte 3/2005 (Schriftenreihe der Katholischen Akademie Bayern).

– (2005), Die Grenze zwischen Glauben und Wissen. Zur Wirkungsgeschichte und aktuellen Bedeutung von Kants Religionsphilosophie, in: Ders., Zwischen Naturalismus und Religion, Frankfurt/M.

Habermas, J./Luhmann, N. (1971), Theorie der Gesellschaft oder Sozialtechnologie. Was leistet die Systemforschung?, Frankfurt/M.

Härle, W. (^{2}2000), Dogmatik, Berlin/New York.

Hartmann, D./Janich, P. (Hg.) (1996), Methodischer Kulturalismus. Zwischen Naturalismus und Postmoderne, Frankfurt/M.

– (1998), Die Kulturalistische Wende. Zur Orientierung des philosophischen Selbstverständnisses, Frankfurt/M.

Heinemann, H./Stachel, G./Vierzig, S. (1970), Lernziele und Religionsunterricht, Zürich.

Heitger, M. (1961), Pädagogik und Soziologie, in: Petzelt, A./Fischer, W./Heitger, M. (Hg.), Einführung in die pädagogische Fragestellung. Teil 1, Freiburg i. Br., 47-72.

– (1991), Braucht Bildung Religion? Braucht Religion Bildung?, in: Ders. (Hg.), Bildung zwischen Glaube und Wissen, Innsbruck/Wien, 89-112.

Heitmeyer, W./Müller, J./Schröder, H. (1997), Verlockender Fundamentalismus. Türkische Jugendliche in Deutschland, Frankfurt/M.

Hemel, U. (1986), Religonspädagogik im Kontext von Theologie und Kirche, Düsseldorf.

Hentig, H. von (1992), Glaube. Fluchten aus der Aufklärung, Düsseldorf.

– (1996): Bildung. Ein Essay, München.

Henz, H. (^{3}1971), Lehrbuch der Systematischen Pädagogik, Freiburg i. Br.

Herbart, J. F. (1964-1965), Pädagogische Schriften. 3 Bände. (Hrsg. von W. Asmus), Düsseldorf/München.

– (^{2}1982a) Über die ästhetische Darstellung der Welt als das Hauptgeschäft der Erziehung, in: Ders., Pädagogische Schriften. Erster Band. Kleinere pädagogische Schriften (Hrsg. von W. Asmus), Stuttgart.

– (^{2}1982b), Allgemeine Pädagogik aus dem Zweck der Erziehung abgeleitet, in: Ders., Pädagogische Schriften. Zweiter Band. Pädagogische Grundschriften (Hrsg. von W. Asmus), Stuttgart.

– (^{2}1982c), Umriß pädagogischer Vorlesungen, in: Ders., Pädagogische Schriften. Dritter Band. Pädagogisch-didaktische Schriften (Hrsg. von W. Asmus), Stuttgart.

– (^{6}1983), Allgemeine Pädagogik aus dem Zweck der Erziehung abgeleitet (Hrsg. von H. Holstein), Bochum.

Hervieu-Leger, D. (2000), Religion as a Chain of Memory, Cambridge/Oxford.

Hickman, L. A./Neubert, S./Reich, K. (Hg.) (2004), John Dewey – zwischen Pragmatismus und Konstruktivismus, Münster.

Hilgenheger, N. (1993), J. F. Herbarts ›Allgemeine Pädagogik‹ als praktische Überlegung. Eine argumentationsanalytische Interpretation, Münster.

Hoch, C. (2005), Zur Bedeutung des ›Pädagogischen Bezuges‹ von Herman Nohl für die Identitätsbildung von Jugendlichen in der Postmoderne, Würzburg.

Hof, C. (1991), Systemtheorie als Provokation für die Pädagogik, in: Pädagogische Rundschau, 45. Jg., 23-39.

Hopmann, St. (2000), Lehrplan des Abendlandes – Abschied von seiner Geschichte? Grundlinien der Entwicklung von Lehrplan und Lehrplanarbeit seit 1800, in:

Keck, R./Ch. Ritzi (Hg.), Geschichte und Gegenwart des Lehrplans, Baltmanns-weiler, 377-400

Horn, K.-P. (2003), Katholische Pädagogik vor der Moderne. Pädagogische Aus-einandersetzungen im Umfeld des Kulturkampfes in der zweiten Hälfte des 19. Jahrhunderts, in: Oelkers, J./Osterwalder, F./Tenorth, H.-E. (Hg.), Das ver-drängte Erbe. Pädagogik im Kontext von Religion und Theologie, Weinheim, 161-185.

Huber, W. (1998), Kirche in der Zeitenwende. Gesellschaftlicher Wandel und Er-neuerung der Kirche, Gütersloh.

Humboldt, W. von (²1969), Theorie der Bildung des Menschen, in: Ders., Werke in fünf Bänden (Hrsg. von A. Flitner und K. Giel). Band 1, Darmstadt, 234-240.

– (³1982), Theorie der Bildung des Menschen. Bruchstück, in: Ders., Werke in fünf Bänden (Hrsg. von A. Flitner und K. Giel). Band 1, Darmstadt, 234-240.

Hunt, S. J. (2002), Religion in Western Society, London.

Jaspers, K. (1956), Vom Ursprung und Ziel der Geschichte, Frankfurt/M./Ham-burg.

– (1962), Der philosophische Glaube angesichts der Offenbarung, München.

Kabisch, R. (⁵1920), Wie lehren wir Religion. Versuch einer Methodik des evangeli-schen Religionsunterrichts für alle Schulen auf psychologischer Grundlage, Göt-tingen.

Kant, I. (⁸1978), Die Religion innerhalb der Grenzen der bloßen Vernunft, Ham-burg.

Kaufmann, F.-X. (1979), Kirche begreifen. Analysen und Thesen zur gesellschaft-lichen Verfassung des Christentums, Freiburg i. Br.

Kaufmann, H. B./Lütgert, W./Schulze, T./Schweitzer, F. (Hg.) (1991), Kontinuität und Traditionsbrüche in der Pädagogik. Ein Gespräch zwischen den Generatio-nen, Weinheim/Basel.

Kerschensteiner, G. (⁸1953), Das Grundaxiom des Bildungsprozesses und seine Fol-gerung für die Schulorganisation, München/Düsseldorf.

Keupp, H. u. a. (1999), Identitätskonstruktionen. Das Patchwork der Identitäten in der Spätmoderne, Reinbek bei Hamburg.

Kirchenamt der EKD (2004), Maße des Menschlichen, Hannover.

Klafki, W. (1994), Grundzüge eines Allgemeinbildungskonzepts, in: Ders., Neue Studien zur Bildungstheorie und Didaktik. Zeitgemäße Allgemeinbildung und kritisch-konstruktive Didaktik, Weinheim, 43-81.

Koch, L. (2003), Kants ethische Didaktik, Würzburg.

Kött, A. (2003), Systemtheorie und Religion, Würzburg.

Krappmann, L./Scheilke, Chr. (Hg.) (2003), Religion in der Schule – für alle?!, Seel-ze-Velber.

Küng, H. (1990), Projekt Weltethos, München.

– (⁵1993), Projekt Weltethos, München.

Kues, N. von (1964), Die belehrte Unwissenheit. Buch I (Hrsg. von P. Wilpert), Hamburg.

Ladentin, V. (1993), Normative Pluralität. Zur Kritik der absoluten Relativität, in: Vierteljahrsschrift für wissenschaftliche Pädagogik 69, 145-158.

– (1998), Der Lehrer. Vom Grund der Bildung her betrachtet, in: Wenger-Hadwig, A. (Hg.), Der Lehrer – Hoffnungsträger oder Prügelknabe der Gesellschaft, Innsbruck/Wien, 24-53.

– (2003), Was ist ›Bildung‹? Systematische Überlegungen zu einem aktuellen Begriff, in: Evangelische Theologie 63, H. 4, 237-260.

Lähnemann, J. (1998), Evangelische Religionspädagogik in interreligiöser Perspektive, Göttingen.

Lambert, Y. (2004), A Turning Point in Religious Evolution in Europe, in: Journal of Contemporary Religion 19/1, 29-45.

Lassahn, R. (³1993), Grundriß einer Allgemeinen Pädagogik, Heidelberg.

Leicht, R. (2004), Störfaktor Religion. Ein freier Staat gewährt den Kirchen keine Privilegien, in: Die Zeit vom 07.04.2004.

Lenzen, D. (²2002), Orientierung Erziehungswissenschaft. Was sie kann, was sie will, Reinbek bei Hamburg.

Liszkowski, U./Carpenter, M./Henning, A./Striano, T./Tomasello, M. (2004), Twelve-Month-Olds Point to Share Attention and Interest. Max Planck Institute for Evolutionary Anthropology. Department of Developmental Psychology and Department of Cultural Ontogeny, Leipzig (am 10.01.04 unter: www.eva.mpg.de/ontogen/pdf/twelve_month_olds.pdf).

Litt, T. (1961), Mensch und Welt. Grundlinien einer Philosophie des Geistes, Heidelberg.

– (1962), Freiheit und Lebensordnung. Zur Philosophie und Pädagogik der Demokratie, Heidelberg.

– (⁵1968), Naturwissenschaft und Menschenbildung, Heidelberg.

Lott, J. (Hg.) (1992), Religion – warum und wozu in der Schule?, Weinheim.

Luhmann, N. (1970), Soziologische Aufklärung. Aufsätze zur Theorie sozialer Systeme, Opladen.

– (1975), Die Weltgesellschaft, in: Ders., Soziologische Aufklärung, Band 2, Opladen, 51-71.

– (1977), Funktion der Religion, Frankfurt/M.

– (1992), Die Wissenschaft der Gesellschaft, Frankfurt/M.

– (1995), Die Gesellschaft der Gesellschaft, Frankfurt/M.

– (2000), Die Religion der Gesellschaft, Frankfurt/M.

– (2002), Die Religion der Gesellschaft (Hrsg. von A. von Kieserling), Frankfurt/M.

Luther, M. (1962), An die Ratsherren aller Städte deutschen Landes, dass sie christliche Schulen aufrichten und halten sollen (1524), in: Ausgewählte Werke 5, München, S. 81-104

– (1982), An die Ratsherren aller Städte deutschen Landes, daß sie christliche Schulen aufrichten und halten sollen (1524), in: Ders., Ausgewählte Schriften (Hrsg. von K. Bornkamm und G. Ebeling), Band 5, Frankfurt/M., 41-72.

Lüke, U./Schnakenberg, J./Souvignier, G. (Hg.) (2004), Darwin und Gott, Darmstadt.

McMurray, J. (1957), The Self in Action, London.

März, F. (1988), Klassiker christlicher Erziehung, München.

Mollenhauer, K. (⁶1973), Erziehung und Emanzipation. Polemische Skizzen, München.

– (³1976), Theorien zum Erziehungsprozess, München.

Neubert, S. (1998), Erkenntnis, Verhalten und Kommunikation. John Deweys Philosophie des »Experience« in interaktionistisch-konstruktivistischer Interpretation, Münster.

Nieke, W. (^{2}2000), Interkulturelle Erziehung und Bildung. Wertorientierungen im Alltag, Opladen.

– (2001), Gesellschaftliche und individuelle Zukunft als basale Kategorie für pädagogisches Handeln und seine erziehungswissenschaftliche Orientierung, in: Nieke, W./Masschelein, J./Ruhloff, J. (Hg.), Bildung in der Zeit. Zeitlichkeit und Zukunft – pädagogisch kontrovers, Weinheim, 131-145.

Nipkow, K. E. (1981), Moralerziehung. Pädagogische und theologische Antworten, Gütersloh.

– (1992), »Oikumene«. Der Welt-Horizont als notwendige Voraussetzung christlicher Bildung und Erziehung im Blick auf nicht-christliche Religionen, in: Lähnemann J.(Hg.), Das Wiedererwachen der Religionen als pädagogische Herausforderung. Interreligiöse Erziehung im Spannungsfeld von Fundamentalismus und Säkularismus, Hamburg, 166-189.

– (1998), Bildung in einer pluralen Welt. 2 Bände, Gütersloh.

– (1999), Gesellschaftlicher Moralbedarf, Moralpolitik und Schule, in: Neumann, D./Schöppe, A./Treml, A. (Hg.), Die Natur der Moral. Evolutionäre Ethik und Erziehung. Stuttgart.

– (2002), Möglichkeiten und Grenzen eines evolutionären Paradigmas in der Erziehungswissenschaft, in: Zeitschrift für Pädagogik, H. 5, 670-689.

Nietzsche, F. (1984), Vom Nutzen und Nachteil der Historie für das Leben, Zürich.

Noack, M. (1999), Rettet die Allgemeine Pädagogik die Einheit des Faches Pädagogik?, in: Fuhr, T./Schulheis, K. (Hg.), Zur Sache Pädagogik. Untersuchungen zum Gegenstand der allgemeinen Erziehungswissenschaft, Bad Heilbrunn, 99-108.

Nohl, H. (^{8}1949), Die pädagogische Bewegung in Deutschland und ihre Theorie, Frankfurt/M.

Oelkers, J. (1990), Ist säkulare Pädagogik möglich?, in: Der Evangelische Erzieher 42, 23-31.

– (2004), Religiöse Sprachen in pädagogischen Theorien, in: Groß, E. (Hg.) (2004), Erziehungswissenschaft, Religion und Religionspädagogik, Münster, 93-124.

Oelkers, J./Osterwalder, F./Tenorth, H.-E. (Hg.) (2003), Das verdrängte Erbe. Pädagogik im Kontext von Religion und Theologie, Weinheim/Basel.

Olk, T. (^{2}2001), Träger der Sozialen Arbeit, in: Otto, H.-U./Thiersch, H. (Hg.), Handbuch Sozialarbeit/Sozialpädagogik, Neuwied.

Otto, G. (1974), Praktische Theologie als Kritische Theorie religiös vermittelter Praxis – Thesen zum Verständnis einer Formel, in: Klostermann, F./Zerfaß, R. (Hg.), Praktische Theologie heute, München/Mainz, 195-205.

Palmer, C. (1853), Evangelische Pädagogik. 2 Bde, Stuttgart.

– (1864), Die Moral des Christenthums, Stuttgart.

Petrarca, F. (1993), De sui ipsius et multorum ignorantia. Über seine und vieler anderer Unwissenheit (Hrsg. von A. Buck), Hamburg.

Petzelt, A. (1957), Religion und Bildung, in: Der katholische Erzieher 10.

– (1964), Grundzüge systematischer Pädagogik, Freiburg i. Br.

Peukert, H. (1984), Über die Zukunft von Bildung, in: Frankfurter Hefte 39, 129-137.

– (2004), Erziehungswissenschaft – Religionswissenschaft – Theologie – Religionspädagogik. Eine spannungsgeladene Konstellation unter den Herausforderungen einer geschichtlich neuartigen Situation, in: Groß, E. (Hg.) (2004), Erziehungswissenschaft, Religion und Religionspädagogik, Münster, 51-92.

Pieper, J. (1958), Über den Begriff der Tradition, Köln.

Pinn, I. (1999), Verlockende Moderne? Türkische Jugendliche im Blick der Wissenschaft, Duisburg.

Platon (1955), Theätet (Hrsg. von O. Apelt), Hamburg.

Pollack, D. (2001), Religion, in: Joas, H. (Hg.), Lehrbuch der Soziologie, Frankfurt/M., 335-362.

– (2003), Säkularisierung – ein moderner Mythos? Studien zum religiösen Wandel in Deutschland, Tübingen.

Pöppel, K. G. (1983), Erziehen in der Schule, Hildesheim u. a.

Prange, K. (2000), Plädoyer für Erziehung, Hohengehren.

Preul, R. (1980), Religion – Bildung – Sozialisation. Studien zur Grundlegung einer religionspädagogischen Bildungstheorie, Gütersloh.

Putnam, H. (1993), Von einem realistischen Standpunkt. Schriften zu Sprache und Wirklichkeit, Reinbek bei Hamburg.

Ratzinger, J. (2005), Was die Welt zusammenhält. Vorpolitische moralische Grundlagen eines freiheitlichen Staates, in: Ders., Werte in Zeiten des Umbruchs, Freiburg i. Br., 28-40.

Reich, K. (1998), Die Ordnung der Blicke. 2 Bände, Neuwied u. a.

– (2000), Interaktionistisch-konstruktive Kritik einer universalistischen Begründung von Ethik und Moral, in: Burckhart, H./Reich, K., Begründung von Moral: Diskursethik versus Konstruktivismus, Würzburg, 88-181.

– (2001), Konstruktivistische Ansätze in den Sozial- und Kulturwissenschaften, in: Hug, T. (Hg.), Wie kommt die Wissenschaft zu ihrem Wissen? Band 4, Baltmannsweiler, 356-376.

– (2002), Zum Realitätsbegriff im Konstruktivismus, unter: URL: http://www.uni-koeln.de/ew-fak/konstrukt/texte/download/realitaetsbegriff.pdf, Köln.

– (^{2}2004a), Systemisch-konstruktivistische Pädagogik, Neuwied u. a.

– (^{2}2004b), Konstruktivistische Didaktik, Neuwied u. a.

Rekus, J. (1986), Aus Prinzip zwar skeptisch, aber Skepsis ist kein Prinzip. Gedanken zur normkritisch-skeptischen und prinzipienwissenschaftlichen Aufgabe der Transzendentalkritischen Pädagogik, in: Vierteljahrsschrift für wissenschaftliche Pädagogik, H. 1, 132-144.

– (1993), Bildung und Moral, Weinheim/München.

– (2004), Schulqualität durch nationale Bildungsstandards?, in: Engagement – Zeitschrift für Erziehung und Schule, H. 4, 287-297.

Rémond, R. (1999), Religion and Society in Modern Europe, Oxford.

Roberts, J. M. (1990), The Penguin History of the World, London.

Robertson, R. (1995), Glocalization, in: Featherstone, M./Lash, S./Robertson, R. (Hg.), Global Modernities, London, 25-44.

Robinsohn, S. B. (1967), Bildungsreform als Revision des Curriculum, Neuwied.

Rockefeller, S. C. (1998), Dewey's Philosophy of Religious Experience, in: Hickman, L. A. (Hg.), Reading Dewey, Bloomington/Indianapolis.

Röhrich, W. (2004), Die Macht der Religionen. Glaubenskonflikte in der Weltpolitik, München.

Rorty, R. (1991), Kontingenz, Ironie und Solidarität, Frankfurt/M.

– (²1992), Der Spiegel der Natur. Eine Kritik der Philosophie, Frankfurt/M.

– (1996a), Religious Faith, Intellectual Responsibility and Romance, in: American Journal of Theology and Philosophy 17/2, 121-140.

– (1996b), Something to Steer By. A Review of Alan Ryan, John Dewey and the High Tide of American Liberalism, in: London Review of Books, 20 June.

Roth, H. (1962), Die realistische Wendung in der pädagogischen Forschung, in: Neue Sammlung 2, 481-490.

– (1971), Pädagogische Anthropologie. Band II: Entwicklung und Erziehung, Hannover.

Rousseau, J. J. (1965), Emile oder: Über die Erziehung (Hrsg. von M. Rang), Stuttgart.

– (1971),Emil oder über die Erziehung. Paderborn.

Ruhloff, J. (1993), EINE Allgemeine Pädagogik?, in: Fischer, W./Ruhloff, J., Skepsis und Widerstreit. Neue Beiträge zur skeptisch-transzendentalkritischen Pädagogik, Sankt Augustin, 57-64.

Rust, E. (1963), Toward a Theological Understanding of History, New York/Oxford.

Ryan, A. (1995), John Dewey and the High Tide of American Liberalism, New York.

Scheuerl, H. (1982), Pädagogische Anthropologie. Eine historische Einführung, Stuttgart.

Scheunpflug, A. (1999), Evolutionäre Didaktik – Ein Didaktikentwurf aus system- und evolutionstheoretischer Sicht, in: Holtappels, H.-G./Horstkemper, M. (Hg.), Neue Wege in der Didaktik? Analysen und Konzepte zur Entwicklung des Lehrens und Lernens. Die Deutsche Schule, 5. Beiheft, 169-185.

– (2001a), Unterricht aus evolutions- und systemtheoretischer Sicht, Weinheim.

– (2001b), Biologische Grundlagen des Lernens, Berlin.

– (Hg.) (2002), Thementeil Evolutionäre Pädagogik, in: Zeitschrift für Pädagogik, H. 5, 649-651.

– (2003), Globalisierung und Erziehungswissenschaft, in: Zeitschrift für Erziehungswissenschaft 6, H. 2, 159-172.

– (2004), Evolution und Religion, in: Wulf, C./Macha, H./Liebau, E. (Hg.), Formen des Religiösen. Pädagogisch-anthropologische Annäherungen, Weinheim, 96-112.

Scheunpflug, A./Hirsch, K. (2000), Globalisierung als Herausforderung für die Pädagogik, Frankfurt/M.

Scheunpflug, A./Seitz, K. (Hg.) (1992), Selbstorganisation und Chaos. Entwicklungspolitik und Entwicklungspädagogik in neuer Sicht, Tübingen.

– (1995), Die Geschichte der entwicklungsbezogenen Bildungsarbeit. Zur pädagogischen Konstruktion der Dritten Welt, 3 Bände, Frankfurt/M.

Schilmöller, R. (1990), Religionsunterricht und moralische Erziehung: Sinnerfahrung im Glauben, in: Regenbrecht, A./Pöppel, K. G. (Hg.), Moralische Erziehung im Fachunterricht, Band 2, Münster, 190-193.

Schleiermacher, F. (^{2}1964), Theorie der Erziehung. Die Vorlesungen aus dem Jahre 1826 (Nachschriften). in: Liechtenstein, E. (Hg.): F. E. D. Schleiermacher. Ausgewählte pädagogische Schriften, Paderborn.

– (1993), Über die Religion. Reden an die Gebildeten unter ihren Verächtern, Stuttgart.

– (2000), Die Grundzüge der Erziehungskunst, in: Ders., Texte zur Pädagogik (Hrsg. von M. Winkler und J. Brachmann), Band 2, Frankfurt/M., 405-467.

Schmid-Jenny, A. (1995), Glaube und Erziehung. Zu Verlust und Wiedergewinnung der religiösen Fragestellung in der Pädagogik, Würzburg.

Schmidt, G. R. (1993), Religionspädagogik. Ethos, Religiosität, Glaube in Sozialisation und Erziehung, Göttingen.

– (2004), Christentumsdidaktik – Grundlagen des konfessionellen Religionsunterrichts in der Schule, Leipzig.

Schmidt, H. (1991), Leitfaden Religionspädagogik, Stuttgart/Berlin/Köln.

Schneider, J. (Hg.) (1993), Bildung und Religion, in: Münsterische Gespräche zu Themen der wissenschaftlichen Pädagogik, H. 10, Münster, 46-59.

Schweitzer, F. (2003a), Besprechung Evolutionäre Pädagogik, in: Zeitschrift für Pädagogik und Theologie 55, H. 1, 82-84.

– (2003b), Pädagogik und Religion, Stuttgart.

– (^{2}2005), Das Recht des Kindes auf Religion. Ermutigungen für Eltern und Erzieher, Gütersloh.

Schweitzer, F./Englert, R./Schwab, U./Ziebertz, H. G. (2002), Entwurf einer pluralitätsfähigen Religionspädagogik, Freiburg/Gütersloh.

Schweitzer, F./Schlag, T. (Hg.) (2004), Religionspädagogik im 21. Jahrhundert, Gütersloh/Freiburg.

Schwöbel, C. (2003), Christlicher Glaube im Pluralismus. Studien zu einer Theologie der Kultur, Tübingen.

Seitz, K. (2002), Bildung in der Weltgesellschaft. Gesellschaftstheoretische Grundlagen Globalen Lernens, Frankfurt/M.

Senghaas, D. (1998), Zivilisierung wider Willen. Der Konflikt der Kulturen mit sich selbst, Frankfurt/M.

Sengulane, D. S. (1994), Vitoria sem vincidos, Maputo.

Söling, C. (2002), Der Gottesinstinkt. Bausteine für eine evolutionäre Religionstheorie, Dissertation Universität Gießen.

Stallmann, M. (1958), Christentum und Schule, Stuttgart.

Standfest, C./Köller, O./Scheunpflug, A. (2005), Leben – Lernen – Glauben. Zur Qualität evangelischer Schulen. Eine empirische Untersuchung über die Leistungsfähigkeit von Schulen in evangelischer Trägerschaft, Münster u. a.

Stichweh, R. (1995), Zur Theorie der Weltgesellschaft, in: Soziale Systeme 1, H. 1, 29-45.

Stobbe, H.-G. (1996), Sind monotheistische Religionen toleranzfähig?, in: Schneider, J. (Hg.), Kulturelle Vielfalt als Problem für Gesellschaft und Schule, Münster.

Stoodt, D. (1985), Arbeitsbuch zur Geschichte des evangelischen Religionsunterrichts in Deutschland, Münster.

Tenorth, H.-E. (Hg.) (1986), Allgemeine Bildung. Analysen zu ihrer Wirklichkeit, Versuche über ihre Zukunft, Weinheim.

– (2000), Kanonprobleme und Lehrplangestaltung. Über das Ende des alteuropäischen Lehrplans und seine Ablösung durch den »Bildungsplan«, in: Keck, R./Ritzi, Ch. (Hg.), Geschichte und Gegenwart des Lehrplans, Baltmannsweiler, 349-360.

– (2004), Wolfgang Brezinka oder: Wissenschaftliche Pädagogik im Spiegel ihrer ungelösten Probleme, in: Pädagogische Rundschau 58, 453-465.

– (2003), »Encyklopädie, Methodologie und Literatur«. Pädagogisches Wissen zwischen Amt und Wissenschaft, in: Oelkers, J./Osterwalder, F./Tenorth, H.-E. (Hg.) (2003), Das verdrängte Erbe. Pädagogik im Kontext von Religion und Theologie, Weinheim/Basel, 123-146.

Thomas von Aquin (1988), Über den Lehrer. De magistro. Lateinisch – Deutsch (Hrsg. von G. Jüssen, G. Krüger und J. H. J. Schneider), Hamburg.

Tillich, P. (1953), Systematic Theology I, Digswell Place.

Toynbee, A. (1958), Christianity amongst the Religions of the World, Oxford.

Treml, A. K. (2000), Allgemeine Pädagogik. Grundlagen, Handlungsfelder und Perspektiven der Erziehung, Stuttgart.

– (2002), Evolutionäre Pädagogik, Stuttgart.

Tulasiewicz, W./Brock, C. (Hg.) (1988), Christianity and Educational Provision in International Perspective, London/New York.

Tulasiewicz, W./To, C.-Y. (Hg.) (1993), World Religions and Educational Practice, London/New York.

Tzscheetzsch, W. (1999), Der Religionsunterricht in der »neuen« Schule. Überlegungen zu »Kompetenzen« und »Schlüsselqualifikationen«, in: Kirche und Schule 25, 1-12.

Uhl, S. (2001), Die Aufgaben der Allgemeinen Pädagogik. Eine Klassifikation der gängigen Auffassungen, in: Zeitschrift für Erziehungswissenschaft 4, 61-82.

Uljens, M. (2002), The Idea of a Universal Theory of Education – an Impossible but Necessary Project?, in: Journal of Philosophy of Education 36, 353-375.

UNDP [United Nations Development Program] (1999), Bericht über die menschliche Entwicklung: Globalisierung mit menschlichem Antlitz (Hrsg. von der Deutschen Gesellschaft für die Vereinten Nationen e. V.), Bonn.

Voland, E./Söling, C. (2004), Die biologische Basis der Religiosität in Instinkten – Beiträge zu einer evolutionären Religionstheorie, in: Lüke, U./Schnakenberg, J./Souvignier, G. (Hg.), Darwin und Gott, Darmstadt, 47-65.

Weber, M. (1924), Wirtschaftsgeschichte, München/Leipzig.

Weniger, E. ([9]1971), Didaktik als Bildungslehre. Teil 1: Theorie der Bildungsinhalte und des Lehrplans, Weinheim.

Welsch, W. ([5]1997), Unsere postmoderne Moderne, Berlin.

Wigger, L. (2002), Neue Herausforderungen und neue Perspektiven der Allgemeinen Erziehungswissenschaft, in: Vierteljahrsschrift für wissenschaftliche Pädagogik 78, 261-266.

Winkler, M. (1994), Wo bleibt das Allgemeine? Vom Aufstieg der allgemeinen Pädagogik zum Fall der Allgemeinen Pädagogik, in: Krüger, H.-H./Rauschenbach, T. (Hg.), Erziehungswissenschaft. Die Disziplin am Beginn einer neuen Epoche, Weinheim, 93-114.

Wulf, C./Macha, H./Liebau, E. (Hg.) (2004), Formen des Religiösen. Pädagogisch-anthropologische Annäherungen, Weinheim/Basel.

Wulf, C./Merkel, C. (Hg.) (2002), Globalisierung als Herausforderung der Erziehung. Theorien, Grundlagen, Fallstudien, Münster.

Ziebertz, H.-G. (1995), Religion und Bildung in der (Post-) Moderne, in: Pädagogische Rundschau 49, 421-431.

– (1999), Religion, Christentum und Moderne, Stuttgart.

– (2002a), Grenzen des Säkularierungstheorems, in: Schweitzer, F./Englert, R./ Schwab, U./Ziebertz, H.-G., Pluralitätsfähige Religionspädagogik, Gütersloh/ Freiburg, 51-74.

– (2002b), Warum die religiöse Dimension der Wirklichkeit erschließen?, in: Hilger, G./Leimgruber, S./Ziebertz, H.-G., Religionsdidaktik, München, 107-122.

– (Hg.) (2004), Erosion des christlichen Glaubens?, Münster.

Ziebertz, H.-G./Kay, W. K. (Hg.) (2005), Youth in Europe I. An international empirical Study about Life Perspectives, Münster.

Ziebertz, H.-G./Kay W. K. (Hg.) (2006), Youth in Europe II. An international empirical study about Religiosity, Münster.

Ziebertz, H.-G./Kalbheim, B./Riegel, U. (2003), Religiöse Signaturen heute. Ein religionspädagogischer Beitrag zur empirischen Jugendforschung, Freiburg/Gütersloh.

Zimmermann, W. u. a. (1977), Von der Curriculumtheorie zur Unterrichtsplanung, Paderborn.

Zulehner, P./Hager, I./Polak, R. (2001), Kehrt Religion wieder? Religion im Leben der Menschen 1970-2000, Ostfildern.

Die Autorin und die Autoren

Dr. Rudolf Englert
Prof. für kath. Religionspädagogik an der Universität Duisburg-Essen

Dr. Norbert Hilgenheger
Prof. für Allgemeine Pädagogik an der Universität Bonn

Dr. Lutz Koch
Prof. für Allgemeine Pädagogik an der Universität Bayreuth

Dr. Volker Ladenthin
Prof. für Schulpädagogik an der Universität Bonn

Dr. Christoph Lüth
Em. Prof. für Allgemeine Pädagogik an der Universität Potsdam

Dr. Wolfgang Nieke
Prof. für Allgemeine Pädagogik an der Universität Rostock

Dr. Kersten Reich
Prof. für Allgemeine Pädagogik an der Universität Köln

Dr. Jürgen Rekus
Prof.in für Allgemeine Pädagogik an der Universität Karlsruhe

Dr. Annette Scheunpflug
Prof.in für Allgemeine Pädagogik an Universität Erlangen-Nürnberg

Dr. Friedrich Schweitzer
Prof. für ev. Religionspädagogik an der Universität Tübingen

Dr. Ulrich Schwab
Prof. für ev. Religionspädagogik an der Universität München (LMU)

Dr. Günter R. Schmidt
Em. Prof. für ev. Religionspädagogik an der Universität Erlangen-Nürnberg

Dr. Dr. Hans-Georg Ziebertz
Prof. für kath. Religionspädagogik an der Universität Würzburg